LEBENDIGES DEUTSCHLAND

H. J. MEESSEN
Indiana University

KURT BLOHM
Oberstudiendirektor, Neusprachliches Gymnasium, Westerstede, Germany

GINN AND COMPANY

BOSTON   NEW YORK   CHICAGO   ATLANTA
DALLAS   PALO ALTO   TORONTO   LONDON

© COPYRIGHT, 1959, BY GINN AND COMPANY

ALL RIGHTS RESERVED

160.3
B

Preface

Lebendiges Deutschland is intended as a reader for the second semester of the first-year college course. It may profitably be started as the student nears completion of his formal study of elementary grammar.

Our text seeks to acquaint the American student with the Germany that has emerged since 1945 by presenting typical aspects of the German scene in the post-World War II period. It aims to give the student a general view of present-day conditions in Germany and would, together with developing his general reading ability, also lay the groundwork, as far as possible, for his reading about current affairs in German newspapers and magazines.

One of us is a secondary-school principal in Germany and has experienced the developments there during the past several decades at first hand. A large part of our material is therefore based upon his own immediate observations. He has also been responsible for the authenticity of current German usage, especially with respect to colloquial and technical expressions. Factual and statistical information was drawn from the sources listed below.

Following a brief consideration of the several factors that attach to the concept of "Germany," we present a synopsis of the catastrophic developments that overtook the country in the years 1933–45, and of the emergence of a new order in Western Germany since that time. The life and attitudes of the people in the Federal Republic are characterized by experiences of American visitors to Germany, in their discussions with Germans from various walks of life, and in scenes among Germans themselves. An American's visit to West Berlin and his trip by car from Hamburg to Frankfurt via Bonn furnish the background for a discussion of the aftermath of total collapse, economic recovery, and German political life under the newly established free institutions. An American coed visits a

German friend in an imaginary small city on the Weser, learns about the German school system, and attends a class reviewing the principal events of German history in the local Gymnasium. The problem of integrating German expellees from the East into West German communities in the face of latent antipathies on the part of some of the indigenous population is the subject of the section "Altbürger und Flüchtlinge." An inquisitive American graduate student at the University of Heidelberg learns something of student life, cultural events and institutions, press, radio, and sports. Needless to say, all "characters" appearing in these episodes are fictitious.

Vocabularies. In order to enable the student to read as rapidly as possible, we have provided footnotes for each page of text. As a rule, we give the meanings of all words beyond the "1000 most frequent" in the *Minimum Standard Vocabulary*. In some instances, however, we have not hesitated to footnote a word included among the "1000 most frequent." Conversely, we have not glossed certain derivatives that can easily be understood from their basic components or root forms. Occasional deviations from either principle are due to our desire to maintain that modicum of flexibility which our extensive classroom experience tells us is indispensable. Altogether, the footnotes seek to offer the student every legitimate aid while at the same time encouraging him to develop his own resources and to increase his reading ability. Proper names, geographical names, as well as easily recognizable cognates have generally not been glossed. Except where the listing of the plural was considered essential, nouns appear in their singular forms. Unless it is necessary to stress the adverbial meaning, the adjectival meaning is given for both adjectives and adverbs.

The *end vocabulary* is intended to be complete, except for those very simple and familiar words noted in the introductory remarks on page 187.

Exercises. To provide a basis for review and oral discussion of the reading matter, we have furnished a number of German questions. An effort has been made to keep them as simple as possible, and they are offered as suggestions only. Teachers may wish to devise others or to take up only certain of the questions we have provided. At this stage of the student's preparation, conversation in German must obviously be conducted on a relatively simpler level than reading for comprehension. *It is not our intention, nor do we con-*

iv

sider it desirable, to require the student to incorporate in his answers the more detailed and occasionally complex factual data presented in the text.

Sources. Factual and statistical information contained in this reader is based upon the following publications:

1) *Deutschland im Wiederaufbau*, 1953 and later
   Deutschland Heute, 1954 and later
   Tatsachen über Deutschland, 1957
   released by the Presse- und Informationsdienst of the Federal Republic of Germany
2) *Deutschland Taschenbuch*, 1955
   Deutschlandfibel, 1955
   published by Alfred Metzner Verlag, Frankfurt
3) *Meet Germany*, 1955 and later
   published by Atlantik-Brücke, Hamburg
4) *The United States and Germany, 1945–1955*, 1955
   published by the Department of State (Department of State Publication 5827)

A number of the drawings are based upon illustrations found in the publications cited above, especially in *Deutschland Heute*, *Deutschlandfibel*, and *Meet Germany*. The caricatures on page 1 and in the section "Geschichtsunterricht in Bildern" are drawn after originals found in Georg Ramseger, *Duell mit der Geschichte*, 1955, published by Gerhard Stalling Verlag, Oldenburg.

The smaller maps in our text are drawn from the publications of the Presse- und Informationsdienst. The base of the map on page 5 is used with the courtesy of Ginn and Company. The map reproduced on the end papers is based upon a map published by the Bundeszentrale für Heimatdienst, Bonn.

We express our warmest gratitude to all sources for permission to use or reprint the materials published by them. Especially we thank Dr. Richard Mönnig, Inter Nationes, Bonn, for his invaluable help in making materials and photographs available and for clearing copyright questions with all concerned.

HUBERT J. MEESSEN, *Indiana University*

KURT BLOHM, *Westerstede, German Federal Republic*

Table of Contents

Wo ist Deutschland?

Deutschland innerhalb des deutschen Sprachgebiets	1
Das Nazi-Regime und der Zweite Weltkrieg	6
Deutschland nach dem Zusammenbruch	10
Die Gründung der Bundesrepublik	15

W. J. Browning in Deutschland

Ankunft in Bremerhaven. Mit dem Flugzeug nach Berlin	23
In West-Berlin	26
Eine Taxi-Fahrt durch Ost-Berlin	37
Mit dem Auto von Hamburg nach Bonn. Das Ruhrgebiet	49
Die Hauptstadt der Bundesrepublik. Die Bundesregierung. Parteien und Wahlsystem	54
Ankunft in Frankfurt. Der Wiederaufbau der deutschen Wirtschaft mit amerikanischer Hilfe	66
„Deutschland im Jahre 10." Bericht eines französischen Journalisten aus dem Jahre 1955	79
Rundfahrt durch Frankfurt	85

Schule und Unterricht

Joan Benson in Nordwestdeutschland. Das deutsche Schulsystem.	95
Deutsche Geschichte in Bildern:	
1. Ein alter Germane	102
2. Karl der Große	106
3. Karl der Fünfte	109
4. Der Große Kurfürst	111
5. Friedrich der Große	113
6. Napoleon Bonaparte	115
7. Otto von Bismarck	119
8. Wilhelm der Zweite	122
9. Friedrich Ebert	124

10. Paul von Hindenburg	126
11. Adolf Hitler	128
12. Konrad Adenauer	132

Altbürger und Flüchtlinge

Die Familie Janssen und die Familie Kowalski. Wohnungsverhältnisse und Lebenshaltungskosten	134
Frau Meyers Ärger über die Flüchtlinge. Der Lastenausgleich. Löhne und Gehälter	144

Studenten in Heidelberg

Donald Campbell in Heidelberg. Stadt und Universität	153
Theater, Oper und Film in Deutschland	158
Im Café nach dem Theater	164
Wanderung nach Neckarsteinach. Der Fremdenverkehr in Deutschland	167
Jugendherbergen	174
Zeitungen, Zeitschriften, Rundfunk, Fernsehen und Sport	185

Ausblick	193
Fragen	195
Vocabulary	207

Wo ist Deutschland?

H. M. BROCKMANN (1950)

Westen und Osten: Bundeskanzler Konrad Adenauer der Bundesrepublik Deutschland und Ministerpräsident Otto Grotewohl der sogenannten „Deutschen Demokratischen Republik".

Deutschland innerhalb des deutschen Sprachgebiets

Die deutsche Sprache[1] wird von nahezu[2] 85 Millionen Menschen[3] in Europa als Muttersprache gesprochen. Von diesen 85 Millionen Menschen leben ungefähr[4] 13 Millionen in Österreich, in der Schweiz, in Luxemburg, im Elsaß (Frankreich) und in Südtirol (Italien). Man sagt, daß die übrigen[5] 72 Millionen in „Deutschland" leben. Was ist „Deutschland"? In der Geschichte besteht[6] der Begriff[7]

1. die Sprache *language*
2. nahezu *nearly*
3. die Menschen *people*
4. ungefähr *approximately*
5. die übrigen *the remaining*
6. bestehen *to exist*
7. der Begriff *concept*

1

„Deutschland" (Germania) schon 2000 Jahre. Aber geographisch und politisch war dieser Begriff fast immer unbestimmt.[8] Mit dem Jahre 1945 ist er noch unbestimmter geworden. Seit 1945 bezeichnet[9] der Begriff „Deutschland"
5 vor allem[10] ein schwieriges politisches Problem, an dem auch die amerikanischen Staatsmänner fast täglich arbeiten.

Deutschland liegt in der Mitte Europas. Diese Lage[11] hat viele Nachteile.[12] Natürliche Grenzen[13] sind im Norden die Nordsee und die Ostsee, im Süden die Alpen. Die Grenzen
10 im Westen und Osten sind offen. Die Geschichte hat sie immer wieder verschoben.[14] Die geographische Lage Deutschlands hat oft sein Schicksal[15] bestimmt.

Das Deutschland von 1937 hatte gemeinsame Grenzen mit elf Nachbarländern. Kein Land der Welt hat so viele
15 Nachbarn.

    8. unbestimmt *undetermined, uncertain*   12. der Nachteil *disadvantage*
    9. bezeichnen *to designate*   13. die Grenze *border, boundary*
    10. vor allem *above all*   14. verschieben *to move about*
    11. die Lage *situation, position*   15. das Schicksal *fate*

Ist denn ein Land mit elf Nachbarländern nicht auch ein großes Land? Im Vergleich[16] mit Dänemark kann man Deutschland als ein großes Land bezeichnen, keineswegs[17] aber im Vergleich mit den Vereinigten Staaten, wie die folgende Karte zeigt:

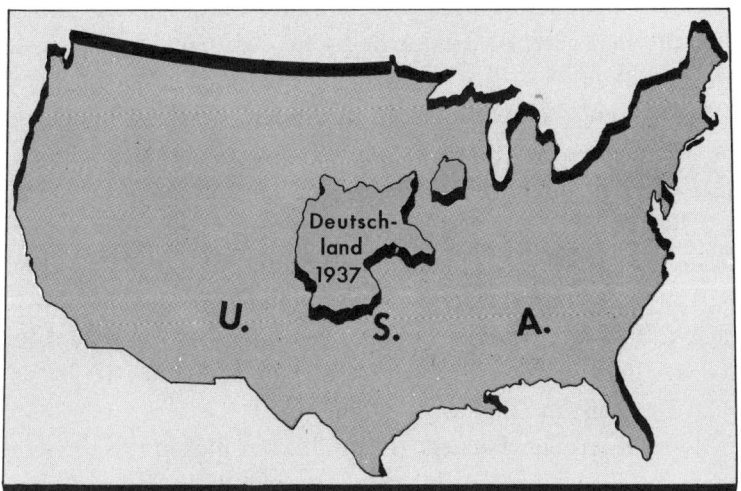

Das Deutschland von 1937 hatte eine Fläche[18] von 470 500 qkm,[19] die Vereinigten Staaten dagegen haben eine Fläche von 7 827 600 qkm.

In der deutschen Landschaft[20] kann man drei große Zonen unterscheiden[21]: das norddeutsche Tiefland,[22] die deutschen Mittelgebirge[23] und die Alpen. Das norddeutsche Tiefland ist ein Teil des großen Tieflandes, das sich von Frankreich bis weit nach Rußland hinein erstreckt.[24] Die deutschen Mittelgebirge sind von großer Mannigfaltigkeit[25]

16. der Vergleich *comparison*
17. keineswegs *by no means*
18. die Fläche *surface, area*
19. qkm = (der) Quadratkilometer *square kilometer*
20. die Landschaft *landscape*
21. unterscheiden *to distinguish*
22. das Tiefland *lowland*
23. das Mittelgebirge *mountains of moderate height*
24. sich erstrecken *to extend, stretch*
25. die Mannigfaltigkeit *variety*

3

und sehr verschiedenem[26] Charakter. Sie erstrecken sich vom Rhein bis zur Tschechoslowakei. Im Westen liegen sie zu beiden Seiten des Rheins. Im Osten liegen sie an drei Seiten der tschechoslowakischen Grenze. In Mitteldeutschland
5 liegen sie zerstreut.[27] Die Mittelgebirge heißen so, weil sie keine Hochgebirge sind, sondern nur eine mittlere Höhe haben (800 m[28] bis 1500 m). In den deutschen Mittelgebirgen liegen große Wälder.

Die Alpen, die Hochgebirge im Süden, sind viel höher als
10 die Mittelgebirge. Auf der deutsch-österreichischen Grenze liegt die Zugspitze, der höchste Berg Deutschlands (2 965 m = 9 700 Fuß[29]). In Österreich erreichen[30] die Alpen eine Höhe bis zu 3 800 m (Großglockner), und in der Schweiz bis zu 4 200 m (Jungfrau). Der Montblanc (4 800 m) im franzö-
15 sischen Teil der Alpen ist der höchste Berg in Europa. Der höchste Berg in Nordamerika ist Mount McKinley (6 200 m = 20 300 Fuß) in Alaska.

Von den großen Flüssen[31] Deutschlands fließen die meisten nach Norden. Der Rhein, die Weser und die Elbe fließen
20 in die Nordsee; die Oder fließt in die Ostsee. Die Donau (2 850 km[32] = 1725 Meilen), die durch Deutschland, Österreich, die Tschechoslowakei, Ungarn, Jugoslavien und Rumänien in das Schwarze Meer fließt, ist viel länger als die Flüsse, die nach Norden fließen. Aber der Mississippi ist
25 noch länger. Er hat eine Länge von 2 500 Meilen. Der Rhein, der aus der Schweiz durch Deutschland und Holland in die Nordsee fließt, hat eine Länge von 820 Meilen.

Auf den Plakaten der Reisebüros erscheint[33] die deutsche Landschaft meist mit Burgen,[34] Schlössern[35] und Domen.[36]

26. verschieden *different*
27. zerstreut *scattered*
28. m = (der) Meter *meter*
29. Fuß *feet*
30. erreichen *to reach*
31. der Fluß *river*
32. km = (der) Kilometer *kilometer*
33. erscheinen *to appear*
34. die Burg *castle*
35. das Schloß *château*
36. der Dom *cathedral*

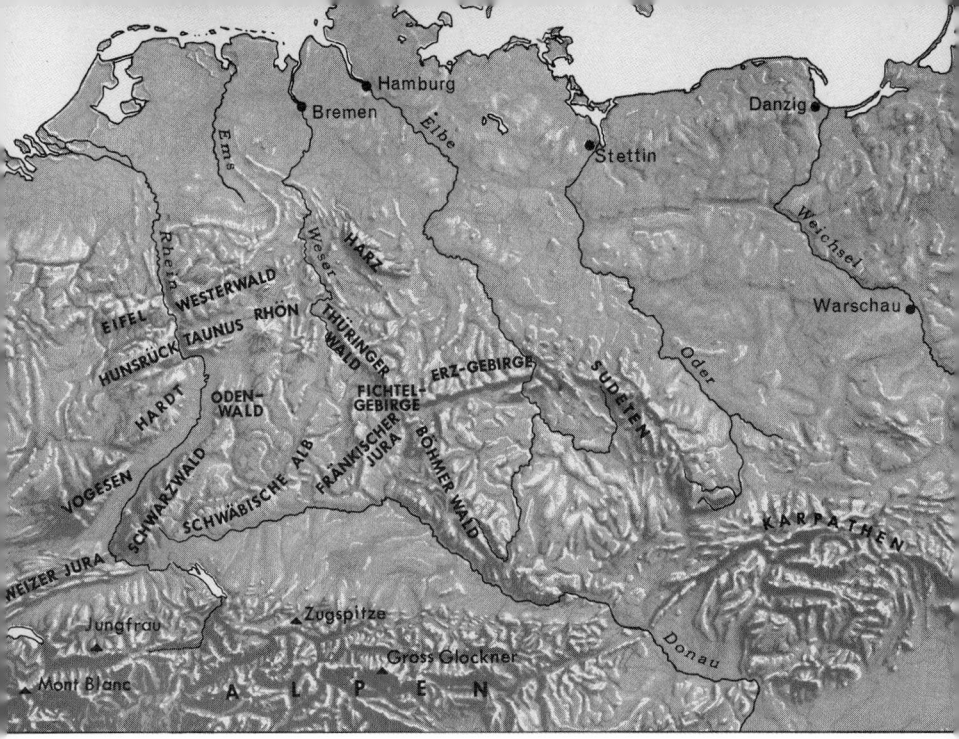

Aber es gibt noch viel mehr. Weil fast jeder Landfleck[37] fleißig[38] bearbeitet[39] wird, sagen die Deutschen gerne: „Die deutsche Landschaft ist ein großer Garten." Tatsächlich[40] gibt es keine Wüsten,[41] Steppen oder Urwälder.[42] Das Klima ist gemäßigt.[43] Naturkatastrophen (Stürme, Hitze- und Kältewellen, Dürren[44]) sind selten. Aber es gibt auch Gebiete,[45] die keine Gärten sind. Es gibt Industriegebiete mit Rauch[46] und Staub[47] und Lärm.[48] Es gibt große Städte, die als Handelszentren[49] und Häfen ein durchaus „amerikanisches Tempo" haben.

37. der Landfleck *piece of land*
38. fleißig *industrious*
39. bearbeiten *to work, cultivate*
40. tatsächlich *actually*
41. die Wüste *desert*
42. der Urwald *virgin forest*
43. gemäßigt *moderate*
44. die Dürre *drought*
45. das Gebiet *territory, region*
46. der Rauch *smoke*
47. der Staub *dust*
48. der Lärm *noise*
49. das Handelszentrum *trade center*

5

Wir haben von der deutschen Sprache, von der geographischen Lage Deutschlands, von seiner Landschaft, von seinen Bergen, Flüssen und Wäldern gesprochen. Wir haben gesagt, daß es in Deutschland nicht nur Dome, Burgen und
5 Schlösser gibt, sondern auch intensive Landwirtschaft[50] und moderne Industrie. Wir haben das Deutschland von 1937 erwähnt.[51] Aber wir haben immer noch nicht die Frage beantwortet, was „Deutschland" heute ist. Wir müssen etwas weiter zurückgehen.

Das Nazi-Regime und der Zweite Weltkrieg

10 Im Jahre 1933 hatte in Deutschland das Nazi-Regime begonnen. Es war die Gewaltherrschaft[1] einer politischen Partei, die durch rücksichtslose[2] Unterdrückung[3] aller anderen Parteien und durch Judenverfolgungen[4] sehr bald Deutschland in der ganzen Welt unbeliebt[5] machte. Nachdem Hitler,
15 der Nazidiktator, eine starke Armee und eine große Luftwaffe[6] aufgebaut[7] hatte, nahm[8] er eine drohende[9] Haltung[10] an.[8] Eine internationale Krise folgte der anderen. England und Frankreich wollten zunächst einen Krieg vermeiden.[11] Österreich und die Tschechoslowakei wurden ohne Krieg von
20 deutschen Truppen besetzt.[12] Als aber Hitler 1939 Polen angriff,[13] brach der zweite Weltkrieg aus. Es war ein „totaler Krieg", der sechs Jahre lang mit großer Bitterkeit geführt

50. die Landwirtschaft *agriculture*
51. erwähnen *to mention*

1. die Gewaltherrschaft *despotism*
2. rücksichtslos *ruthless*
3. die Unterdrückung *suppression*
4. die Judenverfolgung *persecution of Jews*
5. unbeliebt *unpopular*

6. die Luftwaffe *air force*
7. aufbauen *to build up*
8. annehmen *to take on, assume*
9. drohend *menacing*
10. die Haltung *attitude*
11. vermeiden *to avoid*
12. besetzen *to occupy*
13. angreifen *to attack*

wurde. Seit der Konferenz in Casablanca (Januar 1943) forderten die Alliierten die „bedingungslose[14] Kapitulation" Deutschlands. Im Frühjahr[15] 1945 ging der zweite Weltkrieg in Europa zu Ende. Auf den totalen Krieg war der totale Zusammenbruch[16] gefolgt. Die deutsche Wehrmacht[17] war geschlagen. Die russische Armee stand vor Berlin. Hitler beging[18] am 30. April 1945 Selbstmord.[19] Am 2. Mai wurde Berlin von den Russen erobert.[20] Am 7. und 8. Mai unterzeichnete[21] die deutsche Wehrmacht in Reims und Berlin die bedingungslose Kapitulation.

Die militärische Niederlage[22] Deutschlands im ersten Weltkrieg hatte zu einer Revolution geführt. Das damalige[23] Kaiserreich[24] wurde in eine demokratische Republik verwandelt.[25] Es gab also nach dem Waffenstillstand[26] vom 11. November 1918 immer noch eine deutsche Regierung.[27] Aber nach der bedingungslosen Kapitulation von 1945 gab es weder eine Revolution noch eine deutsche Regierung. Die vier Siegermächte[28] (Amerika, England, Frankreich, Rußland) setzten[29] ein Regime von regionalen und lokalen Militärregierungen ein.[29] Der Alliierte Kontrollrat[30] in Berlin übernahm die Koordinierung der Besatzungspolitik.[31] Die Konferenz in Jalta (Februar 1945) hatte das Ziel dieser Politik bestimmt: „die Vernichtung[32] des deutschen Militaris-

14. bedingungslos *unconditional*
15. das Frühjahr *spring*
16. der Zusammenbruch *collapse*
17. die Wehrmacht *German armed forces (during Nazi regime)*
18. begehen *to commit*
19. der Selbstmord *suicide*
20. erobern *to conquer*
21. unterzeichnen *to sign*
22. die Niederlage *defeat*
23. damalig *of that time*
24. das Kaiserreich *empire*
25. verwandeln *change, transform*
26. der Waffenstillstand *armistice*
27. die Regierung *government*
28. die Siegermacht *victorious power*
29. einsetzen *to set up*
30. der Alliierte Kontrollrat *Allied Control Council*
31. die Besatzungspolitik *occupation policy*
32. die Vernichtung *destruction*

mus und des Nazitums". Am 5. Juni 1945 gab[33] der Alliierte Kontrollrat die „Berliner Erklärungen" ab.[33] Die wichtigste dieser Erklärungen lautete[34]: „Es gibt in Deutschland keine zentrale Regierung oder Behörde, die fähig wäre, die Ver-
5 antwortung für die Aufrechterhaltung der Ordnung, die Verwaltung des Landes und die Ausführung der Forderungen der siegreichen Mächte zu übernehmen."* In einer weiteren Erklärung übernahmen die vier Siegermächte selbst nicht nur die oberste[35] Regierungsgewalt[36] in Deutschland, sondern
10 auch die Regierungsgewalt in den Ländern[37] und die Verwaltung in den Städten und Gemeinden.[38]
Zugleich teilten die Siegermächte Deutschland „innerhalb seiner Grenzen, wie sie am 31. Dezember 1937 bestanden," für Besatzungszwecke[39] in Zonen auf. Die Konferenz in
15 Potsdam (17. Juli bis 2. August 1945) bestimmte folgende Einzelheiten[40] (siehe die Karte auf Seite 9):

1. Oben rechts ist Ostpreußen. Der nördliche Teil von Ostpreußen wurde auf der Potsdamer Konferenz unter sowjetische, der südliche Teil unter polnische „Verwaltung"
20 gestellt.
2. Weiter links ist das „Gebiet östlich der Oder-Neiße Linie", das „bis zur endgültigen[41] Festlegung[42] der Westgrenze Polens" unter polnische „Verwaltung" gestellt wurde.
3. Das mittlere Stück ist die sowjetische Besatzungszone.

33. abgeben: gab ... die „Berliner Erklärungen" ab *made the "Berlin declarations"*
34. lauten *to say, state*
35. oberst *supreme*
36. die Regierungsgewalt *governing power*
37. die Länder (*German*) *states*
38. die Gemeinde *community*
39. der Zweck *purpose*
40. die Einzelheit *detail*
41. endgültig *final*
42. die Festlegung *determination*

*"There is no central government or authority in Germany capable of accepting responsibility for the maintenance of order, the administration of the country and compliance with the requirements of the victorious powers." *Deutschland Heute*, 1954, p. 51

8

4. Das große Stück links ist das Gebiet („Westdeutschland"), das in drei weitere Besatzungszonen aufgeteilt wurde: eine britische, eine französische und eine amerikanische.

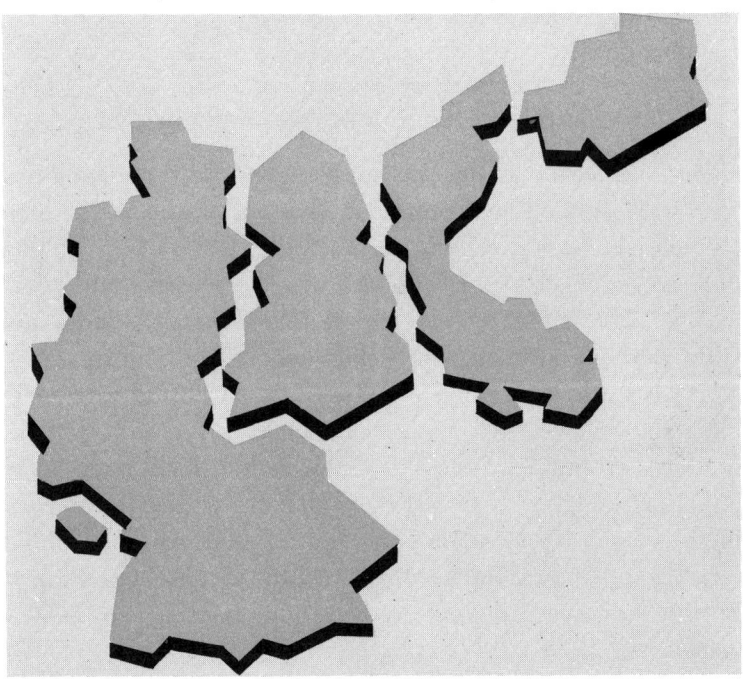

Wenn man die Stücke zusammensetzt (wie in einem Zusammensetzspiel), hat man das Deutschland von 1937. Was sind die einzelnen Stücke?

5. Das kleine Stück unten links ist das Saargebiet. Es wurde im Herbst 1945 von der französischen Besatzungszone abgetrennt[43] und wirtschaftlich[44] an Frankreich angeschlossen.[45]

Berlin, die bisherige[46] Hauptstadt Deutschlands, wurde in vier Sektoren aufgeteilt und von den vier Siegermächten gemeinsam besetzt.

43. abtrennen *to separate*　　45. anschließen *to join*
44. wirtschaftlich *economic*　　46. bisherig *until now, hitherto*

So sah[47] es auf der Karte aus.[47] Und schon auf der Karte waren dies ungeheure[48] Veränderungen.[49] Der offizielle Name Deutschlands, „Deutsches Reich", war ganz verschwunden,[50] wie auch der Name des größten deutschen
5 Landes, Preußen. Wie aber sah es in Deutschland selbst aus?

Deutschland nach dem Zusammenbruch

Der Luftkrieg hatte die großen und mittleren Städte zerstört.[1] In den westdeutschen Städten waren 40% aller Wohnungen entweder total zerstört oder so stark beschädigt,[2] daß sie nicht mehr bewohnbar[3] waren. Die Kanalisation[4]
10 funktionierte nicht mehr. Die Wasser-, Strom-[5] und Gasleitungen[6] waren an vielen Stellen zerstört.

Der Verkehr[7] war völlig desorganisiert. Die Straßenbahnen[8] fuhren nicht, weil es keinen elektrischen Strom gab und die Straßen zerbombt waren. Die Züge fuhren nicht, weil viele
15 Bahnhöfe, Gleise[9] und Brücken zerstört waren. Auf den Flüssen konnten keine Schiffe fahren, weil die Flüsse mit zerstörten Brücken und gesunkenen Schiffen blockiert waren. Für die Autos und Lastkraftwagen,[10] die es noch gab, gab es kein Benzin.[11]
20 Viele Fabriken[12] und Bergwerke[13] lagen in Trümmern.[14] Da es für die übriggebliebenen[15] Fabriken keine Rohstoffe[16] gab, war die Industrie paralysiert.

47. aussehen *to look, appear*
48. ungeheuer *huge, enormous*
49. die Veränderung *change*
50. verschwinden *to disappear*

1. zerstören *to destroy*
2. beschädigen *to damage*
3. bewohnbar *inhabitable*
4. die Kanalisation *sewage system*
5. der Strom *electric current*
6. die Leitung *line*

7. der Verkehr *traffic*
8. die Straßenbahn *streetcar*
9. das Gleis *rail, track*
10. der Lastkraftwagen *truck*
11. das Benzin *gasoline*
12. die Fabrik *factory*
13. das Bergwerk *mine*
14. die Trümmer (*pl.*) *ruins*
15. übrigbleiben *to remain, be left over*
16. der Rohstoff *raw material*

10

Aber nicht nur die Häuser und Fabriken waren durch die Bombenangriffe zerstört worden, sondern auch Kirchen, Kunstdenkmäler,[17] Theater und Museen. Es ist unmöglich, alle Zerstörungen aufzuzählen.[18] Man hat ausgerechnet,[19] daß man mit den Trümmerhaufen, die 1945 in Westdeutschland lagen, dreimal den Panamakanal hätte zuschütten[20] können. In der Sowjetzone war es ähnlich oder noch schlimmer.[21]

Auf den politischen und wirtschaftlichen Zusammenbruch Deutschlands folgte der Zusammenbruch der sozialen Struktur. Das zerstörte Westdeutschland war bei Kriegsende gefährlich übervölkert.[22] Millionen Deutsche waren vor der sowjetischen Armee nach Westen geflohen. Millionen „verschleppte[23] Personen", hauptsächlich[24] Zwangsarbeiter[25] aus den alliierten Ländern, waren in Westdeutschland. Die Repatriierung der „verschleppten Personen" war schwierig und konnte nur langsam ausgeführt[26] werden. Millionen blieben zunächst in Deutschland.

In das zerstörte und übervölkerte Westdeutschland strömten nun noch weitere Millionen aus dem Osten. Auf der Konferenz in Jalta hatte Stalin den östlichen Teil Polens für Rußland verlangt.[27] Als Entschädigung[28] erhielt[29] Polen die Verwaltung der deutschen Gebiete östlich der Oder-Neiße Linie. Die deutsche Bevölkerung[30] wurde seit Mai 1945 systematisch aus diesen Gebieten vertrieben.[31] Dasselbe

17. das Kunstdenkmal *work of art, monument of artistic value*
18. aufzählen *to enumerate*
19. ausrechnen *to calculate, reckon*
20. zuschütten: daß man ... hätte zuschütten können *that one could have filled up*
21. schlimm *bad*
22. übervölkert *overpopulated*
23. verschleppt *displaced*
24. hauptsächlich *mainly*
25. der Zwangsarbeiter *forced laborer*
26. ausführen *to carry out*
27. verlangen *to demand*
28. die Entschädigung *compensation*
29. erhalten *to obtain*
30. die Bevölkerung *population*
31. vertreiben *to drive away, expel*

11

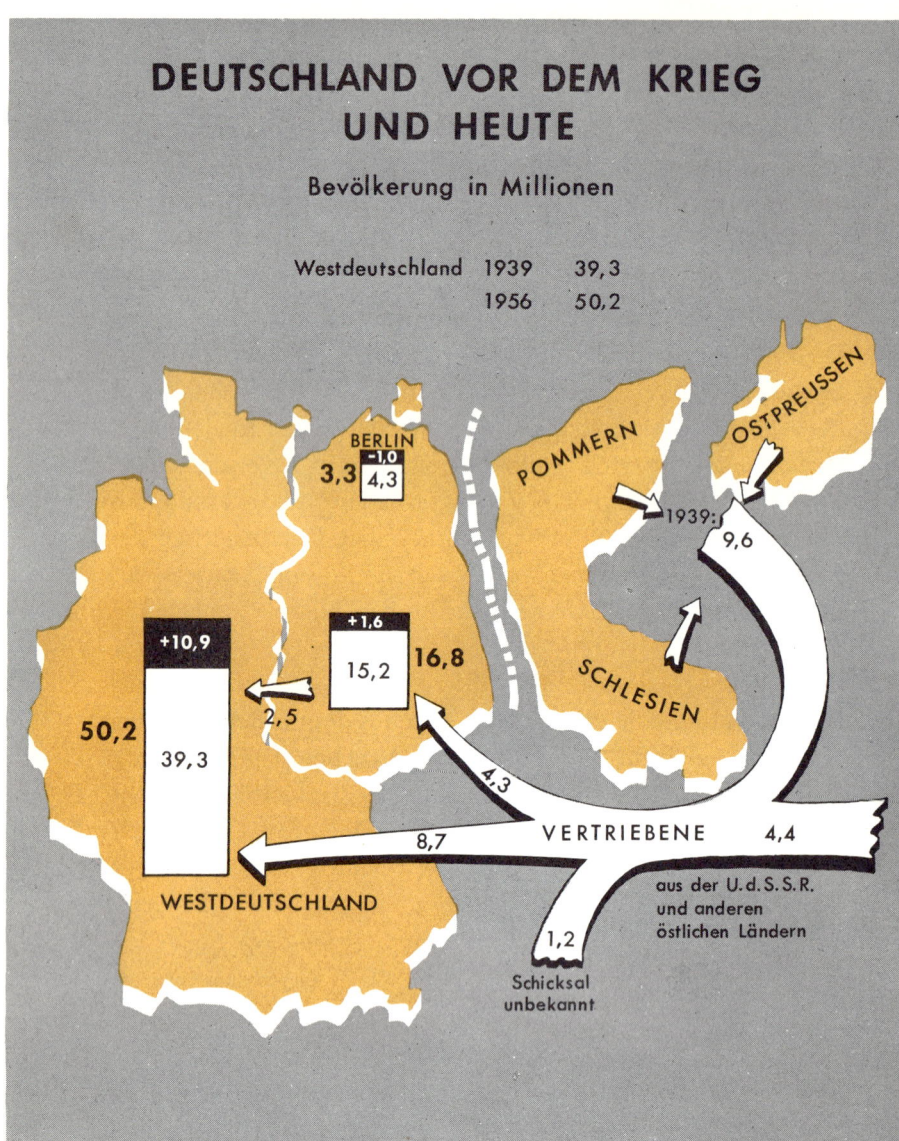

geschah mit den „Volksdeutschen"[32] in der Tschechoslowakei und anderen östlichen Ländern. Von Mai 1945 bis Ende 1946 kamen über 10 Millionen Menschen in Massentransporten in die vier alliierten Besatzungszonen — die große Mehrzahl[33] in die drei westlichen Zonen. Westdeutschland war das größte Flüchtlingslager[34] der Weltgeschichte. Die westdeutsche Bevölkerung hatte sehr wenig. Die Heimatvertriebenen[35] aber hatten gar nichts mehr. Während die „verschleppten Personen" durch die UNRRA[36] unterstützt[37] wurden, mußten die Heimatvertriebenen als Deutsche ganz von der westdeutschen Bevölkerung untergebracht[38] und unterstützt werden. Die Lebensmittel[39] waren sehr knapp.[40] Es gab in den Geschäften fast nichts zu kaufen. Das deutsche Geld war selbst[41] auf dem schwarzen Markt wenig wert. Wer etwas haben wollte, mußte etwas anderes zum Tauschen[42] geben. Die meisten Menschen hatten aber nichts oder sehr wenig zum Tauschen. Manche stahlen[43] und brachen ein,[44] um ihren Familien die notwendigsten Lebensmittel zu beschaffen.[45] Die Felder der Bauern wurden geplündert. Die Lage schien hoffnungslos. Ein Bericht des U. S. State Department erklärt: „Im Sommer 1945 war die Lage Deutschlands verzweifelt . . . Hungersnot war der Bevölkerung auf den Fersen. Armut war die Regel . . ."*

32. der Volksdeutsche *ethnic German*
33. die Mehrzahl *majority*
34. das Flüchtlingslager *refugee camp*
35. der Heimatvertriebene *expellee*
36. UNRRA *United Nations Relief and Rehabilitation Administration*
37. unterstützen *to aid, support*
38. unterbringen *to house*
39. die Lebensmittel (*pl.*) *food*
40. knapp *scarce*
41. selbst *even*
42. tauschen *to exchange, trade*
43. stehlen *to steal*
44. einbrechen *to break into a house*
45. beschaffen *to procure*

*"In the summer of 1945 Germany's condition was desperate . . . Famine was close on the heels of the population. Destitution was the norm. . . ." Department of State, Publication 5827, p. 12

Die Verbrechen[46] der Nazis und die Bitterkeit des Krieges hatten die Alliierten zu harten Forderungen[47] geführt. Noch vor Kriegsende (zweite Konferenz in Quebec, September 1944) hatten die westlichen Alliierten den sogenannten
5 Morgenthau-Plan angenommen. Um Deutschland daran zu hindern, jemals wieder[48] den Weltfrieden zu bedrohen,[49] wollte der amerikanische Finanzminister Henry Morgenthau es in ein Agrarland umwandeln.[50] Eine Direktive des amerikanischen Generalstabs[51] an den Oberbefehlshaber[52] der U.S.
10 Besatzungstruppen in Deutschland vom April 1945 (Joint Chiefs of Staff Directive 1067) bestimmte folgende politische und wirtschaftliche Ziele:

Eliminierung des Nazismus und Militarismus
Verhaftung[53] und Bestrafung[54] der Kriegsverbrecher[55]
15 Industrielle Abrüstung[56]
Keine Verbrüderung[57] mit der deutschen Bevölkerung
Keine Unterstützung der deutschen Wirtschaft[58]
Niedrighaltung[59] des Mindestlebensstandards[60] in Deutschland

20 Diese Ziele bestimmten auch den Geist der Konferenz in Potsdam, welche Reparationen und die Demontage[61] von Fabriken plante, viele deutsche Industrien verbot[62] und andere

46. das Verbrechen *crime*
47. die Forderung *demand*
48. jemals wieder *ever again*
49. bedrohen *to threaten*
50. umwandeln *to transform*
51. der Generalstab "*Joint Chiefs of Staff*"
52. der Oberbefehlshaber *commander-in-chief*
53. die Verhaftung *arrest*
54. die Bestrafung *punishment*
55. der Verbrecher *criminal*
56. die Abrüstung *disarmament*
57. die Verbrüderung *fraternization*
58. die Wirtschaft *economy*
59. die Niedrighaltung *keeping to a low level*
60. der Mindestlebensstandard *minimum standard of living*
61. die Demontage *dismantling*
62. verbieten *to forbid*

stark einschränkte.[63] Obwohl[64] die Alliierten in Potsdam beschlossen,[65] die vier Besatzungszonen so weit wie möglich als *wirtschaftliche Einheit*[66] zu behandeln,[67] wurde jede Zone zunächst wirtschaftlich separat verwaltet. Das Ende der deutschen Wirtschaft schien gekommen. Die Sowjets benutzten[68] die Gelegenheit,[69] ihre Zone systematisch auszuplündern und allmählich[70] in einen kommunistischen Vasallenstaat zu verwandeln. Je[71] mehr die Bevölkerung hungerte, umso[71] chaotischer wurden die Verhältnisse.[72] Die Besatzungsmächte sahen ein,[73] daß Hilfe nötig war. In der Zeit des äußersten[74] Hungers erhielten die deutschen Wohlfahrtsorganisationen (das Rote Kreuz, das Evangelische Hilfswerk[75] und der Caritas-Verband[76]) aus den U.S.A. 160 000 Tonnen Lebensmittel zur Verteilung.[77] Aus den U.S.A. kamen die CARE[78] Lebensmittel-Pakete[79] an Wohlfahrtsorganisationen und Privatpersonen. Auch die Engländer, Franzosen und andere Nationen halfen.

Die Gründung der Bundesrepublik

Die Hungerzeit dauerte drei Jahre lang. Die Winter waren furchtbar, weil es keine Kohlen zum Heizen[1] gab. Langsam, sehr langsam wurde es etwas besser. Zugleich aber gab es

63. einschränken *to limit*
64. obwohl *although*
65. beschließen *to decide*
66. die Einheit *unit*
67. behandeln *to treat*
68. benutzen *to use*
69. die Gelegenheit *opportunity*
70. allmählich *gradually*
71. je . . . umso *the (more) . . . the (more)*
72. die Verhältnisse *(pl.) conditions*
73. einsehen *to realize*

74. äußerst *most extreme*
75. das Evangelische Hilfswerk *Evangelical Aid Organization*
76. der Caritas-Verband *Catholic Welfare Organization*
77. die Verteilung *distribution*
78. CARE *Cooperative for American Remittances to Europe*
79. das Paket *package*

1. heizen *to heat*

15

noch viele andere unangenehme und schwierige Probleme: Prozesse[2] gegen die Kriegsverbrecher, Entnazifizierung[3] der Bevölkerung, Herstellung[4] von neuen Schulbüchern und politische Umerziehung.[5] Allmählich entstand[6] eine neue politische und wirtschaftliche Ordnung. Die wichtigsten Ereignisse[7] des allmählichen politischen und wirtschaftlichen Wiederaufbaus[8] in *Westdeutschland* sind die folgenden:

1945–46 Die westlichen Alliierten lösen[9] die alten deutschen Länder auf[9] und bilden elf neue Länder.

1946 Die Amerikanische Zone und die Britische Zone schließen[10] sich wirtschaftlich zusammen.[10]
Gemeinde-, Kreis-,[11] und Landtagswahlen[12] in den neuen Ländern.

1948 Die Französische Zone schließt sich wirtschaftlich den beiden anderen westlichen Zonen an.
Die Währungsreform.[13]
Die drei Zonen werden zum Marshall-Plan zugelassen.[14]
Der Parlamentarische Rat[15] tagt[16] in Bonn.

1949 Der Parlamentarische Rat nimmt das Grundgesetz[17] an.
Die Militärregierungen werden durch ein Besatzungsstatut ersetzt.[18]

2. der Prozeß *trial*
3. die Entnazifizierung *denazification*
4. die Herstellung *production*
5. die Umerziehung *re-education*
6. entstehen *to arise*
7. das Ereignis *event*
8. der Wiederaufbau *reconstruction*
9. auflösen *to dissolve*
10. sich zusammenschließen *to join*
11. der Kreis *district*
12. die Landtagswahl *election for Land Parliament (state assembly)*
13. die Währungsreform *currency reform*
14. zulassen *to admit*
15. der Parlamentarische Rat *Constitutional Assembly*
16. tagen *to meet*
17. das Grundgesetz *Basic Law (provisional German constitution)*
18. ersetzen *to replace*

Alliierte Hohe Kommissare vertreten[19] die Besatzungsmächte in Westdeutschland.
Die Deutsche Bundesrepublik[20] entsteht.
Die Wahlen zum ersten Bundestag[21] finden statt.[22]

1955 Die Bundesrepublik wird Mitglied[23] der Westeuropäischen Union (Brüsseler Pakt) und der Nordatlantikpakt-Organisation (NATO).
Die Bundesrepublik wird souverän.

Wenn man zugleich den rapiden Wiederaufbau der westdeutschen Wirtschaft betrachtet,[24] so kann man sagen, daß in kurzer Zeit erstaunlich[25] viel geleistet[26] worden ist. Im Jahre 1945 hätte[27] es niemand für möglich gehalten.[27] Die westdeutsche Bevölkerung hat viel gearbeitet, und besonders Amerika hat viel geholfen. Aber wenn man seit einigen Jahren von dem „deutschen Wunder" spricht, so übersieht[28] man vieles. Es sind noch zahllose politische und wirtschaftliche Probleme zu lösen. An erster Stelle steht die schwierige politische Frage der Wiedervereinigung[29] mit der Ostzone oder der „Deutschen Demokratischen Republik", wie sie seit 1949 von den Sowjets genannt wird. Seit 1945 hat die Obstruktionspolitik der Sowjets die Welt in zwei feindliche[30] Lager getrennt. In Europa geht die Trennungslinie[31]—der Eiserne Vorhang[32]—mitten durch Deutschland. Ein endgültiger deutscher Friedensvertrag[33] mit den vier großen

19. vertreten *to represent*
20. die Bundesrepublik *Federal Republic*
21. der Bundestag *Federal Parliament*
22. stattfinden *to take place*
23. das Mitglied *member*
24. betrachten *to consider*
25. erstaunlich *astonishing*
26. leisten *to do, perform*
27. hätte ... gehalten *no one would have thought this possible*
28. übersehen *to overlook*
29. die Wiedervereinigung *reunification*
30. feindlich *hostile*
31. die Trennung *separation*
32. der Eiserne Vorhang *Iron Curtain*
33. der Friedensvertrag *peace treaty*

17

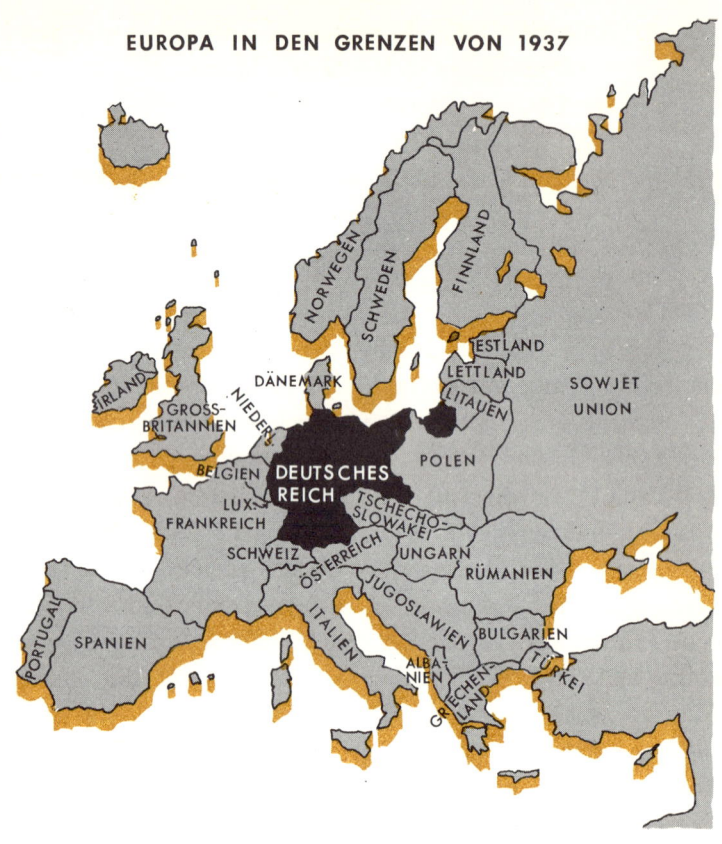

Mächten und eine Regelung[34] der Grenzen im Osten scheinen fast unerreichbar.[35] Auch die amerikanischen Staatsmänner wissen, daß es ohne einen endgültigen deutschen Friedensvertrag keinen dauernden Frieden in Europa—und in der Welt—geben kann.

34. die Regelung *settlement*   35. unerreichbar *unattainable*

Keystone, FPG

Berlin bei Kriegsende

Nürnberg bei Kriegsende

Roy Bernard Company

Wide World

Flüchtlinge, 1945

INS

Zerstörte Kirche

Hilmar Pabel

Flüchtlinge, 1945

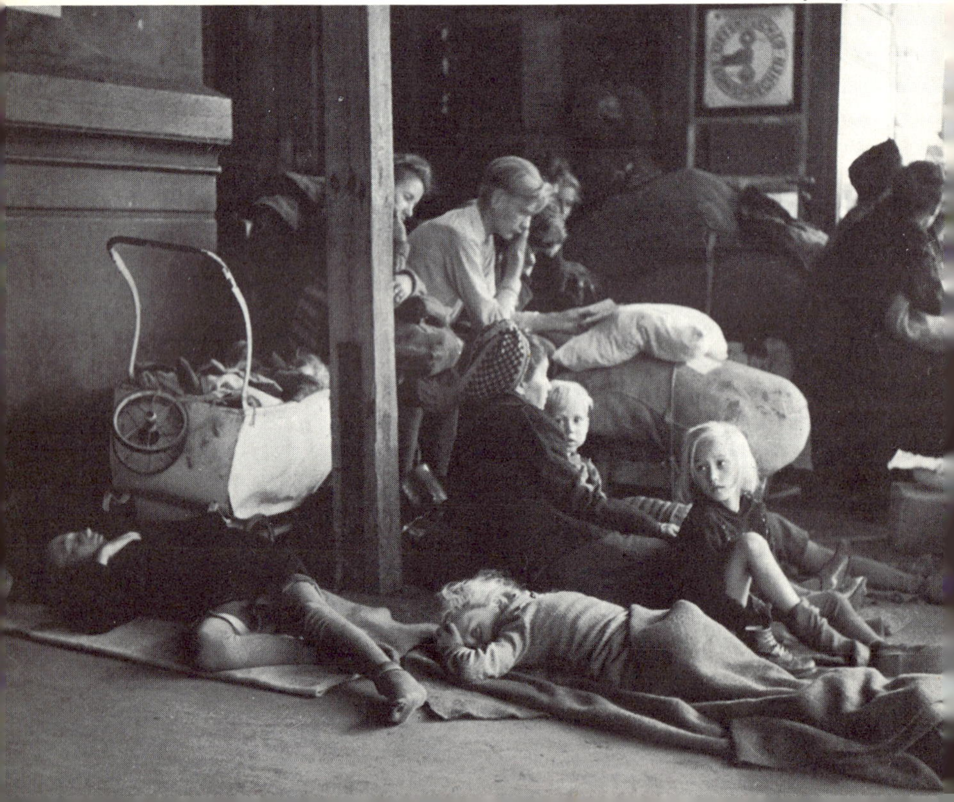

W. J. Browning in Deutschland

**Ankunft in Bremerhaven
Mit dem Flugzeug nach Berlin**

Mr. W. J. Browning aus Chicago landete in Bremerhaven. Er wollte seinen alten Freund Alfred Weber in Berlin besuchen. Sie hatten sich seit Jahren nicht gesehen. Sie hatten einander nur Briefe geschrieben. Weber hatte wenig darüber mitgeteilt,[1] wie es nach dem Kriege in Deutschland aussah.   5
   Browning wußte natürlich, daß Deutschland nach dem Kriege in Zonen aufgeteilt wurde, in eine amerikanische, britische, französische und sowjetrussische Zone. Er hatte auch von dem Schicksal Berlins gelesen. Er wußte aber nicht,

1. mitteilen *to report*

23

wie das alles in Wirklichkeit aussah. Etwas davon hörte er in Bremerhaven.
Nach seiner Ankunft[2] ging er in ein Reisebüro. Er wollte dort eine Fahrkarte[3] nach Berlin lösen.[4] Der Geschäftsführer[5] war erstaunt. Er gab ihm den Rat,[6] nicht mit der Eisenbahn nach Berlin zu fahren.

—„Berlin liegt heute wie eine Insel[7] mitten in der sowjetrussischen Zone. Es ist besser, wenn Sie mit dem Zuge über Bremen nach Hamburg fahren. Von Hamburg können Sie dann ein Flugzeug[8] nehmen und nach Berlin fliegen."

—„Warum dieser Umweg[9]?"

- —„Das Überschreiten[10] der Grenze zwischen Westdeutschland und der Sowjetzone ist schwierig, schwieriger als das Überschreiten einer Grenze in ein fremdes Land. Diese Zonengrenze wird scharf bewacht.[11] Sie besteht[12] aus einem 10 m breiten Niemandsland und einer 5 km tiefen Sperrzone.[13] Sie hat nur einige Übergänge[14] für Eisenbahnlinien und Autobahnen.[15] An diesen Übergängen befinden[16] sich Kontrollstationen. Alle Reisenden müssen dort ihre Pässe vorzeigen.[17] Jeder Zug und jedes Auto wird genau kontrolliert. Die Kontrolle kann sehr lange dauern und viel Zeit kosten."

Mr. Browning wollte keine Zeit verlieren und löste daher eine Fahrkarte zweiter Klasse nach Hamburg. Der Geschäftsführer informierte ihn über die Flugzeiten von Hamburg nach Berlin und bestellte[18] ihm eine Flugkarte. Dann telegrafierte Mr. Browning an seinen Freund Weber in Berlin und

2. die Ankunft *arrival*
3. die Fahrkarte *railway ticket*
4. lösen *to buy (a ticket)*
5. der Geschäftsführer *manager, head clerk*
6. der Rat *advice*
7. die Insel *island*
8. das Flugzeug *airplane*
9. der Umweg *detour*
10. überschreiten *to cross*
11. bewachen *to watch, guard*
12. bestehen aus *to consist of*
13. die Sperrzone *barricade zone*
14. der Übergang *cross-over point*
15. die Autobahn *superhighway*
16. sich befinden *to be*
17. vorzeigen *to show*
18. bestellen *to order*

teilte ihm seine Ankunft mit. Bis zur Abfahrt[19] seines Zuges hatte Mr. Browning noch einige Stunden Zeit. Da konnte er sich[20] noch ein wenig die Stadt ansehen[20] und in einem Café eine Tasse Kaffee trinken. Er nahm ein Taxi. Der Fahrer[21] merkte, daß Mr. Browning Amerikaner war und sagte ihm, daß viele amerikanische Soldaten in Bremerhaven stationiert wären.[22] Der Fahrer erzählte auch, daß zwischen der Bevölkerung und den Soldaten ein gutes Verhältnis[23] bestünde.[24] Als das Taxi vor einem Café hielt, stieg[25] Mr. Browning aus[25] und blickte um sich. Was er sah, erstaunte ihn. Fast alle Häuser sahen neu und modern aus. Im Café fragte er den Ober[26]: „Ist Bremerhaven während des Krieges oft bombardiert worden?" Der Ober antwortete: „Allerdings. Aber in den letzten Jahren ist hier viel und schnell gebaut worden. Trotzdem[27] ist noch viel zu tun." Eine halbe Stunde später verließ[28] Browning das Café und ging zum Bahnhof. Er war froh, als der Zug abfuhr und Bremerhaven hinter ihm lag.

Der Zug kam pünktlich[29] in Hamburg an. Mr. Browning fuhr in einem Taxi zum Flugplatz. Im Flugzeug hatte er ein interessantes Gespräch[30] mit einem Reisenden, der neben ihm saß. Dieser erzählte ihm, daß die Flugzeuge beim Überfliegen der Sowjetzone ihre Flugroute genau einhalten[31] müßten[32]: „Die sowjetrussische Luftwaffe paßt[33] genau auf[33] und schießt gern."

Nach einer Stunde landete Mr. Browning auf dem Tempelhofer Flugplatz in Berlin.

19. die Abfahrt *departure*
20. sich ... ansehen *to look at ...*
21. der Fahrer *driver*
22. subjunctive
23. das Verhältnis *relationship*
24. subjunctive
25. aussteigen *to get out*
26. der Ober *waiter*
27. trotzdem *in spite of that, nevertheless*
28. verlassen *to leave*
29. pünktlich *punctual, on time*
30. das Gespräch *conversation*
31. einhalten *to keep to, follow*
32. subjunctive
33. aufpassen *to watch, pay attention to*

25

In West-Berlin

Alfred Weber hatte das Telegramm seines Freundes erhalten und war auf dem Flugplatz. Die beiden hatten sich zuletzt[1] vor 25 Jahren gesehen, aber Herr Weber erkannte[2] Mr. Browning sofort[3] wieder. Mr. Browning sah,
5 daß Herr Weber sich[4] sehr verändert[4] hatte. Er war schlank, hatte eingefallene[5] Wangen,[6] und viele Falten im Gesicht. Wahrscheinlich[7] hatte er Schweres durchgemacht.[8] Sie schüttelten[9] sich die Hände, und Mr. Browning gab seinem alten Freund einen kräftigen Schlag auf die Schulter. Brown-
10 ing und Weber hatten sich 1930 kennengelernt.[10] Browning war damals bei der American Express Company in Berlin und Weber arbeitete in einer Berliner Bank. Weber war verheiratet,[11] und Browning war damals häufig[12] Gast im Hause seines Freundes. Zu dieser Zeit wohnte Weber in
15 Pankow in Ostberlin.

Weber und Browning verließen den Flugplatz im Taxi. Sie fuhren aber nicht nach dem Norden Berlins, zu Webers alter Wohnung in Pankow, sondern nach dem Berliner Westen. Berlin sah sehr verändert aus. Browning sah viele
20 Neubauten.[13] Er glaubte, Berlin zu kennen. Aber die Stadt war ihm fremd geworden. Weber wohnte jetzt in Lichterfelde, einem westlichen Vorort[14] von Berlin. Hier hatte er eine kleine Zweizimmerwohnung. Darin wohnte er allein. Browning fand die kleine Wohnung sehr gemütlich.[15] Sie

1. zuletzt *last*
2. erkennen *to recognize*
3. sofort *immediately*
4. sich verändern *to change*
5. eingefallen *sunken*
6. die Wange *cheek*
7. wahrscheinlich *probably*
8. durchmachen *to go through*
9. schütteln *to shake*
10. kennenlernen *to become acquainted (with)*
11. verheiratet *married*
12. häufig *frequently*
13. der Neubau, *pl.* die Neubauten *new building*
14. der Vorort *suburb*
15. gemütlich *comfortable*

bestand aus einem Wohnzimmer, einem Schlafzimmer, Küche und Bad. Das Haus war ein Neubau und modern eingerichtet.[16] Weber konnte seinen Freund bei sich unterbringen. Er kochte Kaffee und deckte[17] den Tisch. Browning holte amerikanische Zigaretten aus seinem Koffer. Er selbst rauchte seine Pfeife. Nun unterhielten[18] sie sich.[18]

Weber erzählte: „Wie Sie sehen, habe ich den Krieg überstanden.[19] Im August 1945 kam ich nach Berlin zurück. In den sechs Jahren des Krieges war ich in vielen Ländern. Ich war bei der Infanterie. Bei Kriegsende kam ich eine kurze Zeit in Gefangenschaft.[20] Damals herrschte[21] in ganz Deutschland ein furchtbares Durcheinander.[22] Es fuhren fast keine Züge. Autobusse gab es nicht. Jeder mußte sich selbst helfen. Ich mußte lange Strecken zu Fuß marschieren. Ich verbrachte[23] die Nächte oft in Wartesälen[24] von Bahnhöfen und in Scheunen.[25] Auf den Bahnhöfen verteilte[26] das Rote Kreuz an entlassene[27] Soldaten warme Suppe und Brot. Mancher Bauer half mir auch. So kam ich nach einigen Wochen in Berlin an. Die Innenstadt sah gespenstig[28] aus. Nur wenige Menschen waren zu sehen. Auf den Straßen lagen Trümmerhaufen. Viele Häuser waren ausgebrannt. Wohin ich blickte, sah ich Ruinen. Berlin wurde, wie Sie wissen, im Straßenkampf erobert. Nach langem Umherirren[29] kam ich in Pankow an. Die Straßenbahnen, die S-Bahn[30] und die U-Bahn[31] verkehrten[32] noch nicht. Mein Haus stand

16. einrichten *to furnish*
17. decken *to set (table)*
18. sich unterhalten *to talk, converse*
19. überstehen *to live through*
20. die Gefangenschaft *captivity*
21. herrschen *to prevail*
22. das Durcheinander *confusion*
23. verbringen *to spend*
24. der Wartesaal *waiting room*
25. die Scheune *barn*
26. verteilen *to distribute*
27. entlassen *to discharge*
28. gespenstig *ghostly*
29. umherirren *to wander about*
30. die S(Stadt)-Bahn *suburban railway*
31. die U(Untergrund)-Bahn *subway*
32. verkehren *to run*

nicht mehr. Es war total zerstört worden. Was sollte ich tun? Von Nachbarn erfuhr ich das Schicksal meiner Frau und Kinder: sie waren in den letzten Tagen des Krieges umgekommen.[33] Ich war am Ende meiner Kraft. Nach all den Jahren des Krieges diese Nachricht[34]! Sie können sich denken, wie mir zumute[35] war. Ziellos wanderte ich weiter. Irgendwo mußte ich ja nun[36] schlafen. Ich landete schließlich in einem Bunker und fand darin eine Schlafstelle. Der Bunker war überfüllt. Ich kann Ihnen das Elend[37] der ersten Monate gar nicht schildern.[38] Sie würden es für unmöglich halten, daß Menschen so leben können. Das ganze Wirtschaftsleben der Stadt stand still. Die Russen begannen gleich[39] nach der Eroberung, Maschinen und Industrieanlagen[40] zu demontieren und nach Rußland zu transportieren. Viele Zivilisten wurden von den Russen gezwungen, beim Abbau[41] zu helfen. Ich hatte Glück. Sie faßten[42] mich nicht."

Weber erzählte weiter: „Die Verhältnisse in Berlin wurden etwas besser, als die westalliierten Truppen in Berlin eintrafen. Sie besetzten drei Sektoren der Stadt. Der vierte Sektor blieb bei den Russen. Sie wissen doch, daß Berlin nach den Konferenzen von Jalta und Potsdam in vier Sektoren aufgeteilt wurde, in einen amerikanischen, britischen, französischen und sowjetrussischen. Die Alliierten übernahmen die Verwaltung der Stadt. Die interalliierte Kommandantur[43] bestand aus den vier Militärkommandanten der vier alliierten Garnisonen.[44] Sie können sich denken, daß die Zusammenar-

33. umkommen *to perish*
34. die Nachricht *news*
35. zumute: wie mir zumute war *how I felt*
36. ja nun (*emphatic*) *after all!*
37. das Elend *misery*
38. schildern *describe*
39. gleich *immediately*
40. die Industrieanlage *industrial plant*
41. der Abbau *dismantling*
42. fassen *to get hold of*
43. die Kommandantur „*Kommandatura*", *office of military governor*
44. die Garnison *garrison*

beit der vier Kommandanten nicht einfach[45] war. Es gab von Anfang an Schwierigkeiten und Konflikte. Der Iwan glaubte, daß er allein in Berlin zu befehlen[46] habe. Die

Westalliierten waren damit nicht einverstanden.[47] Gott sei Dank, kann ich nur sagen! Die Russen sagten zu allem, was ihnen nicht paßte[48]: ‚njet!' Jede Besatzungsmacht verwaltete somit[49] ihren Sektor so gut sie konnte. Die Zusammenarbeit in der interalliierten Kommandantur wurde immer schwieriger. Die Russen hatten gleich nach der

45. einfach *simple*
46. befehlen *to order, command*
47. einverstanden *in agreement*
48. passen *to suit*
49. somit *accordingly*

Eroberung der Stadt deutsche Kommunisten in die Verwaltung eingesetzt. Die Westalliierten waren damit nicht einverstanden, jedenfalls⁵⁰ nicht in ihren eigenen Sektoren.— Ich hoffe, Sie sagen nicht ‚njet', wenn ich Ihnen ein Glas Wein einschenke⁵¹?"

—„Ganz sicher nicht."
—„Auf Ihr Wohl,⁵² lieber William!—Sie wissen doch, daß wir nur ein einziges Mal freie Wahlen für ganz Berlin gehabt haben. Das war im Oktober 1946. Die Kommunisten erhielten weniger als 20% der Stimmen. Aber das Berliner Rathaus steht leider im Sowjetsektor. Hier hatten die Kommunisten freie Hand. Sie organisierten Demonstrationszüge⁵³ und störten die Sitzungen⁵⁴ des Stadtparlaments.

50. jedenfalls *in any case*
51. einschenken *to pour*
52. (das) Wohl *health*
53. der Demonstrationszug *demonstration march, parade*
54. die Sitzung *meeting*

Jeden Tag gab es Zwischenfälle.[55] Die Verhältnisse wurden unerträglich.[56] Der Magistrat[57] und das Stadtparlament beschlossen, den Ostsektor zu verlassen. Sie gingen im Herbst 1948 nach Westberlin. Das Rathaus Schöneberg wurde nun der Sitz der Verwaltung. Die kommunistischen Abgeordneten[58] blieben natürlich im Ostsektor. Sie bildeten ihr eigenes Stadtparlament und einen eigenen Magistrat. Seitdem ist Berlin eine geteilte Stadt, gibt es ein Westberlin und ein Ostberlin."

Nach einer Pause fuhr[59] Weber fort[59]: „Es war das Ziel der Russen, ganz Berlin kommunistisch zu machen. Sie gaben dieses Ziel nicht auf. Im Juni 1948 wurde Westberlin blockiert. Die Russen behaupteten, Reparaturarbeiten an Straßen, Eisenbahnlinien und Wasserwegen machen zu müssen. Westberlin wurde von jeder Zufuhr[60] abgeschnitten.[61] Nur die Militärzüge der Westalliierten durften weiter verkehren. Die Russen waren nämlich[62] zu klug, die Versorgung[63] der westalliierten Truppen zu hindern. Die Zivilbevölkerung aber begann bald zu hungern, denn Westberlin hat kein landwirtschaftliches[64] Hinterland. Es liegt wie eine Insel in der Sowjetzone. Es sah aus, als ob die Russen ihr Ziel erreichen würden. Der Widerstand[65] der Westberliner drohte[66] zusammenzubrechen. In diesen Tagen größter Not halfen uns die Westalliierten und ganz besonders Ihre Landsleute.[67] Sie organisierten eine Hilfsaktion,[68] die in der Geschichte kein Beispiel hat. 2 200 000 Menschen wurden

55. der Zwischenfall *incident*
56. unerträglich *unbearable*
57. der Magistrat *municipal council*
58. der Abgeordnete *delegate, representative*
59. fortfahren *to continue*
60. die Zufuhr *supply*
61. abschneiden *to cut off*
62. nämlich *of course*
63. die Versorgung *provisioning, supply*
64. landwirtschaftlich *agricultural*
65. der Widerstand *resistance*
66. drohen *to threaten*
67. die Landsleute *countrymen*
68. die Hilfsaktion *relief operation*

31

fast ein Jahr lang nur auf dem Luftwege mit dem Allernotwendigsten[69] versorgt.[70] Fast jede Minute landete ein Flugzeug auf dem Tempelhofer Feld oder in Gatow. Einmal landeten sogar 1383 Flugzeuge mit 12 850 t an einem einzigen Tage. Das war wirklich eine *Luftbrücke*[71]! Wir Berliner verdanken[72] Euch Amerikanern unsere Freiheit."

—„Das haben unsere Jungs[73] gut gemacht! Ich bin ganz stolz auf sie.—Sagen Sie mal, Alfred, wie hat Berlin denn im Winter geheizt, wenn es von aller Zufuhr abgeschnitten war?"

—„Das kommt mir heute selbst noch wie ein Wunder vor. Kohlen und Koks[74] wurden tatsächlich ebenfalls über die Luftbrücke nach Berlin gebracht. Wenigstens die Krankenhäuser und Kraftwerke[75] konnten damit versorgt werden. Sie können sich denken, wie froh wir waren, als die Blockade im Mai 1949 aufgehoben[76] wurde. Natürlich hörten[77] die Schwierigkeiten in der Versorgung damit nicht auf.[77] Berlin ist und bleibt eine Insel im ‚Roten Meer'."

—„Ist es denn jetzt nicht viel besser?" wollte Browning wissen.

—„Allerdings", antwortete Weber. „Aber Berlin ist noch

69. das Allernotwendigste *the most necessary things*
70. versorgen *to supply*
71. die Luftbrücke *airlift*
72. verdanken *to owe*
73. die Jungs (*pl.*) (*colloquial*) *boys*
74. der Koks *coke*
75. das Kraftwerk *power station*
76. aufheben *to lift*
77. aufhören *to stop*

Berlin: Brandenburger Tor

Deutsche Zentrale für Fremdenverkehr
Berlin: Das neue Schiller-Theater

Luftbrückendenkmal

European

**Kurfürstendamm mit der Ruine der Kaiser-
Wilhelm-Gedächtniskirche**

Deutsche Zentrale für Fremdenverkehr

weit hinter Westdeutschland zurück. Nach der Blockade stand Berlin 1949 ungefähr da, wo Westdeutschland bei Kriegsende gestanden hatte. Der Wiederaufbau Berlins war schwieriger als der Wiederaufbau Westdeutschlands. Früher war Berlin ein großes Verwaltungs- und Industriezentrum. Seine Bedeutung als Verwaltungszentrum verlor Berlin gleich bei Kriegsende. Die vielen Angestellten,[78] die früher in den Büros gearbeitet hatten, waren nun ohne Arbeit. Auch die Bedeutung als Industriezentrum hatte Berlin 1949 fast völlig verloren. Kriegszerstörungen, Demontage der Fabriken durch die Russen und dann noch die Blockade: Sie können sich denken, daß nicht mehr viel übrig[79] war. Ohne Unterstützung von auswärts[80] wäre ein Wiederaufbau ganz unmöglich gewesen. Die Westalliierten, vor allem die U.S.A., und unsere Landsleute in Westdeutschland halfen. Industrien wurden wiederaufgebaut, und viele Menschen bekamen wieder Arbeit. Aber Westberlin kann sich noch lange nicht selbst ernähren.[81] Es gibt noch viele Arbeitslose.[82] Fast 40% der 2 200 000 Menschen in Westberlin leben noch ganz oder teilweise von öffentlicher[83] Unterstützung. Unser Hauptproblem aber sind die Flüchtlinge. Seit 1945 strömen täglich Hunderte dieser unglücklichen Menschen aus der Sowjetzone und den Gebieten jenseits[84] der Oder-Neiße Linie nach Westdeutschland. Die Westberliner Wirtschaft kann sie nicht absorbieren. Ohne die Hilfe der Westalliierten und Westdeutschlands kann dieses Problem nicht gelöst[85] werden. Sie können täglich in der Zeitung lesen, daß Hunderte von Flüchtlingen Tag für Tag nach Westdeutschland geflogen

78. der Angestellte (*salaried*) employee
79. übrig *left*
80. auswärts *outside*
81. ernähren *to feed, support*
82. der Arbeitslose *unemployed person*
83. öffentlich *public*
84. jenseits *beyond, on the other side*
85. lösen *to solve*

werden. Für viele Menschen im Osten ist das Brandenburger Tor das Symbol der Freiheit."

—„Sagen Sie mal, Alfred, warum sind Sie nicht, wie Tausende andere auch, nach Westdeutschland gegangen?"

5 Weber sprach langsam, als er antwortete. „Ich kann Berlin nicht verlassen. Hier bin ich aufgewachsen. Hier habe ich geheiratet und hier habe ich auch meinen Beruf[86] gehabt. Wenn[87] ich auch[87] heute nicht mehr in meinem Beruf arbeiten kann, in meinem Alter kann ich mir kein Leben mehr in fremder Umgebung[88] vorstellen,[89] unter fremden Menschen."

Browning wollte wissen, warum Weber nicht wieder auf einer Bank arbeiten konnte.

Wappen der Stadt Berlin

—„Ja, sehen Sie, William, die Großbanken existieren heute nicht mehr in Berlin. Berlin hat seinen Charakter als Bankzentrum verloren. Die neuen Banken, die es in Berlin gibt, sind nur Zweigstellen[90] westdeutscher Banken. Nur wenige frühere Bankangestellte konnten an diesen Zweigstellen wieder Arbeit finden. Mir ist es nicht gelungen. Seit 1946 bin ich Geschäfts-
25 führer einer kleinen Speditionsfirma.[91] Das Gehalt[92] ist nicht groß, aber es reicht[93] für mich."

Browning schüttelte den Kopf.

Weber hatte sich für ein paar Tage freigemacht, um Browning Westberlin zu zeigen. Sie besuchten das Rathaus Schöne-

86. der Beruf *occupation*
87. wenn auch *even if*
88. die Umgebung *surroundings*
89. sich ... vorstellen *to imagine*
90. die Zweigstelle *branch office*
91. die Speditionsfirma *shipping firm*
92. das Gehalt *salary*
93. reichen *to suffice*

berg mit der Freiheitsglocke,[94] einer Kopie der berühmten[95] amerikanischen *Liberty Bell*; die Freie Universität Berlin, die 1948 gegründet wurde, weil der kommunistische Druck[96] auf die berühmte alte Humboldt-Universität im sowjetischen Sektor unerträglich geworden war; das wiederaufgebaute Schillertheater, heute vielleicht das modernste Theater der Welt; und den Kurfürstendamm, einst die *Fifth Avenue* Deutschlands und auch jetzt schon wieder eindrucksvoll[97] mit modernen Geschäften und eleganten Cafés. Browning sah ein, daß Westberlin als „das östlichste Schaufenster[98] der westlichen Welt" von großer politischer Bedeutung für den Osten ist.

Eine Taxi-Fahrt durch Ost-Berlin

Browning hätte gerne auch einmal den Ostsektor gesehen, aber davon wollte Weber nichts hören. Als Weber dann wieder an seine Arbeit mußte, fuhr Browning eines Morgens allein zum Potsdamer Platz. Das war früher der Hauptverkehrsplatz[1] Berlins. Browning sah ein großes Schild[2] mit der Aufschrift[3]: „*You are now leaving the American Sector.*" Auf einem anderen Plakat stand: „Achtung! Sie verlassen jetzt Westberlin." Auf einem dritten Plakat las er: „Anfang des demokratischen Sektors von Großberlin." Browning zögerte[4] nicht lange. Er wollte eine Fahrt nach Ostberlin riskieren. Er nahm ein Taxi.

Der Fahrer des Taxis fuhr Browning zunächst durch die Leipziger Straße. Die großen Geschäftshäuser, die früher hier gestanden hatten, waren ganz oder teilweise zerstört.

94. die Glocke *bell*
95. berühmt *famous*
96. der Druck *pressure*
97. eindrucksvoll *impressive*
98. das Schaufenster *show window*

1. der Hauptverkehrsplatz *site of greatest traffic*
2. das Schild *sign*
3. die Aufschrift *inscription*
4. zögern *to hesitate*

Ein großes Gebäude stand noch. Der Fahrer sagte zu Browning: „Das ist das frühere Reichsluftfahrtministerium.⁵ Jetzt sitzt die Regierung der Sowjetzone darin. Am 17. Juni 1953 haben die Arbeiter von Ostberlin hier demonstriert,
5 bis die sowjetischen Panzer kamen."

Von der Leipziger Straße bog⁶ der Fahrer in die Wilhelmstraße ein.⁶ Hier hatten früher die Regierungsgebäude gestanden, die Reichskanzlei,⁷ das Auswärtige Amt,⁸ das Propagandaministerium und andere mehr. Von den meisten
10 Gebäuden standen jetzt nur noch die Außenwände. Das Taxi bog dann in die Straße „Unter den Linden" ein. Das war früher die berühmteste Straße Berlins gewesen. Vor Jahren hatte Browning sie gut gekannt, denn die American Express Company hatte damals hier ihre Büros. Heute bot⁹

5. das Reichsluftfahrtministerium *Air Ministry of Germany (until 1945)*
6. einbiegen *to turn (into)*
7. die Reichskanzlei *Chancellery of Germany (until 1945)*
8. das Auswärtige Amt *Foreign Office*
9. bieten *to offer, present*

„Unter den Linden" ein trauriges[10] Bild. Von der eleganten Welt, die früher hier promenierte, war nichts mehr zu sehen. Das einzige repräsentative Gebäude war der Neubau der sowjetrussischen Botschaft,[11] gleich hinter dem Brandenburger Tor. Einige Straßen weiter sah Browning, daß die Berliner Staatsoper wiederaufgebaut worden war.

Plötzlich wurde Browning aufmerksam.[12] Eine Gruppe von Jungen und Mädchen marschierte auf der Straße. Sie schienen etwa 15 bis 16 Jahre alt zu sein. Alle trugen Uniform. „FDJ",[13] sagte der Fahrer. Zuerst kam ein Junge mit einem großen Plakat. Auf dem Plakat war ein Bild von Lenin. Dann kam ein Sprechchor.[14] Die Gruppe rief im Chor: „Nieder mit den Kapitalisten! Nieder mit den U.S.A.! Amis raus! Ami *go home*! Die SED[15] will Deutschlands

10. traurig *sad*
11. die Botschaft *embassy*
12. aufmerksam *attentive*
13. FDJ „Freie Deutsche Jugend" (*Soviet Zone organisation*)
14. der Sprechchor *chorus to shout slogans*
15. SED „Sozialistische Einheitspartei Deutschlands" (*Soviet Zone*)

Einheit!" Browning schüttelte den Kopf. "In Westberlin scheint man anderer Meinung[16] zu sein", dachte er.

Das Taxi fuhr weiter nach Osten. Die alte Berliner Humboldt-Universität stand noch. Das Berliner Schloß aber war
5 von den Russen abgerissen[17] worden. Es war eines der schönsten Baudenkmäler[18] Berlins. Der freie Platz, auf dem das Schloß gestanden hatte, hieß jetzt "Marx-Engels Platz". "Hier kommen die kommunistischen Parteiorganisationen zu Massenkundgebungen[19] zusammen", erklärte der Fahrer.
10 Plakate und Spruchbänder[20] verkündeten[21] die Erfolge[22] des Kommunismus.

Die Menschen, die Browning während dieser Fahrt sah, waren viel ärmlicher[23] gekleidet als die Menschen in Westberlin. Privatautos waren kaum zu sehen. Eine große
15 schwarze Limousine fuhr vorüber. "Ein kommunistischer Bonze",[24] sagte der Fahrer bissig.[25] Das Taxi näherte sich[26] dem Alexanderplatz, dem Zentrum Ostberlins. Hier sah Browning auch einen Laden der kommunistischen Handelsorganisation (HO).[27] Der Fahrer erklärte:
20 "Hier war bis Juni 1958 noch alles rationiert. Wer mehr haben wollte als er auf seiner Lebensmittelkarte kaufen konnte, oder wer Sachen kaufen wollte, die es in den anderen Läden nicht gab, mußte in den HO-Läden kaufen. Aber in den HO-Läden ist auch heute noch alles sehr teuer. Die
25 Masse der Ostberliner Bevölkerung kann in diesen Läden nicht kaufen."

16. die Meinung *opinion*
17. abreißen *to tear down*
18. das Baudenkmal *architectural monument*
19. die Massenkundgebung *mass demonstration*
20. das Spruchband *banner with (political) slogan*
21. verkünden *to announce*
22. der Erfolg *success*
23. ärmlich *poorly*
24. der Bonze *bigwig*
25. bissig *biting, caustic*
26. sich nähern *to approach*
27. die Handelsorganisation *trade organization*

40

Vom Alexanderplatz bog der Fahrer in die frühere Frankfurter Allee[28] ein. Nun hieß diese breite Straße „Stalin-Allee" und war zur Prachtstraße[29] Ostberlins geworden. Hier hatten die Kommunisten ihre repräsentativen Gebäude und großen Wohnblocks[30] gebaut. 5

Browning wollte etwas über den Verkehr zwischen West- und Ostberlin wissen. „Die Züge der U-Bahn und der S-Bahn können ungehindert von Ostberlin nach Westberlin fahren und umgekehrt",[31] sagte der Fahrer. „Die Berliner können sich gegenseitig[32] besuchen. Als Westberliner kann 10 man aber im Ostsektor nicht einkaufen[33] gehen. Zum Ein-

28. die Allee *avenue*
29. die Prachtstraße *show piece (street)*
30. der Wohnblock *large housing unit*
31. umgekehrt *vice versa*
32. gegenseitig *mutual, reciprocal*
33. einkaufen *to buy, shop*

kaufen muß man hier nämlich einen Personalausweis[34] haben. Die Westberliner würden aber hier auch nicht[35] einkaufen wollen, denn der Ostsektor hat nicht viel zu bieten."

—„Wie ist denn der Wechselkurs[36] zwischen DM[37]-West und DM-Ost?"

—„Der Kurs schwankt.[38] Vor einigen Jahren erhielt man in einer Westberliner Wechselstube[39] für eine DM-West 7 bis 8 DM-Ost. Heute erhält man für eine DM-West 4 bis 5 DM-Ost. Es wird Sie interessieren, daß es Westberliner gibt, die in Ostberlin arbeiten, und umgekehrt. Es sind meist Facharbeiter.[40] Die Westberliner würden natürlich mit ihren DM-Ost in Westberlin nicht viel kaufen können. Daher gibt es in Westberlin eine ‚Lohnausgleichstelle.'[41] Dort kann ein Westberliner 85% seines Ostlohns im Verhältnis 1:1 in DM-West umwechseln.[42] "

—„Und wie ist es dann umgekehrt?" wollte Browning wissen.

—„Ein Bekannter[43] von mir lebt hier im Ostsektor und arbeitet in Westberlin. Er erhält ein Drittel[44] seines Lohnes[45] in DM-West und zwei Drittel in DM-Ost."

—„Merkwürdige[46] Verhältnisse", meinte Browning. „Was für ein Gebäude ist das hier rechts?" fragte er dann. „Es sieht sehr modern aus."

—„Das ist eine neue Volksschule.[47] Die Kommunisten suchen die Jugend mit allen Mitteln zu gewinnen. Auch für

34. der Personalausweis *identity card*
35. auch nicht *not either*
36. der Wechselkurs *rate of exchange*
37. (die) DM = Deutsche Mark
38. schwanken *to fluctuate*
39. die Wechselstube *money-exchange office*
40. der Facharbeiter *skilled worker*
41. die Lohnausgleichstelle *wage-equalization office*
42. umwechseln *to exchange*
43. der Bekannte *acquaintance*
44. das Drittel *third*
45. der Lohn *wages*
46. merkwürdig *remarkable, strange*
47. die Volksschule *elementary school*

das Schulwesen[48] tun sie viel, wenigstens äußerlich. Daß die Kinder hier ganz merkwürdige Dinge lernen, weiß ich von dem Sohn meiner Schwester, der hier zur Schule geht. Von ihm hörte ich, daß in den U.S.A. nur Kapitalisten und Kriegshetzer[49] den Präsidenten wählen. Der Junge weiß auch, daß die Kapitalisten jetzt schon den nächsten Krieg vorbereiten,[50] um Geschäfte zu machen. Die Neger[51] in den U.S.A. werden heute noch genau so behandelt wie in *Onkel Toms Hütte*, und so weiter. Lachen aber mußte ich über den Grammatikunterricht[52] in der deutschen Sprache. Mein Neffe hatte Beispielsätze[53] in seinem Heft: ‚Wir gedenken[54] heute wessen?' Antwort: ‚Lenins.' / ‚Wir lieben wen?' / Antwort: ‚Ernst Thälmann.' / ‚Wir folgen wem?' Antwort: ‚Wilhelm Pieck.'—In der Mathematik rechnen die Kinder mit Zahlen aus dem Fünfjahresplan und den Zahlen aus der sowjetischen Produktion. Alle Fächer[55] werden politisch gefärbt."

Browning war erstaunt, daß der Fahrer so viel wußte. Der Mann lachte: „Ich kann verstehen, daß Sie sich wundern. Aber diese Dinge interessieren mich. Ich war früher selbst Volksschullehrer. Ich wohnte hier in Ostberlin. Wie die meisten Lehrer war ich auch Mitglied der NSDAP.[56] Unter Hitler mußte man Mitglied der Partei werden, wenn man in seinem Beruf bleiben wollte. Nach dem Zusammenbruch wurden alle Parteimitglieder entlassen. Die Entnazifizierung war hier sehr einfach. Wer seinen Irrtum[57] bekannte[58] und sich nun für den Kommunismus erklärte, hatte Aussicht,[59]

48. das Schulwesen *school system*
49. der Kriegshetzer *warmonger*
50. vorbereiten *to prepare*
51. der Neger *negro*
52. der Grammatikunterricht *grammar instruction*
53. der Beispielsatz *illustrative sentence*
54. gedenken *to remember*
55. das Fach *subject*
56. NSDAP „Nationalsozialistische Deutsche Arbeiterpartei" (*Hitler Party*)
57. der Irrtum *error*
58. bekennen *to confess*
59. die Aussicht *prospect*

43

wieder angestellt[60] zu werden. Das wollte ich nicht. Von totalitären Systemen habe ich seit der Nazi-Zeit genug. Ich ging daher nach Westberlin. Dort wurde ich entnazifiziert,[61] aber eine Anstellung habe ich immer noch nicht gefunden.
5 Es gibt viele Kandidaten, und die Jüngeren werden bevorzugt.[62]"

—„Wie lange besuchen die Kinder hier die Volksschule?" fragte Browning.

—„Acht Jahre. Dann geht ein kleiner Teil auf die höhere
10 Schule. Dort ist Russisch natürlich die erste Fremdsprache.— Übrigens müssen alle Kinder vom 6. Lebensjahr an Mitglied der kommunistischen Jugendorganisation sein. Vom 6. bis 14. Lebensjahr heißen sie ‚Junge Pioniere'. Vom 15. bis 24. Lebensjahr sind sie dann Mitglieder der FDJ. Wer nicht
15 Mitglied der FDJ ist, hat wenig Aussicht, studieren[63] zu können. Oft genügt auch die Mitgliedschaft nicht. Die Kinder von Arbeitern und Bauern werden bevorzugt."

Das Taxi war wieder auf dem Potsdamer Platz angekommen. Browning stieg aus, dankte dem Fahrer und gab ihm
20 neben dem regulären Fahrpreis ein reichliches[64] Trinkgeld.[65]

In Berlin hatte Browning etwas vom „Kalten Krieg" miterlebt.[66] Er bewunderte[67] den Lebenswillen und den Mut der Berliner.

✤ ✤ ✤ ✤ ✤

Alfred Weber brachte seinen Freund zum Flugplatz. Der
25 Abschied[68] fiel[69] beiden schwer.[69] Ein Wiedersehen war ungewiß. Sie schüttelten sich noch einmal die Hand, Browning

60. anstellen *to employ*
61. entnazifiziert *here, "cleared" as harmless*
62. bevorzugen *to favor, prefer*
63. studieren *study at a university*
64. reichlich *ample, generous*
65. das Trinkgeld *tip*
66. miterleben *to experience at first hand*
67. bewundern *to admire*
68. der Abschied *farewell*
69. schwerfallen *to be difficult*

European

Ost-Berlin: Thaelmann-Platz mit dem Bild Ernst Thaelmanns

Berlin: Sektorengrenze. Im Hintergrund der Sowjet-Sektor (1948)

Keystone, FPG

Berlin:
Sektorengrenze am Potsdamer Platz, 1951. Der Verkaufsstand im Vordergrund steht im britischen Sektor; das beschädigte Gebäude im Hintergrund steht im Sowjet-Sektor

Black Star

Ost-Berlin: Stalin-Allee

Black Star

Leipzig: Parlament der Freien Deutschen Jugend, 1952

Ost-Berlin: Demonstration am 1. Mai 1956 auf dem Marx-Engels-Platz

stieg ein, und die Maschine flog ab. Browning blickte aus dem Fenster. Unter ihm lag Berlin, Potsdam und das Seengebiet[70] der Havel.[71] Wenige Minuten später sah er das silberne Band der Elbe. Bald kam Hamburg in Sicht. Man
5 konnte deutlich[72] den Hafen mit den Ozeanschiffen sehen. Besonders schön war das Bild der Binnen- und Außenalster[73] mit dem Kranz[74] großer Gebäude. Die Maschine zog[75] eine große Schleife,[76] ging tiefer und rollte auf den Flugplatz. Auf dem Flugplatz wurde Browning von einem Jugendfreund
10 Webers erwartet.[77] Friedrich Stein war Exportkaufmann.[78] Er war vor dem Kriege in den U.S.A. gewesen und sprach fließend Englisch. Stein hatte einen Volkswagen und machte mit Browning eine Fahrt durch die Stadt. Browning saß zum ersten Mal in einem Volkswagen. Zwar hatte er diese kleinen
15 Wagen schon in Amerika gesehen, aber er war überrascht,[79] daß man ganz bequem[80] darin sitzen konnte. Am meisten aber wunderte er sich über die vielen Neubauten, die er in Hamburg sah. Während des Krieges hatte er oft von der Zerstörung Hamburgs durch Bombenangriffe gelesen. Stein
20 sagte: „Ja, es ist viel getan worden, aber es bleibt auch noch viel zu tun. Ich könnte Ihnen Stadtviertel[81] zeigen, wo es noch ziemlich schlimm aussieht."

Dann dankte Browning Stein und wollte sich verabschieden. Er wollte am nächsten Morgen nach Frankfurt fahren. Dort
25 erwartete ihn Walter Bauer, den er vor Jahren gleichzeitig mit Weber in Berlin kennengelernt hatte. Browning hatte

70. das Seengebiet *lake region*
71. die Havel *tributary river of the Elbe*
72. deutlich *clearly, distinctly*
73. die Binnen- und Außen-Alster *Inner and Outer Alster* (*lakes formed by the Alster River*)
74. der Kranz *wreath, circle*

75. ziehen *to draw, describe*
76. die Schleife *circle, loop*
77. erwarten *to await, expect*
78. der Kaufmann *merchant*
79. überraschen *to surprise*
80. bequem *comfortable*
81. das Stadtviertel *district (of a city)*

Bauer von Westberlin aus ein Telegramm geschickt. Als Stein das hörte, sagte er, daß er Browning gerne im Auto nach Frankfurt mitnehmen würde. „Ich muß geschäftlich[82] nach Stuttgart", erklärte er. „Der Weg nach Stuttgart führt über Frankfurt. Es wird mir ein Vergnügen sein, Sie mitzunehmen."

Mit dem Auto von Hamburg nach Bonn
Das Ruhrgebiet

Am nächsten Morgen fuhren sie früh ab. Nördlich von Braunschweig kamen sie auf die Autobahn Berlin-Frankfurt. Stein fuhr eine Durchschnittsgeschwindigkeit[1] von 100 bis 110 km in der Stunde. Gegen Mittag erreichten sie das

82. geschäftlich *on business*

1. die Durchschnittsgeschwindigkeit *average speed*

Ruhrgebiet. In einem Restaurant an der Autobahn machten sie Halt, um zu essen. Browning wollte wissen, was ein Volkswagen in Deutschland kostet.

—„Es gibt zwei Typen: das Exportmodell für 4600.–DM und das Standardmodell für 3790.–DM," sagte Stein.

—„Das ist nicht teuer. Was verbraucht[2] der Wagen an Benzin?"

—„Durchschnittlich nicht mehr als sieben Liter auf 100 km."

—„Das ist nicht schlecht. Und was müssen Sie an Steuern[3] und Haftpflichtversicherung[4] zahlen?"

—„Ich zahle jährlich 173.–DM Steuern und 176.–DM Haftpflichtversicherung. Selbstverständlich[5] hängen[6] Steuern und Versicherung von der Größe des Autos ab.[6] Für einen großen amerikanischen Wagen würden Sie viel mehr an Steuern und Versicherung zahlen müssen."

Eine Stunde später fuhren sie weiter. Die Fahrt ging durch das rheinisch-westfälische Industriegebiet. Rechts und links der Autobahn sahen sie Fabriken und Bergwerke, rauchende Schornsteine,[7] den Feuerschein[8] von Hochöfen[9] und große Kohlen- und Schutthalden.[10] Der Verkehr wurde jetzt stärker. Große elegante Autos fuhren an ihnen vorbei. Sie selbst überholten[11] hin und wieder vollbeladene[12] Lastkraftwagen mit Anhängern[13] oder eines der sehr kleinen Lloydautos. Der Verkehr auf der Autobahn und die Landschaft rechts und links erinnerten Browning an den *Pennsylvania Turnpike* und das Industriegebiet um Pittsburgh. Das war also das Ruhrge-

2. verbrauchen *to consume, use*
3. die Steuer *tax*
4. die Haftpflichtversicherung *liability insurance*
5. selbstverständlich *of course*
6. abhängen (von) *to depend (on)*
7. der Schornstein *chimney*
8. der Feuerschein *glare of fire*
9. der Hochofen *blast furnace*
10. die Schutthalde *heap of rock debris*
11. überholen *to overtake, pass*
12. vollbeladen *fully loaded*
13. der Anhänger *trailer*

biet, das in der europäischen Politik eine so große Rolle spielt. Überall sah Browning Fabriken, dazwischen Neubausiedlungen[14] und bestellte[15] Felder. Jedes Fleckchen[16] Erde war ausgenutzt.[17]

Der deutsche Wiederaufbau machte auf Browning einen starken Eindruck. Er hatte viele Fragen.

—„Gleich nach dem Kriege", sagte Stein, „sah es hier ganz anders aus. Die Menschen vegetierten von einem Tag zum andern. Ihr Interesse und ihre Energie konzentrierten sich fast ausschließlich[18] auf die Beschaffung[19] von Lebensmitteln und Brennmaterial für den Winter. Damals war noch alles rationiert. Mit den Rationen aber kam[20] niemand aus.[20] Ich fuhr oft schon um fünf Uhr morgens aufs Land. Nur dort konnte man etwas bekommen. Abends kam ich zurück mit ein paar Kilogramm Kartoffeln oder etwas Speck,[21] wenn ich Glück hatte. Manchmal war ich froh, wenn ich ein paar Mohrrüben[22] oder einen Kohlkopf[23] bei

14. die Neubausiedlung *new housing settlement*
15. bestellt *cultivated*
16. der Fleck *spot*
17. ausnutzen *to utilize*
18. ausschließlich *exclusive*
19. die Beschaffung *procuring, obtaining*
20. auskommen *to get along on*
21. der Speck *bacon*
22. die Mohrrübe *carrot*
23. der Kohlkopf *head of cabbage*

51

einem Bauern bekommen konnte. Die Reichsmark[24] war nichts mehr wert. Wir hatten eine Zigarettenwährung.[25] Eine Zigarette kostete damals 5 bis 10 Reichsmark. Es war die Zeit des Tauschhandels. Ich habe manches Kleidungs- und Möbelstück[26] eintauschen[27] müssen."

—„Wovon lebten denn die Arbeiter und alle die Menschen, die nichts zum Tauschen besaßen[28]?"

—„Das ist mir selbst ein Rätsel.[29] Es ging vielen sehr schlecht. Sie hungerten. Die Sterblichkeitsziffer[30] war in diesen Jahren sehr hoch. Das ganze Wirtschaftsleben war zum Stillstand gekommen. Die zerstörte Industrie durfte nicht wiederaufgebaut werden. Zahlreiche[31] unzerstörte Fabriken wurden demontiert, denn Deutschland sollte ein Agrarstaat werden. Es gab wenig Arbeit, und sie lohnte[32] sich auch kaum, da man für den Arbeitslohn doch nichts kaufen konnte. Die Verhältnisse begannen gefährlich zu werden. Millionen Menschen wären in ihrer Verzweiflung[33] Kommunisten geworden. Diese Gefahr wurde in den U.S.A. erkannt, und eine Politik des Wiederaufbaus begann in den westlichen Zonen. Eine gemeinsame Politik mit den Russen war nicht mehr möglich. Es kam zu einer getrennten Politik, die zur Gründung der Bundesrepublik Deutschland im Westen und zur Gründung der sogenannten ‚Deutschen Demokratischen Republik' in der sowjetischen Zone führte."

—„Und was geschah dann?"

—„Der Wiederaufbau begann in Westdeutschland mit der Währungsreform und der Marshallplanhilfe. Mit dem

24. die Reichsmark *German monetary unit until 1948*
25. die Zigarettenwährung *"cigarette currency"*
26. das Möbelstück *piece of furniture*
27. eintauschen *to give in trade*
28. besitzen *to possess*
29. das Rätsel *riddle, puzzle*
30. die Sterblichkeitsziffer *mortality rate*
31. zahlreich *numerous*
32. sich lohnen *to pay, be worth while*
33. die Verzweiflung *despair*

wirtschaftlichen Aufbau begann zugleich der Aufbau eines neuen politischen und sozialen Lebens. Die Industrie begann zu produzieren. Die Geschäfte füllten sich wieder mit Waren aller Art. Das, was Mitte 1948 begann, nennt die Welt ‚das deutsche Wunder'. In Wirklichkeit war es gar kein Wunder. 5

Es war der Wille jedes Einzelnen, wieder ein Dach über dem Kopf zu haben und das tägliche Brot zu verdienen."

—„Sie können sagen, was Sie wollen. Für mich ist es ein Wunder. Seit 1948 sind doch nur wenige Jahre vergangen. Seit ich hier bin, habe ich sehr viele Neubauten gesehen. 10 Mehr als ich erwartet hätte."

—„Gewiß haben wir große Fortschritte[34] gemacht. Die Trümmerhaufen sind beseitigt[35] worden. Wir haben in

34. der Fortschritt *progress*   35. beseitigen *to remove, do away with*

53

wenigen Jahren in Westdeutschland mehr Wohnungen gebaut als irgendein anderes europäisches Land. 1950 hatte Westdeutschland im Außenhandel[36] ein Defizit von mehr als 700 Millionen Dollar. 1954 hatten wir bereits einen Überschuß[37] von über 650 Millionen Dollar. Die Zahl der Arbeitslosen ist von Jahr zu Jahr gesunken. Heute haben wir nur noch wenige Arbeitslose . . ."

—„Na, also. Und das soll kein Wunder sein?"

—„Wenn man nur die Fortschritte seit 1948 betrachtet, kann man vielleicht von einem Wunder reden. Aber die Welt scheint zu glauben, wir hätten schon alle unsere wirtschaftlichen Probleme gelöst. Das ist keineswegs der Fall.[38] Es gibt noch ungeheuer viel zu tun."

Die Hauptstadt der Bundesrepublik
Die Bundesregierung. Parteien und Wahlsystem

Sie waren jetzt an der Abzweigung[1] von der Autobahn nach Bonn angekommen. Stein machte den Vorschlag,[2] einen kurzen Besuch in der Bundeshauptstadt zu machen: „Bonn ist nicht nur die provisorische Hauptstadt der Bundesrepublik, sondern auch die Geburtsstadt[3] Beethovens. Die Stadt hat eine angesehene[4] Universität." Browning interessierte sich für Bonn und nahm[5] gerne an.[5] „Das ist das Siebengebirge dort drüben[6]", sagte Stein. „Auf einem der sieben Berge liegt das Petersberghotel. Nach dem Kriege war es mehrere Jahre lang der Sitz der alliierten Hochkommissare."

Sie fuhren über die Rheinbrücke und durch die Altstadt. Stein zeigte Browning das Geburtshaus Beethovens. Das

36. der Außenhandel *export trade, foreign trade*
37. der Überschuß *surplus*
38. der Fall *case*

1. die Abzweigung *branch road*
2. der Vorschlag *suggestion*
3. die Geburtsstadt *native city*
4. angesehen *distinguished*
5. annehmen *to accept*
6. dort drüben *over there*

Fahren durch die engen Straßen machte Browning etwas nervös. Jeden Augenblick fürchtete er einen Zusammenstoß[7] mit einem Radfahrer.[8] Auf dem Markt konnte Stein nur Schritt fahren.[9] Es war Markttag und viele Hausfrauen machten ihre Einkäufe an den Verkaufsständen. Da gab es vor allem Gemüse und Obst. Es gab auch Blumenstände, die in allen Farben leuchteten.[10]

Stein zeigte Browning das alte Rathaus und die Universität. Er erzählte ihm auch, daß Bonn eine zweitausendjährige Geschichte hat: „Die Stadt wurde von den Römern gegründet. Sie bauten hier am Ufer des Rheins ein Kastell.[11] Am ganzen Rhein entlang hatten die Römer ihre militärischen Stationen. Viele Städte und Dörfer am Rhein waren früher römische Kastelle."

Dann kamen sie auf die Koblenzer Straße. Browning sah mehrere moderne Gebäude, die er für Banken oder Verwaltungsgebäude von Versicherungsgesellschaften hielt. Stein mußte lachen: „Das sind alles Regierungsgebäude. Die Koblenzer Straße ist heute das, was früher die Wilhelm-

7. der Zusammenstoß *collision*
8. der Radfahrer *bicyclist*
9. Schritt fahren *to drive at snail's pace*
10. leuchten *to glow*
11. das Kastell *fort*

straße in Berlin war." Sie fuhren an dem Bundespostministerium,[12] dem Auswärtigen Amt, der Villa des Bundespräsidenten und der Bundeskanzlei vorbei. Dann bog Stein links ab. „Da vorne ist das Bundeshaus, unser Parlamentsgebäude", sagte er. „Hier ist auch ein Parkplatz. Wir könnten eine kleine Pause machen. Ich bin beim Fahren ganz steif in den Beinen geworden."

—„Ich freue[13] mich auch auf etwas Bewegung.[14] Mein rechter Fuß ist eingeschlafen."

Als sie am Bundeshaus ankamen, fand gerade eine Führung[15] statt. Sie schlossen sich an. Im Plenarsaal[16] zeigte ihnen der Führer[17] die Regierungsbank, die Bank der Ländervertreter[18] und die Sitze der Abgeordneten. Er erklärte, daß nach der letzten Wahl im Jahre 1957 497 Abgeordnete im Bundestag seien, darunter[19] ungefähr 40 Frauen. Er sagte: „Die stärkste Partei, die Christlich-Demokratische Union (CDU), hat 270 Abgeordnete. Die zweitstärkste Partei, die Sozialdemokratische Partei Deutschlands (SPD), hat 169 Abgeordnete. Dann kommen die Freie Demokratische Partei (FDP) mit 41 und die Deutsche Partei (DP) mit 17 Abgeordneten. Außerdem haben wir 22 Berliner Abgeordnete ohne Stimmrecht.[20]"

Nach der Besichtigung[21] des Plenarsaales stiegen Stein und Browning wieder ins Auto und fuhren weiter. Browning hatte einige Fragen über das deutsche Wahlsystem und die einzelnen Parteien. Stein erklärte ihm, so viel er konnte:

12. das Bundespostministerium *Federal Ministry of Postal Service*
13. freuen: sich auf etwas freuen *to look forward to*
14. die Bewegung *movement, moving about*
15. die Führung *guided tour*
16. der Plenarsaal *assembly chamber*
17. der Führer *leader, guide*
18. der Ländervertreter *representative of a German state*
19. darunter *among them*
20. das Stimmrecht *right of vote*
21. die Besichtigung *inspection*

"Nach dem Grundgesetz sind die Wahlen ‚allgemein,[22] unmittelbar,[23] frei, gleich[24] und geheim[25]'. Wählen kann jeder Deutsche, der über 21 Jahre alt ist und mindestens[26] drei Monate in der Bundesrepublik wohnt. Wer das 25. Lebensjahr vollendet[27] hat, kann gewählt werden. Das Wahlsystem selbst ist etwas kompliziert, insofern es das Mehrheitsprinzip[28] mit dem Verhältnisprinzip[29] zu vereinigen[30] sucht."

Zusammensetzung des Bundestages, 1957

—„Was meinen Sie damit?" wollte Browning wissen.

—„Die einfache Mehrheitswahl würde zur Bildung von nur zwei großen Parteien führen. Viele sind gegen ein solches System, weil kleinere Parteien dadurch unterdrückt würden. Anderseits[31] würde die einfache Verhältniswahl zur Bildung[32] einer großen Anzahl[33] von zum Teil[34] sehr kleinen Parteien führen. Gegen dieses System sind diejenigen, die sich an die innere Schwäche der Weimarer Republik erinnern. Wir

22. allgemein *general, universal*
23. unmittelbar *immediate, direct*
24. gleich *equal*
25. geheim *secret*
26. mindestens *at least*
27. vollenden *to complete*
28. das Mehrheitsprinzip *principle of majority representation*
29. das Verhältnisprinzip *principle of proportional representation*
30. vereinigen *to combine*
31. anderseits *on the other hand*
32. die Bildung *formation*
33. die Anzahl *number*
34. zum Teil (*abbr. z. T.*) *in part*

nehmen diese Dinge jetzt sehr ernst und versuchen daher, die Vorteile[35] der Mehrheitswahl mit den Vorteilen der Verhältniswahl zu verbinden.[36] In den Bundestag kommen nur Abgeordnete solcher Parteien, die 5% aller Stimmen erhalten.
5 Der ‚Gesamtdeutsche Block',[37] der nach der Wahl von 1953 noch 27 Abgeordnete in den Bundestag schicken konnte, erreichte 1957 nur 4,6% aller Stimmen und ist seitdem nicht mehr im Bundestag vertreten."

—„Mir ist übrigens aufgefallen[38]", sagte Browning, „daß die
10 Kommunisten keine Abgeordneten im Bundestag haben. Gibt es denn keine Kommunisten mehr in Westdeutschland?"

—„Doch,[39] es gibt schon welche.[40] Aber die Kommunistische Partei ist am 17. August 1956 vom Bundesverfassungsgericht[41] für verfassungswidrig[42] erklärt und aufgelöst worden.
15 Übrigens waren die Kommunisten schon 1953 nicht stark genug, um Abgeordnete in den Bundestag zu schicken. Damals erhielten sie nur 2,2% aller Stimmen."

—„Wie steht es denn mit den Nazis, den alten oder neuen?"

—„Die gibt es natürlich auch. Aber nach den üblen[43]
20 Erfahrungen, die wir mit dem Hitler-Regime gemacht haben, hat die nationalsozialistische Ideologie nur noch ganz wenige Anhänger.[44] Eine kleine neofaschistische Partei, die ‚Sozialistische Reichspartei', ist schon im Oktober 1952 vom Bundesgericht für verfassungswidrig erklärt und aufgelöst
25 worden. Die übrigen rechtsradikalen Parteien haben 1953

---

35. der Vorteil *advantage*
36. verbinden *to combine*
37. der „Gesamtdeutsche Block" *"All-German Block."* Also known as „Bund der Heimatvertriebenen und Entrechteten" = *"Association of Expelled and Disfranchised Persons"*

38. auffallen *to occur to*
39. doch *oh, yes*
40. welche *some*
41. das Bundesverfassungsgericht *Federal Constitutional Court*
42. verfassungswidrig *unconstitutional*
43. übel *bad*
44. der Anhänger *adherent, follower*

insgesamt[45] nur etwas über 1% aller Stimmen erhalten. Sie spielen praktisch keine Rolle mehr."

—„Die CDU ist also die Regierungspartei. Mit 270 Abgeordneten hat sie ja auch die absolute Mehrheit. Bilden die anderen drei Parteien dann die Opposition, Herr Stein?"

—„Nein, so ist es nicht. Wir haben eine Koalitionsregierung. Die Koalition besteht aus der CDU und der DP."

—„Ich weiß wenig von europäischen Parteien. Ich habe aber oft gehört, daß sie meist grundsätzliche[46] weltanschauliche[47] Programme haben. Und diese beiden Parteien mit zwei verschiedenen grundsätzlichen Programmen haben sich auf *ein* Programm einigen[48] können?"

—„Ja. Natürlich gibt es auch zwischen ihnen Meinungsverschiedenheiten.[49] Aber in Fragen der Außenpolitik, der Wirtschaftspolitik und der Kulturpolitik sind diese beiden Parteien ziemlich einig."

—„Haben die beiden Parteien der Opposition sich dann ebenfalls auf *ein* Programm einigen können?"

—„Oh nein, Herr Browning. Es bestehen scharfe Gegensätze[50] zwischen der SPD und der FDP, besonders auf dem Gebiet der Wirtschaftspolitik. Die SPD ist für eine größere Sicherheit der wirtschaftlich Schwachen und für die Sozialisierung der Grundstoffindustrien.[51] Die FDP dagegen ist für die freie Marktwirtschaft.[52]—Mehr oder weniger einig aber sind die beiden Oppositionsparteien in Fragen der Außenpolitik. Die Koalition ist für die allgemeine Wehr-

---

45. insgesamt *altogether*
46. grundsätzlich *based on principle*
47. weltanschaulich *based on a philosophy of life*
48. einigen: sich einigen auf *to agree upon*
49. die Meinungsverschiedenheit *difference of opinion*
50. der Gegensatz *opposition, antagonism*
51. die Grundstoffindustrie *raw-material industry, basic industry*
52. die freie Marktwirtschaft *free-market economy, supply-and-demand economy*

59

pflicht[53] und das NATO-Bündnis[54] in seiner bisherigen Form. Die Oppositionsparteien sind gegen die allgemeine Wehrpflicht. Ihrer Ansicht nach sollte der deutsche Beitrag[55] zur NATO aus Einheiten freiwilliger[56] Berufssoldaten[57] bestehen. Nach der Ansicht der Opposition ist die Politik der Koalitionsparteien zu einseitig[58] westlich orientiert und erschwert[59] dadurch die deutsche Wiedervereinigung. Selbstverständlich wollen auch die Oppositionsparteien in der NATO bleiben. Zugleich aber möchten sie alle Möglichkeiten einer friedlichen Lösung des Konfliktes mit Rußland offenhalten. Auch auf dem Gebiet der Kulturpolitik sind die Oppositionsparteien einig, besonders was[60] das Verhältnis von Kirche und Staat angeht.[60] Die Koalitionsparteien sind für die christliche Konfessionsschule.[61] Die Oppositionsparteien dagegen fordern eine scharfe Trennung von Kirche und Staat und wollen die christliche Gemeinschaftsschule.[62]"

—,,Sie erwähnten vorhin die Möglichkeit einer friedlichen Lösung des Konfliktes mit Rußland. Glauben Sie, daß die deutsche Wiedervereinigung durch Verhandlung[63] mit den Sowjets zu erreichen ist?"

—,,Das ist eine Doktorfrage,[64] Herr Browning. Ich hoffe es jedenfalls. Andere Möglichkeiten sehe ich nicht."

—,,Sind Sie Mitglied einer Partei, Herr Stein?"

—,,Nein. Ich war Mitglied der Nationalsozialistischen

53. die allgemeine Wehrpflicht *universal compulsory military service (draft)*
54. das Bündnis *alliance*
55. der Beitrag *contribution*
56. freiwillig *voluntary*
57. der Berufssoldat *professional soldier*
58. einseitig *one-sided*
59. erschweren *to make more difficult*
60. angehen: was ... angeht *as far as ... is concerned*
61. die Konfessionsschule *segregated Catholic or Protestant public elementary school*
62. die Gemeinschaftsschule *non-sectarian public elementary school*
63. die Verhandlung *negotiation*
64. die Doktorfrage *complicated question*

60

Partei, wie die meisten Deutschen. Ohne Druck wäre ich nicht Mitglied dieser Partei geworden. Nach 1945 habe ich deswegen⁶⁵ große Schwierigkeiten gehabt. Jetzt denke ich gar nicht mehr daran, Mitglied einer Partei zu werden. Wenn ich es täte, würde ich vielleicht noch einmal dafür bestraft werden."

—„Sehen Sie da nicht etwas zu schwarz?"

—„Mag sein, aber ich habe mir einmal die Finger verbrannt. Ich glaube, meine Pflicht als Staatsbürger⁶⁶ zu erfüllen, wenn ich an den Wahltagen wähle.—Sind Sie denn Mitglied einer Partei in Amerika, Herr Browning?"

Browning mußte lachen. „Nein, auch nicht. Ich bin, genau wie Sie, auch nur ein Staatsbürger, der an den Wahltagen seine Stimme abgibt.⁶⁷ Was ich noch fragen wollte: Wieviel Staaten haben Sie in der Bundesrepublik?"

—„Wir haben zehn Staaten, die wir ‚Länder' nennen. Unter ‚Staat' verstehen wir gewöhnlich die Bundesrepublik als Ganzes. Was die Länder angeht, so werden Sie wissen, daß die alten deutschen Länder nach dem Kriege von den Alliierten aufgelöst wurden. In Westdeutschland bildeten die Alliierten für ihre Verwaltungszwecke elf neue Länder. Im Jahre 1952 fand in Südwestdeutschland eine Volksabstimmung⁶⁸ statt, durch die aus zwei Ländern der französischen Zone und einem Land der amerikanischen Zone ein einziges Land mit dem Namen ‚Baden-Württemberg' gebildet wurde. Von 1952 ab hatten wir also die Länder: Nordrhein-Westfalen, Bayern, Baden-Württemberg, Niedersachsen, Hessen, Rheinland-Pfalz, Schleswig-Holstein, Hamburg und Bremen. Am 1. Januar 1957 ist die Saar als zehntes Land hinzugekommen.⁶⁹"

65. deswegen *on that account*
66. der Staatsbürger *citizen*
67. abgeben: seine Stimme abgibt *casts his vote*
68. die Volksabstimmung *plebiscite*
69. hinzukommen *to be added*

61

—Ist denn Westberlin nicht schon das elfte Land der Bundesrepublik?"

—„Praktisch, ja, aber nicht offiziell", erwiderte[70] Stein. „Das komplizierte Verhältnis der westalliierten Besatzungsmächte zu den Sowjets in Berlin erfordert[71] vorläufig[72] noch eine Sonderstellung[73] für Westberlin."

—„Was ist denn nun eigentlich[74] der Bundesrat[75]? Ist es so etwas wie unser amerikanischer Senat?" wollte Browning wissen.

—„Nein, nicht ganz. Für den Bundesrat gibt es zum Beispiel[76] keine Wahlen. Die Mitglieder des Bundesrats werden von den einzelnen Länderregierungen ernannt[77] und vertreten die Interessen der Länderregierungen. Die Mitglieder des Bundesrats stimmen[78] daher auch nicht nach Parteien ab,[78] sondern länderweise,[79] das heißt[80] jeweils[81] als Block des Landes, das sie vertreten. Sie können jederzeit[82] von dem Land, das sie ernannt hat, abberufen[83] und durch andere Vertreter ersetzt werden."

—„Das ist allerdings interessant. Wieviel Mitglieder hat denn der Bundesrat?"

—„Zur Zeit 41. Außerdem ist Westberlin mit vier beratenden Stimmen[84] vertreten. Je nach seiner Bevölkerungszahl schickt das einzelne Land drei bis fünf Vertreter in den Bundesrat."

70. erwidern *to reply*
71. erfordern *to demand, require*
72. vorläufig *for the time being*
73. die Sonderstellung *special status*
74. eigentlich *really, actually*
75. der Bundesrat *upper house of Federal Parliament*
76. zum Beispiel (*abbr.* z. B.) *for example*
77. ernennen *to appoint*
78. abstimmen *to vote*
79. länderweise *by states*
80. das heißt (*abbr.* d. h.) *that is, that is to say*
81. jeweils *in each case*
82. jederzeit *at any time*
83. abberufen *to recall*
84. die beratende Stimme *"advisory voice"* (*representative who has a voice but not a vote*)

—„Und wie weit reicht die Macht des Bundesrats?"

—„Der Bundesrat arbeitet in der Gesetzgebung[85] und Verwaltung des Bundes mit. Bei den meisten Gesetzen hat der Bundesrat ein Vetorecht. Änderungen des Grundgesetzes (der Verfassung) und Gesetze, die die Länder betreffen,[86] müssen seine Zustimmung[87] haben. Aber Bundesrecht[88] geht vor[89] Landesrecht.[90] Der Bundestag kann ein Veto des Bundesrats überstimmen.[91]"

—„Gibt es denn nicht hin und wieder Streitigkeiten[92] in Verfassungsfragen zwischen dem Bund und den Ländern? Wie Sie wissen, entscheidet in solchen Streitigkeiten bei uns in Amerika der *Supreme Court* in Washington."

—„Das ist bei uns ganz ähnlich. Auch wir haben für alle Verfassungsfragen und Streitigkeiten zwischen dem Bund und den Ländern einen Obersten Gerichtshof,[93] nämlich das Bundesverfassungsgericht in Karlsruhe."

—„Ich habe mich in meinem ganzen Leben noch nie so viel und so lange über Politik unterhalten wie mit Ihnen, Herr Stein. Da wir aber einmal dabei sind, interessieren mich noch ein paar weitere Fragen. Zunächst: Wie kommt es, daß die westdeutsche Regierung so fest im Sattel sitzt, während es in anderen westeuropäischen Ländern häufig zu Regierungskrisen und einem Regierungswechsel[94] kommt?"

—„Die Antwort auf diese Frage ist nicht allzu schwer, Herr Browning. Die Väter des Grundgesetzes haben aus der Vergangenheit[95] gelernt. In der Weimarer Republik wechselte die Regierung auch bei uns alle paar Monate. Ein einfaches

---

85. die Gesetzgebung *legislation*
86. betreffen *to concern, affect*
87. die Zustimmung *consent, concurrence*
88. das Bundesrecht *Federal law*
89. vorgehen *to supersede*
90. das Landesrecht *state law*
91. überstimmen *to overrule*
92. die Streitigkeit *controversy*
93. der Oberste Gerichtshof *Supreme Court*
94. der Wechsel *change*
95. die Vergangenheit *past*

Mißtrauensvotum[96] der Abgeordneten genügte, um die Regierung zu zwingen, zurückzutreten. Heute ist das anders. Unser Regierungschef, der Bundeskanzler,[97] wird vom Bundestag gewählt. Er kann nur durch ein sogenanntes
5 ‚konstruktives Mißtrauensvotum' gezwungen werden, zurückzutreten. Das heißt: die Mehrheit der Mitglieder des Bundestages muß bei einem Mißtrauensvotum gleichzeitig den Nachfolger[98] des Bundeskanzlers wählen. Der Bundespräsident muß dann den bisherigen Bundeskanzler entlassen
10 und den neugewählten Nachfolger ernennen. Dieses System hat sich bewährt.[99] Bisher hat es noch kein konstruktives Mißtrauensvotum gegeben. Es ist ja immer leichter, etwas zu zerstören als aufzubauen. Wir wollen positive Kritik. — Außerdem haben die Wähler ja alle vier Jahre Gelegenheit,
15 für die Fortsetzung[100] der bisherigen Politik zu stimmen oder sich gegen diese Politik und damit für die Opposition zu erklären. Ich glaube wirklich, daß wir in unserem Regierungssystem eine gewisse Stabilität erreicht haben."

—‚‚Zweifellos. —Aber nun noch eine Frage über den
20 Bundespräsidenten. Wenn der Bundeskanzler der eigentliche Regierungschef ist, so ist die Macht des Bundespräsidenten wohl verhältnismäßig[101] begrenzt[102]?"

—‚‚Ganz richtig. Seine Macht ist bei weitem nicht so groß wie die Macht des Präsidenten der U.S.A. Der Bundes-
25 präsident ist das Oberhaupt[103] des Staates. Er hat nur repräsentative Rechte und Pflichten. Er wird auch nicht vom Volk gewählt, sondern von einer besonderen Versammlung, die aus den Mitgliedern des Bundestages *und* der gleichen

---

96. das Mißtrauensvotum *vote of no confidence*
97. der Bundeskanzler *Federal Chancellor*
98. der Nachfolger *successor*
99. sich bewähren *to stand the test*
100. die Fortsetzung *continuation*
101. verhältnismäßig *relatively*
102. begrenzen *to limit*
103. das Oberhaupt *head, chief*

Anzahl von Mitgliedern der Landtage, d. h. der Länderparlamente, besteht. Diese Versammlung[104] heißt Bundesversammlung und wählt den Bundespräsidenten auf fünf Jahre."

—„Nach all dem, was Sie mir erzählt haben, hat Ihr politisches System viel mit unserem gemeinsam. Natürlich gibt es manche Verschiedenheiten. Aber ich glaube, daß Sie in Westdeutschland und wir in Amerika unter ‚Demokratie' ungefähr das Gleiche verstehen. In der sowjetisch besetzten Zone scheint man trotz des klangvollen[105] Namens ‚Deutsche Demokratische Republik' ganz andere Vorstellungen[106] von ‚Demokratie' zu haben."

—„Ganz sicher. Die ‚Deutsche Demokratische Republik' ist ein autoritärer Einparteienstaat. Die Sozialistische Einheitspartei Deutschlands (SED) beherrscht[107] das politische Leben. Diese Partei ist durch eine Zwangsunion[108] der Sozialdemokratischen Partei mit der Kommunistischen Partei entstanden. Dem Namen nach[109] gibt es auch noch einige andere Parteien. Aber da alle Parteien verpflichtet[110] sind, an der Regierung teilzunehmen,[111] spielen die kleinen Parteien keine Rolle. Es gibt keine Opposition und auch keine Teilung der Gewalten in der Regierung. Nach der Verfassung der ‚Deutschen Demokratischen Republik' liegt die gesamte[112] Macht in der Volkskammer,[113] dem Sowjetzonenparlament. Die fünf Länder der Sowjetzone—Brandenburg, Sachsen-Anhalt, Mecklenburg, Sachsen und Thüringen—wurden 1952 durch vierzehn Verwaltungsbezirke[114] ersetzt. Seitdem neh-

---

104. die Versammlung *assembly*
105. klangvoll *full-sounding*
106. die Vorstellung *conception*
107. beherrschen *to rule, govern*
108. die Zwangsunion *forced union*
109. dem Namen nach *according to name, in name only*
110. verpflichten *to oblige*
111. teilnehmen *to take part*
112. gesamt *entire*
113. die Volkskammer *"People's Chamber"*
114. der Verwaltungsbezirk *administrative district*

men[115] die ‚Bezirkstage[116]' die Stelle der früheren Landtage ein.[115] Da aber die Volkskammer die Beschlüsse[117] der Bezirkstage aufheben[118] kann, haben die Bezirkstage so gut wie keine Bedeutung. Und ein Verfassungsgericht gibt es nicht. Übrigens erinnert[119] das Wahlsystem der ‚Deutschen Demokratischen Republik' stark an das der Sowjetunion und Hitlerdeutschlands: die Wahlbeteiligung[120] ist sehr hoch und 99% der Stimmen sind ‚Ja'. Die ‚Deutsche Demokratische Republik' ist ganz einfach ein sowjetischer Satellitenstaat, der von Moskau über Ostberlin regiert wird."

Ankunft in Frankfurt
Der Wiederaufbau der deutschen Wirtschaft
mit amerikanischer Hilfe

—„Wo sind wir eigentlich jetzt, Herr Stein? Wir haben doch Bonn vor schon fast drei Stunden verlassen."

—„Wir sind kurz vor Limburg. Dort vorne sehen Sie schon die große Autobahnbrücke. Sie führt über die Lahn, einen Nebenfluß des Rheins. Wenn wir auf der Brücke sind, dann schauen Sie einmal nach rechts. —Dort unten, rechts, liegt Limburg an der Lahn mit seinem herrlichen gotischen Dom."

Stein fuhr langsamer, damit Browning einen Blick in das Lahntal werfen konnte. „Die hügelige Landschaft ist sehr schön. Gestern abend befürchtete ich, daß das Fahren auf der Autobahn langweilig[1] werden könnte. Aber die Landschaft ist so abwechslungsreich,[2] und wir haben uns auch so

115. einnehmen *to occupy*
116. der Bezirkstag *district parliament, district council*
117. der Beschluß *resolution*
118. aufheben *to repeal, annul*
119. erinnern *to recall*
120. die Wahlbeteiligung *participation in election, voters' turnout*

1. langweilig *boring*
2. abwechslungsreich *varied*

interessant unterhalten, daß ich mich nicht im geringsten³ gelangweilt habe. Haben Sie übrigens keine Reklameschilder⁴ an Ihrer Autobahn? Ich habe keine gesehen."

—„Ich bin froh, daß die meisten Autobahnen davon frei sind. Sie machen die Landschaft nicht schöner."

—„Wie heißen die Berge da vor uns, Herr Stein?"

—„Das ist der Taunus. Dahinter, also südlich, liegt das zweitgrößte deutsche Industriegebiet nach dem Ruhrgebiet. Es ist das Rhein-Maingebiet. Das Zentrum ist Frankfurt am Main. Sie werden wohl wissen, daß im Mittelalter in dieser Stadt deutsche Kaiser gewählt und gekrönt⁵ wurden. Hier trafen sich zwei Haupthandelsstraßen⁶: die Straße von Italien zur Nordsee und die von Rußland nach Westeuropa. So entstand ganz natürlich ein großer Markt und ein bedeutendes Handelszentrum. In Frankfurt wurde Deutschlands größter Dichter, Johann Wolfgang von Goethe, geboren. Mitte des 19. Jahrhunderts trat in der Frankfurter Paulskirche das erste deutsche Parlament zusammen.

„Hier hatte früher der weltbekannte deutsche Chemiekonzern der I.G. Farben sein Hauptverwaltungsgebäude, das nach Kriegsende zum Amtsitz⁷ der amerikanischen Hochkommission wurde. Von hier ging⁸ auch der wirtschaftliche und politische Wiederaufbau Westdeutschands aus.⁸ Frankfurt ist übrigens die Heimatstadt von vielen bekannten jüdischen Familien. Die Rothschilds zum Beispiel stammen aus dieser Stadt. Von Frankfurt aus können Sie herrliche Ausflüge⁹ machen. Ihr Freund Bauer, der ja Frankfurter ist, wird in diesem Zusammenhang¹⁰ gewiß bessere Vorschläge machen können als ich."

3. nicht im geringsten *not in the least*
4. das Reklameschild *billboard*
5. krönen *to crown*
6. die Handelsstraße *trade route*
7. der Amtsitz *headquarters*
8. ausgehen *to start, proceed*
9. der Ausflug *excursion*
10. der Zusammenhang *connection*

67

Three Lions

Frankfurt am Main

Bremen: Marktplatz mit Rathaus und Dom

Deutsche Zentrale für Fremdenverkehr

Bonn: Bundeshaus

Presse- und Informationsamt der Bundesregierung

**Hamburg:
Binnenalster mit
Jungfernstieg**

Deutsche Zentrale für Fremdenverkehr

**Köln: Dom und
Hohenzollernbrücke**

Deutsche Zentrale für
Fremdenverkehr

Stein fuhr in die Eschersheimer Landstraße, wo Bauer wohnte. Browning stieg aus. „Ich danke Ihnen für die schöne Fahrt, Herr Stein. Ich habe auf dieser Fahrt viel gesehen und erlebt.[11]"

—„Die Fahrt mit Ihnen war mir ein Vergnügen. Ich wünsche Ihnen einen interessanten Aufenthalt[12] in Deutschland, vor allem auch schönes Wetter." Stein gab Browning die Hand und fuhr weiter, zurück auf die Autobahn. Sein Ziel war Stuttgart.

Bauer wohnte in einem Haus, das er von seinen Eltern geerbt[13] hatte. Vor 1945 war er jahrelang Abteilungsleiter[14] in einer Berliner Bank gewesen. Kurz vor dem Einmarsch der Russen hatte er Berlin verlassen. Im Kriege war er „unabkömmlich gestellt",[15] d. h. er wurde nicht zum Kriegsdienst eingezogen.[16] Parteimitglied war er nicht gewesen. Er hatte für Parteien kein Interesse. Die Nationalsozialisten ließen ihn in seiner Stellung, weil sie ihn brauchten. Als Nichtparteimitglied hatte er daher nach dem Kriege keine Schwierigkeiten. In seinem Entnazifizierungsverfahren[17] in Frankfurt hieß es: „Nicht betroffen".[18] Es dauerte nicht lange bis Bauer einer der Direktoren eines Frankfurter Bankhauses wurde.

Bauer freute sich über Brownings Besuch. „Sie haben sich in all den Jahren kaum verändert. Nun kommen Sie aber erst einmal herein! Sie bleiben natürlich bei mir. Ich habe Platz genug im Hause. Ich wohne hier allein. Eine ältere

11. erleben *to experience*
12. der Aufenthalt *stay*
13. erben *to inherit*
14. der Abteilungsleiter *department head*
15. unabkömmlich stellen *to classify as "indispensable"*
16. einziehen *to draft*
17. das Verfahren *proceeding*
18. betreffen: „nicht betroffen" *"not affected"*

Dame führt mir den Haushalt. Ihr Zimmer liegt im ersten Stock.[19] Um 9 Uhr ist Abendessen."

—"So habe ich mir meinen Besuch bei Ihnen nicht vorgestellt, lieber Herr Bauer. Ich wollte Sie nur einmal wiedersehen und vielleicht einen Abend bei Ihnen verbringen."

—"Machen Sie mir keinen Kummer.[20] Ich freue mich, daß Sie hier sind. Wer weiß, wann wir uns noch einmal wiedersehen. So jung sind wir beide nicht mehr. Sie bleiben selbstverständlich bei mir."

Es blieb Browning nichts anderes übrig als anzunehmen. Nach dem Abendessen setzten sich die beiden in Bauers Arbeitszimmer. Bauer holte eine Flasche Wein und bot[21] Browning Zigarren und Zigaretten an.[21]

—"Vielen Dank. Ich rauche nur Pfeife. Darf ich mir eine Pfeife anstecken[22]?"

—"Aber gewiß, fühlen Sie sich hier wie zu Hause. Ich kann Ihnen leider keinen Tabak anbieten. Ich rauche nur Zigarren."

—"Machen Sie sich deswegen keine Sorgen. Ich habe genügend Tabak mitgebracht."

Nachdem sie eine Weile über alte Zeiten und persönliche Dinge gesprochen hatten, sagte Browning: "In amerikanischen Zeitschriften[23] und Zeitungen erscheint immer wieder ‚The German Miracle'. Im Jahre 1945 sah es so aus, als ob das Ende Deutschlands gekommen sei. Nur wenige Jahre später sah es so aus, als ob sich ein Phoenix aus der Asche erhoben[24] hätte. Es würde mich interessieren, wie Sie, Herr Bauer, diese phänomenale Entwicklung erklären."

"Ich will es gerne versuchen. Leicht ist es aber nicht. Bis 1945, Herr Browning, war Deutschland trotz Krieg und

19. im ersten Stock *on the second floor*
20. der Kummer *grief, distress*
21. anbieten *to offer*
22. anstecken *to light up*
23. die Zeitschrift *magazine*
24. sich erheben *to rise*

Kriegszerstörungen ein wirtschaftliches Ganzes. Seine Wirtschaft funktionierte. Nach der Kapitulation wurde diese Einheit zerrissen.[25] Die Besatzungszonen wurden eingerichtet.[26] Jede Besatzungsmacht verwaltete ihre eigene Zone.

5 Eine Zusammenarbeit zwischen den Zonen gab es nicht. Der sogenannte ‚Eiserne Vorhang' trennte bald die westalliierten Zonen von der Sowjetzone. Doch damit hörte die Zersplitterung[27] nicht auf. In den einzelnen Zonen wurden Länder gebildet. Die Zusammenarbeit dieser Länder war
10 aber verboten. Allein diese Zersplitterung genügte, das ganze Wirtschaftsleben in Deutschland zu paralysieren. Stellen Sie sich ein ähnliches Verbot in den U.S.A. vor! Dann wollten die Siegermächte Deutschland nach dem Morgenthau-Plan

25. zerreißen *to tear apart*
26. einrichten *to organize*
27. die Zersplitterung *fragmentation*

in ein Agrarland verwandeln, und die Politik der Demontage begann. Eine Bremer Studiengruppe stellte fest,[28] daß insgesamt 40% der deutschen Industriewerte demontiert wurden. Die Demontage wurde bis Ende April 1951 fortgesetzt."

—„Es ist unbegreiflich,[29] wie kurzsichtig die Politiker manchmal sein können. Der Morgenthau-Plan ist in Amerika so gut wie vergessen."

—„Das glaube ich gern. Ich weiß, daß Herbert Hoover, James P. Warburg und andere führende Amerikaner gegen diesen Plan waren. Er hätte aus Deutschland ein großes Elendsgebiet gemacht. Viele Deutsche wären Kommunisten geworden."

—„Was wurde denn mit den demontierten Industrieanlagen und Maschinen gemacht?"

—„Sie sollten den Ländern übergeben[30] werden, die durch den Krieg und die deutsche Besatzungszeit gelitten hatten. Meistens geschah das aber nicht. Die Maschinen wurden demontiert, aber nicht wieder aufgestellt.[31] Sie verrosteten[32] und kamen auf den Schrotthaufen.[33] Unser ganzes Wirtschaftsleben stand still. Es gab fast keine Lebensmittel. In dieses Chaos strömten Millionen bettelarmer[34] Flüchtlinge aus dem Osten. Das, Herr Browning, war die Zeit des deutschen Wunders in meinen Augen! Denn ein Wunder war es, daß wir diese Jahre überlebten.[35] Die Lage war wirklich verzweifelt. Ich erinnere mich an einen Bericht des britischen Verlegers[36] Victor Gollancz aus dem Jahre 1947. Ich habe diesen Bericht damals aus der Zeitung ausgeschnitten[37] und aufbewahrt.[38] Vielleicht finde ich ihn. Einen Augenblick bitte."

28. feststellen *to determine*
29. unbegreiflich *incomprehensible*
30. übergeben *to turn over*
31. aufstellen *to set up*
32. verrosten *to rust*
33. der Schrotthaufen *scrap heap*
34. bettelarm *destitute*
35. überleben *to survive*
36. der Verleger *publisher*
37. ausschneiden *to cut out*
38. aufbewahren *to keep*

Bauer ging an seinen Schreibtisch und suchte in einer Sammlung[39] von Zeitungsausschnitten.

—„Hier habe ich ihn. Ich werde Ihnen einige Stellen daraus vorlesen.[40] Victor Gollancz berichtet, was die deutsche Industrie damals für den Zivilbedarf[41] produzierte. Er schreibt: ‚Jeder 7. Einwohner[42] der britischen und amerikanischen Zone konnte im Jahre 1947 einen Teller, jeder 5. Einwohner eine Zahnbürste[43] und jeder 150. ein Waschbecken[44] erhalten. Nur jeder 2. Säugling[45] konnte Windeln[46] bekommen, und nur jeder 3. Tote in einem Holzsarg[47] begraben[48] werden. Wenn die Produktion der Jahre 1946–1947 auf gleicher Höhe beziehungsweise[49] Tiefe geblieben wäre, so hätte jeder Einwohner der britischen Zone zum Beispiel nur einmal in 40 Jahren einen Anzug[50] kaufen können. Alle vier Jahre hätte er ein Paar Socken, alle drei Jahre ein Paar Schuhe und alle zehn Jahre ein Hemd erhalten.' "

—„Ich kann mir als Amerikaner solche katastrophalen Verhältnisse gar nicht vorstellen. Von industrieller Produktion kann man da wirklich nicht reden. Daß die Ernährungslage miserabel war, weiß ich ..."

—„Miserabel ist ein milder Ausdruck.[51] Die Tagesrationen betrugen[52] von 1945 bis 1947 pro Kopf[53] der Bevölkerung ungefähr 1000 Kalorien. Sie wissen, daß 1000 Kalorien nur 40% der Minimalernährung eines erwachsenen[54] Menschen sind. In den Jahren 1937–38 kamen auf den Kopf der

39. die Sammlung *collection*
40. vorlesen *to read aloud*
41. der Zivilbedarf *civilian needs*
42. der Einwohner *inhabitant*
43. die Zahnbürste *toothbrush*
44. das Waschbecken *wash basin*
45. der Säugling *infant*
46. die Windeln (*pl.*) *diapers*
47. der Holzsarg *wooden coffin*
48. begraben *to bury*
49. beziehungsweise (*abbr.* bzw.) *respectively*
50. der Anzug *suit*
51. der Ausdruck *expression*
52. betragen *to amount to*
53. pro Kopf *per capita*
54. erwachsen *adult*

Bevölkerung über 3000 Kalorien. Die Fleisch- und Fettration war nur noch ein Zehntel der Vorkriegsquantität."

—"Wann wurde es denn wieder besser?"

—"Für Westdeutschland mit der Währungsreform und dem Beginn der Hilfe durch den Marshall-Plan. Man hatte eingesehen, daß ganz Europa leiden würde, wenn Deutschland ein großes Armenhaus blieb."

—"Diese Währungsreform verstehe ich nicht ganz..."

— -"Sie fand im Juni 1948 statt. Die Reichsmark, die Deutschland überschwemmte[55] und fast wertlos geworden war, wurde durch die Deutsche Mark ersetzt (100 Reichsmark = 10 Deutsche Mark). Der Staat wurde[56] dadurch einen großen Teil seiner Schulden los.[56] Aber der einzelne Staatsbürger, der noch Geld auf der Bank hatte, verlor natürlich fast sein ganzes Guthaben.[57] —Jedenfalls kam jetzt allmählich wieder Ordnung in das wirtschaftliche Leben. Das neue deutsche Geld ist knapp, aber es hat wieder einen festen Wert.[58] Es ist eine harte Währung, zu der das Ausland[59] Vertrauen[60] hat."

—"Zweifellos. —Sie erwähnten vorhin[61] die Hilfe durch den Marshall-Plan. Hat denn Westdeutschland nicht auch noch andere Hilfe erhalten?"

—"Allerdings. Schon vor dem Marshall-Plan gab es die GARIOA[62]-Hilfe. Dabei handelte[63] es sich hauptsächlich um[63] die Lieferung[64] von Lebensmitteln, Medikamenten und dergleichen[65] zur Verhütung[66] von Hungersnot und Seuchen.[67] Westdeutschland erhielt GARIOA-Hilfe von 1946 bis 1950, im

---

55. überschwemmen *to flood*
56. loswerden *to get rid of*
57. das Guthaben *bank account*
58. der Wert *value*
59. das Ausland *foreign country, countries*
60. das Vertrauen *confidence*
61. vorhin *before, a little while ago*
62. GARIOA "*Government and Relief in Occupied Areas*"
63. sich handeln um *to be a matter of*
64. die Lieferung *delivery*
65. und dergleichen (*abbr.* u. dgl.) *and such like*
66. die Verhütung *prevention*
67. die Seuche *epidemic*

Werte von ca. 1,5 Milliarden[68] Dollar. Aber der Marshall-Plan brachte die erste wirkliche Aufbauhilfe."

—„Was hat Westdeutschland denn durch den Marshall-Plan bekommen?"

—„Vor allen Dingen Rohstoffe und Investitionskapital,[69] um Industrie und Wirtschaft wieder in Gang zu bringen.[70]

Durch den Marshall-Plan sind von 1948 bis 1952 ca. 1,5 Milliarden Dollar in die deutsche Wirtschaft geflossen. Währungsreform und Marshall-Plan-Hilfe gingen Hand in Hand. Beide zusammen haben Westdeutschland die Möglichkeit gegeben, sich wieder selbst zu helfen."

—„Den Erfolg Ihres Wiederaufbaus sieht man auf Schritt und Tritt.[71] Die Menschen auf den Straßen sind gut gekleidet und sehen wohl genährt aus. Die Geschäfte sind voller Waren aller Art. Der Verkehr auf den Straßen ist sehr viel

    68. die Milliarde *billion*
    69. das Investitionskapital *investment capital*
    70. in Gang bringen *to start, to set in motion*
    71. auf Schritt und Tritt *at every turn*

größer als Anfang der dreißiger Jahre. Damals gab es noch nicht so viele Autos und Motorräder."

—„Sie haben durchaus recht. Der Lebensstandard ist höher als vor dem Kriege. Aber er liegt trotzdem beträchtlich[72] unter dem der U.S.A."

—„Mit dem bisherigen Resultat können Sie doch aber ganz zufrieden sein."

—„Das sind wir auch. Nur scheinen uns die Berichte über das Wirtschaftswunder manchmal übertrieben.[73] Wir wissen ganz gut, daß wir uns aus einem fast hoffnungslosen Zustand[74] mit einem ungeheuren Arbeitswillen wieder emporgearbeitet[75] haben. Wir wissen aber auch, daß dies ohne die amerikanische Hilfe niemals möglich gewesen wäre und daß noch viele Probleme gelöst werden müssen: die Wiedervereinigung Deutschlands, Wohnungsbau, Eingliederung[76] der Heimatvertriebenen und Flüchtlinge, Wiederaufbau der Handelsflotte[77] usw. Sie dürfen nicht vergessen, daß wir heute viel stärker auf den Außenhandel mit dem Westen angewiesen[78] sind als vor dem Kriege. Durch die Teilung Deutschlands sind wir von der ostdeutschen Landwirtschaft, die immer große Überschüsse nach Westdeutschland lieferte, abgeschnitten; und durch den ‚Eisernen Vorhang' haben wir den vor dem Kriege sehr bedeutenden Handel mit dem Osten verloren. Wir müssen also nach dem Westen exportieren, um leben zu können."

—„Um noch einmal auf die amerikanische Hilfe zurückzukommen: Insgesamt hat also die Bundesrepublik Hilfe von über 3 Milliarden Dollar erhalten?"

72. beträchtlich *considerably*
73. übertreiben *to exaggerate*
74. der Zustand *situation*
75. sich emporarbeiten *to work one's way up*
76. die Eingliederung *integration*
77. die Handelsflotte *merchant marine*
78. angewiesen sein auf *to be dependent on*

—„Ja, bis Ende 1952, und seitdem kleinere Beträge[79] unter dem Programm für gegenseitige Sicherheit. Vom Jahre 1958 an soll die Bundesrepublik ungefähr ein Drittel von diesen Beträgen zurückzahlen."

—„Nun noch eine etwas heikle[80] Frage: Sind Sie persönlich auch der Ansicht,[81] daß die U.S.A. mit der Wirtschaftshilfe imperialistische Ziele verfolgen,[82] wie so oft in fast allen europäischen Staaten behauptet wird?"

—„Ich selbst bin gewiß nicht dieser Ansicht. Wir Westdeutschen haben jedenfalls keinen Grund, uns über den ‚Dollar-Imperialismus' zu beklagen.[83] Amerika hat nicht nur uns, sondern ganz Westeuropa wieder auf die Beine geholfen. Nach der verhängnisvollen[84] Isolierung, in die die Nazis uns gebracht hatten, haben ganz besonders wir in Westdeutschland die Notwendigkeit der europäischen Zusammenarbeit und der europäischen Integration eingesehen. Wir sind daher froh, daß es die *Kohle- und Stahlgemeinschaft*,[85] den *Europäischen Wirtschaftsrat*[86] und die *Europäische Zahlungsunion*[87] gibt. Ohne die amerikanische Wirtschaftshilfe wären diese großen Fortschritte nicht möglich gewesen. Die Pläne für den *Gemeinsamen Europäischen Markt*,[88] die *Freihandelszone*[89] und *Euratom*[90] versprechen noch größere Fortschritte in der Zukunft. —Übrigens, es ist schon elf Uhr. Ich schlage noch einen kleinen Spaziergang[91] vor. Die Nachtluft wird uns beiden gut tun."

79. der Betrag *amount*
80. heikel *ticklish, difficult*
81. die Ansicht *view, opinion*
82. verfolgen *to pursue*
83. sich beklagen *to complain*
84. verhängnisvoll *fatal, disastrous*
85. die Kohle- und Stahlgemeinschaft *Coal and Steel Community*
86. der Europäische Wirtschaftsrat *European Economic Council*
87. die Europäische Zahlungsunion *European Payments Union*
88. der Gemeinsame Europäische Markt *Common European Market*
89. die Freihandelszone *Free Trade Area*
90. Euratom "*European Atomic Community*"
91. der Spaziergang *walk*

—,,Ich bin einverstanden. Nach der langen Autofahrt möchte ich vor dem Schlafengehen gern noch mal die Beine strecken."

Nach einer halben Stunde kamen die beiden von ihrem Spaziergang zurück und wünschten sich ,,Gute Nacht".

—,,Schlafen sie sich gründlich aus", sagte Bauer. ,,Morgen nachmittag möchte ich Ihnen gerne Frankfurt zeigen."

,,Deutschland im Jahre 10."
Bericht eines französischen Journalisten aus dem Jahre 1955

Am nächsten Morgen stand Browning spät auf. Nach dem Frühstück setzte er sich in Bauers Arbeitszimmer, las die Morgenausgabe[1] der ,,Frankfurter Allgemeinen Zeitung" und sah dann einige ältere Zeitungen durch, die Bauer in einem Zeitungsständer aufbewahrte. Sein Blick fiel auf die Überschrift[2] eines Artikels in der ,,Welt". Die Zeitung war vom 17. März 1955. Die Überschrift lautete: ,,Wie die Franzosen uns sehen."* Browning begann zu lesen. Je mehr er las, desto mehr interessierte ihn dieser Bericht. Der Verfasser[3] war der französische Journalist Gordey. Browning las:

,,Der Haupteindruck, den ein Tourist auf seiner Durchreise durch das Deutschland von 1955 erhält, ist dieses Arbeitsfieber. Es hat 50 Millionen Männer und Frauen ergriffen.[4] Es ist in die kleinen Städte, ja selbst in die entferntesten Winkel[5] eingedrungen.[6]' Es hat die Bevölkerung in Bewegung

1. die Ausgabe *edition*
2. die Überschrift *heading, title*
3. der Verfasser *author*
4. ergreifen *to seize*
5. der Winkel *corner*
6. eindringen *to penetrate*

*Part of a series of articles by M. Gordey entitled, "Germany in the Year Ten" (after the capitulation of 1945), published in 1955 in the Paris newspaper *France Soir*.

gesetzt, Gebäude im Nu[7] entstehen lassen. Es hat die Fenster der Wolkenkratzer[8] und Kaufhäuser erleuchtet[9] und läßt die Schornsteine Wolken schwarzen Rauches ausströmen. Heute, zehn Jahre nach der totalen Kapitulation, hat Westdeutschland ein ganz neues Gesicht bekommen. Zehn Jahre nach dem Verlust[10] von Allem schwimmen Millionen unserer Nachbarn jenseits des Rheins auf einer ungewöhnlichen Woge[11] des Wohlstandes[12] und Reichtums.[13] Die Städte haben ein neues Gesicht. Man kann sich vorstellen, daß sie Teil eines gewaltigen, nagelneuen[14] Kinderbaukastens[15] sind; die gewaltigen Geschäftszentren Frankfurts, Stuttgarts, Hamburgs sind wieder aufgebaut worden: Wolkenkratzer im amerikanischen Stil, Geschäftshäuser mit 6 bis 8 Stockwerken,[16] die
25 riesigen[17] Schuhkartons gleichen, mit Hunderten von Löchern[18] versehen,[19] die Fenster darstellen.[20] Diese Städte, die

7. im Nu *in no time*
8. der Wolkenkratzer *skyscraper*
9. erleuchten *to illuminate*
10. der Verlust *loss*
11. die Woge *wave*
12. der Wohlstand *wealth*
13. der Reichtum *riches*
14. nagelneu *brand-new*
15. der Baukasten *box of building blocks*
16. das Stockwerk *story, floor*
17. riesig *gigantic*
18. das Loch *hole*
19. versehen *to provide with*
20. darstellen *to represent*

80

früher teilweise oder zu zwei Dritteln zerstört waren, haben ein neues Gewand[21] angelegt.[22]

Schon ab 7:30 Uhr morgens wimmeln[23] die Straßen dieser Städte von Menschen, die in die Büros, Fabriken und Warenhäuser strömen. Sie haben neue Anzüge und Schuhe an und sehen ordentlich[24] und fast elegant aus. Dunkle Farben überwiegen[25] bei dieser gut angezogenen Menschenmenge, und die Frauen, sogar die jüngeren, schminken[26] sich nicht. Alle tragen eine Aktentasche[27] unter dem Arm, und alle schauen von Zeit zu Zeit auf ihre Armbanduhren, als ob sie sich fragten: ‚Komme ich zu spät?' Sie scheinen tief in

21. das Gewand *garment, attire*
22. anlegen *to put on*
23. wimmeln (von) *to teem (with)*
24. ordentlich *orderly, respectable*
25. überwiegen *to predominate*
26. sich schminken *to use cosmetics*
27. die Aktentasche *briefcase*

Gedanken[28] zu sein und unruhig. Nun, diese Leute sind versessen[29] auf Arbeit. Das sind die Deutschen von 1955.

Auf der Autobahn—das einzige, was von Hitlers Größe übriggeblieben ist—rasen[30] die luxuriösen Mercedes-Wagen, die Sportwagen von Porsche und die Borgwards mit einer Geschwindigkeit von 120 bis 150 Stundenkilometern dahin.[30] ‚Macht ist Recht' ist die vorherrschende[31] Regel. Die Großen und Rücksichtslosen drängen[32] die Kleinen und Langsamen zur Seite. In diesen schnellen Wagen aus dem Jahre 1955 sah ich sie vorbeifahren: Zuerst eine Zigarre, dann Glatzen,[33] gerötete Gesichter und gerunzelte[34] Stirnen, die über wichtigen Papieren brüten.[35] Ein Chauffeur mit Schirmmütze[36] sitzt am Steuer.[37] Er erinnert an den Unteroffizier[38] aus den Tagen der Wehrmacht, als er noch Generale mit Monokel zu fahren hatte. Heute sitzen schwarzgekleidete Herren auf den Rücksitzen. Das sind die Generaldirektoren, die Herren über Fabriken, Banken und Versicherungsgesellschaften. Sie jagen von einer Stadt zur anderen und von Konferenz zu Konferenz. Unterwegs diktieren sie ihre Korrespondenz in besonders konstruierte Diktaphone, die es den Direktoren möglich machen, jede freie Minute auf ihrer Fahrt zu nutzen. Überall: Verschwende[39] keine Zeit! Oft hörte ich Ähnliches von Arbeitern, Angestellten, Beamten,[40] und sogar Intellektuelle, Schriftsteller,[41] Schauspieler,[42] ja sogar Musiker haben keine Zeit. Sie haben ‚furchtbar viel zu tun'. Kein Wunder, daß die ‚Managerkrankheit' besonders in Deutschland zu Hause

28. der Gedanke *thought*
29. versessen auf *mad about*
30. dahinrasen *to race along*
31. vorherrschen *to prevail*
32. drängen *to crowd, press*
33. die Glatze *bald head*
34. runzeln *to wrinkle*
35. brüten *to brood*
36. die Schirmmütze *visored cap*
37. das Steuer *steering wheel*
38. der Unteroffizier *noncommissioned officer*
39. verschwenden *to waste*
40. der Beamte *official*
41. der Schriftsteller *writer*
42. der Schauspieler *actor*

Presse- und Informationsamt der Bundesregierung

Die Mercedes-Werke (Daimler-Benz) in Untertürkheim
bei Stuttgart, 1945

Die wiederaufgebauten Mercedes-Werke, 1955

Presse- und Informationsamt der Bundesregierung

ist. Ein Arzt erzählte über die Ursachen[43] dieser Krankheit: ‚Dieses teuflische[44] Drängen nach Erfolg sitzt so tief, daß wir große Schwierigkeiten haben, diese Menschen auf Krankenurlaub[45] zu schicken. Sogar in schweren Fällen geht das nicht.
5 Sie arbeiten lieber weiter, ohne Rücksicht[46] auf ihre Gesundheit. Sie fürchten entweder, ihre Stellungen zu verlieren, oder in der Jagd nach Erfolg zurückzubleiben.'

Seit dem Beginn des Wiederaufbaus steht Westdeutschland unter dem Einfluß eines ständigen[47] Produktionsfiebers. Mehr
10 muß produziert, mehr konstruiert und mehr exportiert werden. Es müssen immer bessere und billigere Waren hergestellt[48] werden. In den großen deutschen Industrien wird mehr als 50 Stunden und oft mehr als 55 Stunden in der Woche gearbeitet, obwohl die normale Arbeitswoche offiziell
15 48 Stunden hat (nicht 40 Stunden wie in Frankreich und anderen westlichen Ländern).

In politischer Hinsicht[49] hofft der Deutsche auf die Wiedervereinigung der deutschen Nation. Die Deutschen legen

43. die Ursache *cause*
44. teuflisch *devilish*
45. der Krankenurlaub *sick leave*
46. die Rücksicht *regard*
47. ständig *constant*
48. herstellen *to manufacture*
49. die Hinsicht *regard, respect*

84

wenig Wert auf die Wiederaufrüstung.[50] Die Jugend ist scharf dagegen. Was denken nun die Deutschen von den Franzosen? Sie gaben gerne und freimütig[51] darüber Auskunft.[52] Jeder scheint eine feste Meinung über Frankreich zu haben. Umgekehrt frage ich mich manchmal, ob das auch in in Frankreich der Fall ist."

Gordey begegnete spontaner Bewunderung, Neid, Kritik, Haß und Liebe oder auch Vorwürfen[53] hinsichtlich[54] der Saar und der Fremdenlegion. Fast alle Deutschen versicherten[55] aber: „Zwischen Frankreich und Deutschland wird es niemals wieder einen Krieg geben!"

Browning rauchte seine Pfeife und lehnte sich in seinen Sessel zurück. Er fand den Bericht außerordentlich[56] interessant. Manches, was der französische Journalist 1955 beobachtet hatte, galt[57] auch heute noch. Das Arbeitsfieber der Deutschen hatte jedenfalls nicht nachgelassen.[58]

Rundfahrt[1] durch Frankfurt

Gegen 1 Uhr kam Bauer nach Hause. Er freute sich, daß Browning gut und lange geschlafen hatte. „Haben Sie sich auch nicht gelangweilt?"

—„Nein, nicht im geringsten. Ich habe in Ihren alten Zeitungen geblättert.[2] Einen Zeitungsartikel habe ich sogar ganz gelesen. Ein französischer Journalist schrieb darin über seine Eindrücke und Beobachtungen in Deutschland."

50. die Wiederaufrüstung *rearmament*
51. freimütig *candid, frank*
52. die Auskunft *information*
53. der Vorwurf *reproach*
54. hinsichtlich *regarding*
55. versichern *to assure, assert*
56. außerordentlich *estraordinary*
57. gelten *to be valid*
58. nachlassen *to let up*

1. die Rundfahrt *(sightseeing) drive*
2. blättern *to leaf (through)*

—,,Sie meinen den Artikel von M. Gordey? Der hat auch mich besonders interessiert, und deswegen habe ich mir die Nummer der Zeitung aufgehoben.³ Ein Ausländer sieht immer schärfer als ein Einheimischer.⁴ Der Mann hat uns gut gesehen. —Nun aber zum Mittagessen. Wenn es Ihnen recht ist, können wir gleich nach dem Essen in die Stadt fahren."

—,,Ich freue mich jetzt schon darauf."

Nach dem Essen fuhr Bauer sein Auto aus der Garage. Es war ein neuer Borgward, Typ ,,Isabella". Browning interessierte sich für die neuen deutschen Kraftwagen.⁵ Bauers Borgward war ein kleines elegantes Auto.

—,,Ab morgen steht Ihnen dieser Wagen zur Verfügung.⁶ Ich kann inzwischen ein Dienstauto⁷ meiner Bank benutzen. Heute fahre ich aber lieber selbst. Sie kennen Frankfurt noch nicht. Hier wird noch immer viel gebaut. Zahlreiche Straßen sind gesperrt.⁸ Es gibt Umleitungen⁹ und mehr Einbahnstraßen¹⁰ als in anderen Städten. Selbst Einheimische haben oft Schwierigkeiten, sich zurechtzufinden.¹¹"

3. aufheben *to preserve*
4. der Einheimische *native*
5. der Kraftwagen *automobile*
6. zur Verfügung stehen *to be at one's disposal*
7. das Dienstauto *company car*
8. sperren *to block, close*
9. die Umleitung *detour*
10. die Einbahnstraße *one-way street*
11. sich zurechtfinden *to find one's way*

Bauer und Browning fuhren zunächst durch die Innenstadt, über die „Zeil", Frankfurts große Geschäftsstraße, vorbei am Dom, am Römer, dem alten Rathaus der Stadt, am Goethehaus, an der Paulskirche und an anderen Sehenswürdigkeiten[12]; vorbei auch am früheren Verwaltungsgebäude der I. G. Farben, das seit 1945 von amerikanischen Dienststellen[13] besetzt ist. Browning hatte in Bauer einen ausgezeichneten[14] Führer. Es herrschte starker Verkehr, und Bauer mußte aufpassen. Die Straßen waren oft sehr eng. Manchmal kam ihnen ein breiter amerikanischer Wagen entgegen. Dann mußten beide Wagen halten und ganz langsam und vorsichtig[15] aneinander vorbeifahren. Offenbar[16] waren viele Amerikaner in Frankfurt.

12. die Sehenswürdigkeit *sight, place of interest*
13. die Dienststelle *office, agency*
14. ausgezeichnet *excellent*
15. vorsichtig *careful*
16. offenbar *evident*

Wide World

Frankfurt am Main: Die Hauptwache kurz nach Kriegsende

Frankfurt am Main: Hauptwache und Katharinenkirche, im Hintergrund das Telegrafenamt, 1956

Deutsche Zentrale für Fremdenverkehr

Das wiederaufgebaute Goethe-Haus, 1951

Deutsche Zentrale für Fremdenverkehr

Frankfurt am Main: Der wiederaufgebaute „Römer," 1953

Deutsche Zentrale für Fremdenverkehr

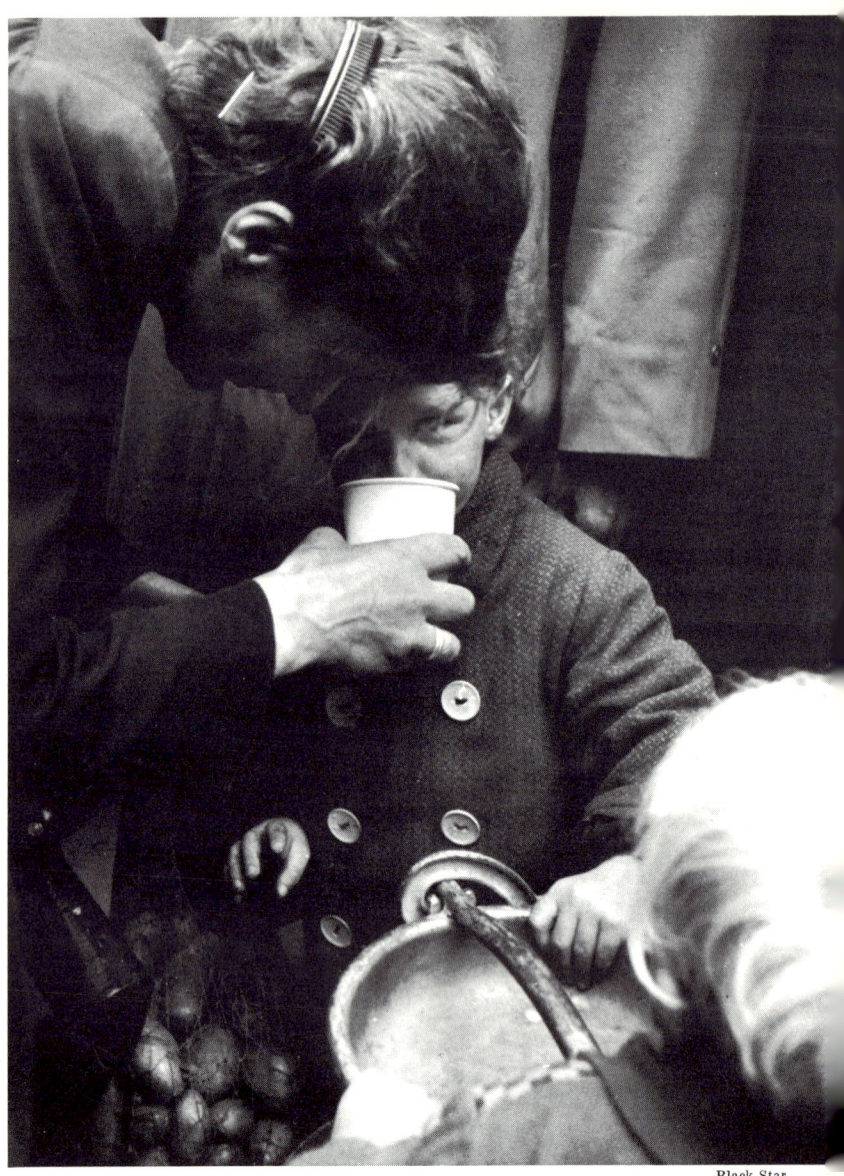

Sowjetzonenflüchtlinge in West-Berlin, 1953

Nach einer längeren Fahrt durch das Geschäftszentrum, die Altstadt und die Wohnviertel parkte Bauer schließlich vor dem Café Rumpelmayer.
—„So, nun machen wir eine Pause und trinken eine Tasse Kaffee. Was meinen Sie?" 5
—„Mit dem größten Vergnügen. Ich sitze nachmittags gerne ein Stündchen in einem Café. In Berlin bin ich früher immer gerne in das Café Kranzler gegangen. Ich wünschte, wir hätten in Chicago auch so etwas."
Während der Fahrt hatte Browning oft an den Artikel des 10 französischen Journalisten denken müssen. Überall in der Innenstadt hatte er moderne Hochhäuser im amerikanischen Stil gesehen. Es waren meist Verwaltungsgebäude von Versicherungsgesellschaften, Banken und Kaufhäuser, hin und wieder auch neue Wohnblocks. Die meisten Wohnhäuser 15 —Mehrfamilienhäuser, Reihenhäuser, Doppelhäuser und Einzelhäuser—hatte er natürlich außerhalb[17] des Geschäftsviertels gesehen. Es waren einige besonders schöne darunter, die ihn an die Villen in den Vororten von Chicago erinnerten. Manche der Hochhäuser, an denen sie vorbeifuhren, schienen 20 beinahe direkt aus Amerika verpflanzt[18] zu sein.
—„Sind alle diese modernen Bauten erst[19] in den letzten Jahren entstanden?" fragte er jetzt Bauer beim Kaffee.
—„Ja. Hier ist seit 1945 viel gebaut worden. Unsere Innenstadt und zahlreiche Wohnviertel haben in den letzten 25 Jahren durch diese Neubauten ein ganz anderes Gesicht erhalten. Viele Besucher, die Frankfurt vor dem Kriege kannten und die Stadt seitdem nicht wieder gesehen hatten, kennen sie kaum wieder. Zu vieles hat sich verändert. Viele Leute können sich nicht an die moderne Bauweise gewöhnen."[20] 30

17. außerhalb *outside of*
18. verpflanzen *to transplant*
19. erst *only*
20. sich gewöhnen (an) *to get used (to)*

91

Sie meinen, daß Frankfurt seinen eigentümlichen[21] Charakter
verloren habe. Aber hätte man Frankfurt genau so wieder
aufbauen sollen, wie es vor dem Kriege aussah? Dieses Problem ist in allen Großstädten in Deutschland das gleiche. Ich
meine manchmal selbst, daß wir Deutschen etwas zu forsch[22]
im Tempo des Wiederaufbaus sind. Trotzdem habe ich mich
schon an das neue Gesicht Frankfurts gewöhnt. Der Geist der
Stadt ist derselbe geblieben. Frankfurt war schon immer ein
kosmopolitisches Zentrum und ist seit Goethes Zeit eine Stadt
der liberalen und fortschrittlichen Ideen."

—„Während der Fahrt hatte ich viele Fragen auf der
Zunge.[23] Ich wollte Sie aber nicht stören, weil Sie auf den
Verkehr aufpassen mußten. Eines möchte ich aber jetzt gerne
wissen. Der Wiederaufbau der Industrie, der Wirtschaft und
des Verkehrs ist mir einigermaßen[24] klar. Wie aber war es
Ihrem Land möglich, außerdem noch so viel für den Wohnungsbau zu tun?"

—„Wenn Sie, lieber Browning, unmittelbar nach der Kapitulation die deutschen Großstädte gesehen hätten, würden
Sie verstehen, warum wir 1948, als der allgemeine Wiederaufbau begann, auch einen großen Teil unserer Energie dem
Wohnungsbau widmeten.[25] Über 2 225 000 Wohnungen,
das heißt 20% des gesamten Wohnraums,[26] waren im Kriege
zerstört worden. Weitere 2 500 000 waren mehr oder weniger
schwer beschädigt und unbewohnbar. Das sind zusammen
40% unseres gesamten Wohnraums. Nach Feststellungen[27]
der OEEC[28] in Paris verloren Holland und Italien 4% ihrer
Vorkriegswohnungen, Frankreich 3% und Belgien und Eng-

21. eigentümlich *individual, unique*
22. forsch *active, energetic*
23. die Zunge *tongue*
24. einigermaßen *to some extent*
25. widmen *to devote*
26. der Wohnraum *housing space*
27. die Feststellung *finding*
28. OEEC "*Organization of European Economic Cooperation*"

land 2%. Die Zerstörungen waren also in Deutschland viel größer als in den anderen Ländern. Der Wohnraummangel[29] der einheimischen Bevölkerung wurde noch verschärft durch den Zustrom[30] von über 10 Millionen Vertriebenen und Flüchtlingen, die Westdeutschland aufnehmen[31] mußte. Dieser Zustrom dauert bis heute an. Im Jahre 1957 waren es 260 000, die aus der Sowjetzone in die Bundesrepublik flüchteten. —In den ersten drei Jahren nach dem Kriege konnte natürlich nur sehr wenig gebaut werden. Erst mit der Währungsreform und der Marshall-Plan-Hilfe konnte der Wohnungsbau im Ernst beginnen. In den zehn Jahren von 1945 bis 1955 sind ungefähr 4 Millionen Wohnungen fertiggestellt[32] worden, davon 75% durch Neubau, der Rest durch Wiederaufbau und Ausbesserung.[33] Aber die Wohnungsnot ist immer noch drückend.[34] Es fehlen uns heute noch mindestens 3 Millionen Wohnungen. Wir können nur langsam aufholen,[35] denn durch die Neugründung von Haushalten und den Zustrom von Flüchtlingen aus der Sowjetzone entsteht jährlich ein weiterer Bedarf[36] von 200 000 Wohnungen."

—„Wir sind vorhin an zahlreichen Einzelhäusern vorbeigefahren. Es würde mich interessieren, was solch ein Haus heute in Deutschland kostet."

—„Das hängt natürlich von der Größe des Hauses ab, wieviel Zimmer es hat, ob es einen Keller hat, ob eine Garage angebaut ist und von anderen Fragen. Im Durchschnitt aber kostet ein einfaches einstöckiges Haus mit 4 bis 5 Zimmern zwischen 30 000 und 40 000 DM. Vor dem Kriege war das Bauen natürlich, wie überall in der Welt, wesentlich[37] billiger.

29. der Mangel *shortage*
30. der Zustrom *influx*
31. aufnehmen *to accept, admit*
32. fertigstellen *to complete*
33. die Ausbesserung *repair*
34. drückend *pressing*
35. aufholen *to catch up*
36. der Bedarf *need*
37. wesentlich *considerably*

Die Baukosten—Material und Löhne—sind seither um das Doppelte, ja Dreifache, gestiegen."

Browning und Bauer plauderten[38] noch eine Weile und fuhren dann wieder nach Hause. Nach dem Abendessen wollten sie in die Oper gehen.

✤ ✤ ✤ ✤ ✤

Während der nächsten Woche machte Browning in Bauers Borgward Ausflüge an den Rhein, nach Heidelberg, in die Pfalz und in den Schwarzwald. Am Tage seiner Abreise[39] brachte Bauer ihn zum Bahnhof. Sie nahmen herzlich voneinander Abschied.

—„Vielen Dank für alles und halten Sie Ihr Versprechen, mich in Chicago zu besuchen", sagte Browning, als er in den Zug nach Bremerhaven einstieg.

38. plaudern *chat*   39. die Abreise *departure*

Schule und Unterricht

Joan Benson in Nordwestdeutschland
Das deutsche Schulsystem

Anna Steinhausen hatte Besuch aus Amerika. Eine junge Amerikanerin verbrachte einen Teil ihrer Sommerferien bei ihr. Joan Benson wohnte in St. Louis und war „sophomore" in einem amerikanischen College.

Die beiden Mädchen waren gleichaltrig und verstanden sich gut. Anna war im letzten Schuljahr. Sie war in der 13. Klasse eines mathematisch-naturwissenschaftlichen[1] Gym-

---

1. naturwissenschaftlich *pertaining to the physical sciences*

nasiums[2] für Jungen und Mädchen. Zu Ostern[3] des nächsten Jahres hoffte sie die Reifeprüfung[4] (das Abitur) zu bestehen.[5] Sie war jetzt 19 Jahre alt.

Als Joan aus Amerika ankam, war es Anfang August, und der Unterricht[6] an der Schule in Borkenhorst, einer kleinen Stadt an der Weser, hatte schon wieder begonnen. Joan brauchte erst Anfang September nach Amerika zurückzukehren. Sie hatte drei Monate Sommerferien, und Anna nur sechs Wochen. Anna bedauerte[7] natürlich, daß sie vormittags schon wieder zur Schule gehen mußte und nur nachmittags mit ihrer Freundin zusammen sein konnte.

Joan Benson interessierte sich sehr für das deutsche Schulwesen. Anna ging daher zum Direktor ihrer Schule und fragte, ob ihre amerikanische Freundin als Gast am Unterricht teilnehmen könne. Der Direktor hatte nichts dagegen. Am nächsten Morgen gab es in der 13. Klasse ein lautes Hallo. Joan war ein hübsches Mädchen. Sie gefiel den Schülern vom ersten Augenblick an. Sie verstand die deutsche Sprache gut, konnte aber nicht allzu gut sprechen.

Die höhere Schule[8] in Borkenhorst hatte ungefähr 350 Schüler und Schülerinnen. Sie war das einzige Gymnasium am Ort. Daher besuchten Jungen und Mädchen diese Schule zusammen. Im allgemeinen gibt es in Deutschland nur wenige Schulen mit Ko-edukation.

Als die beiden Mädchen nach ihrem ersten gemeinsamen Schultag nach Hause gingen, hatte Joan viel zu fragen.

— „Wie alt waren Sie, als Sie auf die höhere Schule kamen?"

2. das Gymnasium *secondary school (nine-year course)*
3. (die) Ostern (*pl.*) *Easter*
4. die Reifeprüfung (das Abitur) *final comprehensive examination (graduation from secondary school)*
5. bestehen *to pass*
6. der Unterricht *instruction*
7. bedauern *to regret*
8. die höhere Schule *secondary school (nine-year course)*

—„Ich war zehn Jahre alt", antwortete Anna. „Die meisten Kinder sind zehn, manche aber auch elf Jahre alt."

—„Gehen alle Kinder mit zehn oder elf Jahren auf die höhere Schule?"

—„Nein, nur etwa 15%; 5% gehen auf die Mittelschule.[9] Die übrigen 80% bleiben bis zum 15. Lebensjahr auf der Volksschule."

—„Gibt es bei Ihnen Schulgeldfreiheit[10]?"

—„Auf der Volksschule, ja. Auf den Mittelschulen und auf den höheren Schulen muß vorläufig noch Schulgeld gezahlt[11] werden."

—„Müssen die Kinder auf der Mittelschule und auf der höheren Schule eine Aufnahmeprüfung[12] machen?"

—„Aber gewiß. Alle Kinder bestehen sie nicht. Der Prozentsatz[13] schwankt. Die Kinder, die durchfallen,[14] gehen auf die Volksschule zurück."

—„Ich weiß, daß die höhere Schule neun Jahre umfaßt.[15] Sie erwähnen neben der höheren Schule die Mittelschule. Was für eine Schule ist das?"

—„Die Mittelschule bereitet in sechs Jahren auf kaufmännische,[16] technische und soziale Berufe vor. Mittelschüler können auch mittlere Beamte[17] werden."

—„Was ist denn ein ‚mittlerer Beamter'?"

—„Sekretäre und Inspektoren zum Beispiel sind mittlere Beamte bei uns. Sie haben eine Lebensanstellung[18] und erhalten, wenn sie nach dem 65. Lebensjahr ausscheiden,[19]

9. die Mittelschule *secondary school (six-year course)*
10. die Schulgeldfreiheit *freedom from tuition*
11. zahlen *to pay*
12. die Aufnahmeprüfung *entrance examination*
13. der Prozentsatz *percentage*
14. durchfallen *to fail*
15. umfassen *to comprise*
16. kaufmännisch *commercial*
17. der mittlere Beamte *civil servant of intermediate rank and pay*
18. die Lebensanstellung *position for life, tenure*
19. ausscheiden *to retire*

eine Pension. Sie können im Dienst des Staates, einer Stadt oder einer Gemeinde stehen. Für diese mittleren Berufe wird[20] die ‚mittlere Reife', das heißt, das Abschlußzeugnis[21] einer Mittelschule oder der Mittelstufe[22] einer höheren Schule verlangt.[20] Die Schüler sind dann meistens 16 Jahre alt. Danach müssen sie noch eine Fachschule[23] besuchen, meistens zwei bis drei Jahre."

—„Wie lange dauert bei Ihnen die Schulpflicht[24]?"

—„Bis zum 15. Lebensjahr. Anschließend[25] müssen aber alle, die in einen Beruf treten,[26] noch zwei bis drei Jahre die Berufsschule[27] besuchen. Der Unterricht in der Berufsschule findet meist abends statt. Die Berufsschüler haben zwischen vier und zwölf Stunden Unterricht die Woche."

—„Müssen Sie auch noch zur Berufsschule gehen, wenn Sie das Abitur bestanden haben?"

—„Nein. Ich werde nach dem Abitur die Universität besuchen und Kunstgeschichte[28] und Journalistik studieren."

—„Was für Fächer haben Sie eigentlich auf der höheren Schule? Heute hatten Sie, wie ich weiß, Deutsch, Geographie, Musik, Englisch und Biologie."

—„Da haben Sie schon fünf Fächer genannt. Außerdem haben wir Geschichte, Religion, Kunsterziehung,[29] Französisch oder Latein, Mathematik, Physik, Chemie und Sport."

—„Haben alle höheren Schulen in Deutschland dieselben Fächer?"

—„Nein. Bei den einzelnen Schultypen stehen besondere

20. wird ... verlangt ... *is required*
21. das Abschlußzeugnis *graduation certificate*
22. die Mittelstufe *intermediate stage*
23. die Fachschule *full-time advanced vocational school*
24. die Schulpflicht *compulsory education*
25. anschließend *in addition*
26. treten *to enter*
27. die Berufsschule *part-time trade school*
28. die Kunstgeschichte *history of art*
29. die Kunsterziehung *art education*

Fächer im Vordergrund. Wir unterscheiden: erstens, das *altsprachliche*[30] *Gymnasium* mit Griechisch, Latein und einer modernen Fremdsprache; zweitens, das *neusprachliche*[31] *Gymnasium* mit zwei modernen Fremdsprachen und Latein; und drittens, das *mathematisch-naturwissenschaftliche Gymnasium* mit zwei modernen Fremdsprachen und besonderer Betonung[32] der naturwissenschaftlichen Fächer.

„Aber das ist noch nicht alles. Wir haben auch noch eine *Frauenoberschule,*[33] an der hauswirtschaftliche[34] und soziale Fächer besonders betont werden, und schließlich die *Aufbauschule,*[35] die nach sechs oder sieben Jahren Volksschule in weiteren sechs bis sieben Jahren zur Reifeprüfung führt."

—„Das klingt ja sehr kompliziert. Zu welchem Typ gehört denn Ihre Schule?"

—„Meine Schule ist ein mathematisch-naturwissenschaftliches Gymnasium."

—„Wieviel Stunden Unterricht haben Sie in der Woche?"

—„Insgesamt sind es 30 bis 32 Stunden."

—„Haben Sie nicht sonnabends schulfrei?"

—„Nein, leider nicht. Das wäre schön."

—„Sind denn alle Fächer, die Sie nannten, Pflichtfächer[36]?"

—„Leider ja. Wir haben zwar auch Wahlfächer.[37] Die sind aber extra. Wenn man noch ein Wahlfach oder zwei nimmt, so hat man in der Woche nicht 30 bis 32, sondern 34 bis 36 Stunden. Mir ist das zuviel. Deshalb habe ich kein Wahlfach genommen."

—„Sagen Sie, Anna, was für Fächer haben wir morgen?"

30. altsprachlich *"classical,"* emphasizing the classical languages
31. neusprachlich *"modern,"* emphasizing the modern languages
32. die Betonung *emphasis*
33. die Frauenoberschule *girls' secondary school*
34. hauswirtschaftlich *pertaining to home economics*
35. die Aufbauschule *secondary school (special type)*
36. das Pflichtfach *required subject*
37. das Wahlfach *elective subject*

—,,Morgen wird es für Sie ganz interessant werden, Joan. Da haben wir Religion, Sport, Deutsch und zwei Stunden Geschichte. Studienrat[38] Dr. Fritz Becker hält morgen ein Repetitorium[39] über die deutsche Geschichte. Ich weiß nicht, wie sich der alte Knabe das denkt. Wir haben morgen ausnahmsweise[40] zwei Stunden bei ihm. Er will die Hauptetappen[41] der deutschen Geschichte wiederholen. Ich kann mir nicht vorstellen, wie er in nur zwei Stunden von den alten Germanen bis zur Bundesrepublik kommen will. Aber die ‚Eule'—das ist Dr. Beckers Spitzname[42] bei uns—bringt alles fertig. Sie werden staunen.[43] Der kommt auf die seltsamsten Ideen."

Nach dem Mittagessen machten die beiden Mädchen einen Spaziergang durch das Städtchen, um sich die Geschäfte anzusehen. Plötzlich sagte Anna: ,,Schnell, Joan, dort drüben —da läuft er, die ‚Eule'."

—,,Der sieht ja wahrhaftig[44] fast wie eine Eule aus. Da haben die Schüler den richtigen Spitznamen gefunden! Hoffentlich fragt er mich morgen nicht."

—,,Sie brauchen keine Angst zu haben. Aber ich werde heute abend arbeiten müssen."

Nach dem Abendessen las Anna in ihren Geschichtsbüchern, während Joan Zeitschriften durchsah.

38. der Studienrat *secondary-school teacher* (*rank after several years' service*)
39. das Repetitorium *review*
40. ausnahmsweise *by way of exception*
41. die Hauptetappe *chief stage*
42. der Spitzname *nickname*
43. staunen *to be astonished*
44. wahrhaftig *really, indeed*

Deutsche Geschichte in Bildern

Die ersten drei Stunden waren schnell vorüber. Nun kam Geschichte. Mit dem zweiten Klingeln betrat Studienrat Becker die Klasse. Er hatte einen Pack Bilder unter dem Arm. Mehrere Landkarten standen bereits in einer Ecke. Die Schüler standen auf.

—„Guten Morgen. Bitte, setzen Sie sich! Wir wollen keine Zeit verlieren. Ich hoffe, daß Sie alle gut vorbereitet sind. Blamieren[1] Sie sich und mich nicht! Ich habe hier eine Reihe von Bildkarten. Ich werde Ihnen ein Bild nach dem anderen zeigen. Sie sollen mir sagen, wer auf dem Bild dargestellt ist und welche wesentlichen Ereignisse und Entwicklungen Sie mit dem Bild verbinden. Hier ist das erste. Das ist natürlich sehr leicht! Nun, Müller, fangen Sie an!"

1. blamieren *to make ridiculous, disgrace*

1
Ein alter Germane

Heinrich Müller stand auf. „Das soll ein Germane sein."

—„An welche großen geschichtlichen Zusammenhänge denken Sie?"

Müller dachte nach.[1] Er dachte lange nach. Ganz hinten in der Klasse flüsterte ein Schüler.

—„Wer flüstert da? Ich bitte um Ruhe!" sagte Herr Becker.

Müllers Gesicht hellte[2] sich plötzlich auf.[2] „Ich denke an die Zimbern und Teutonen.[3]"

—„Gut. Was können Sie über diese germanischen Stämme[4] sagen?"

—„Die Zimbern und Teutonen verließen ihre Heimat im heutigen Schleswig-Holstein und zogen[5] nach Süden, um sich neues Land zu suchen."

—„Na, Volkert, wissen Sie mehr?"

1. nachdenken *to reflect, meditate*
2. sich aufhellen *to light up*
3. die Zimbern und Teutonen *Cimbers and Teutons (ancient Germanic tribes)*
4. der Stamm *tribe*
5. ziehen *to move*

—„Die Zimbern und Teutonen waren die ersten germanischen Stämme, die mit den Römern zusammenstießen."[6]

—„Wissen Sie, wann das war?"

—„Im Jahre 113 vor Christi Geburt bei Noreia in der heutigen österreichischen Provinz Steiermark.[7] Damals siegten die Germanen. Sie zogen aber nicht weiter nach Italien, sondern durchstreiften[8] Süddeutschland und das heutige Frankreich. Erst später wollten sie die Alpen überqueren.[9] Sie ließen den Römern zehn Jahre Zeit, einen Gegenangriff[10] vorzubereiten. Der römische Konsul Marius vernichtete[11] beide germanische Heere,[12] die Teutonen im Jahre 102 bei Aquae Sextiae in Südfrankreich und die Zimbern im Jahre 101 bei Vercellae in Norditalien."

—„Richtig. Wer kann mir etwas über den zweiten Zusammenstoß zwischen Germanen und Römern berichten? Gut, Frankenstein. Aber nur ganz kurz."

—„Caesar traf bei Mühlhausen im heutigen Elsaß auf die Sueben[13] unter ihrem König Ariovist."

—„Wann war das?"

—„58 vor Christi Geburt. Die Sueben wurden geschlagen und zogen[14] sich hinter den Rhein zurück."[14]

—„Der dritte Zusammenstoß ist in der deutschen Geschichte besonders berühmt. Wer möchte darüber sprechen?"

Ganz hinten summten[15] einige Schüler ein Lied. Alle Schüler schmunzelten.[16] Selbst die „Eule" lächelte kurz.

—„Ruhe da hinten! Ganz recht, ‚Als die Römer frech

---

6. zusammenstoßen *to come into conflict*
7. die Steiermark *Styria*
8. durchstreifen *to roam through*
9. überqueren *to cross over*
10. der Gegenangriff *counterattack*
11. vernichten *to annihilate*
12. das Heer *army*
13. die Sueben *Suevians (ancient Germanic tribe)*
14. sich zurückziehen *to withdraw*
15. summen *to hum*
16. schmunzeln *to smirk*

103

geworden . . .'[17] Aber ich möchte jemand von Ihnen sprechen hören. Na, Hahn, Sie haben lange Zeit nichts gesagt."

—„Das war in der Regierungszeit des Augustus. Damals, im Jahre 9 nach Christi Geburt, wurde ein römisches Heer von drei Legionen (ungefähr 20 000 Mann) im Teutoburger Wald von den Germanen vernichtet. Die Römer mußten sich hinter den Rhein zurückziehen."

—„Danke. Das genügt darüber. Wie endete der Kampf zwischen Römern und Germanen? Hertha Wolf. Nur das Wesentliche, bitte."

—„Seit der Schlacht[18] im Teutoburger Wald waren die Römer in der Defensive. Sie verloren allmählich eine Provinz nach der anderen an die Germanen. Auch wanderten[19] viele Germanen friedlich in das römische Reich ein[19] und traten als Söldner[20] in die römischen Legionen. Als dann die Völkerwanderung[21] begann (375 n. Chr.), brach das römische Reich zusammen. Im Jahre 476 n. Chr. setzte[22] der Germane Odoaker, der Führer der germanischen Söldner, den letzten weströmischen Kaiser ab.[22] Auf dem Gebiet des weströmischen Reiches entstanden die germanischen Königreiche der West- und Ostgoten, Vandalen, Burgunder, Langobarden und Franken.[23]"

—„Nun haben wir zunächst genug von Zusammenstößen und Kriegen. Was wissen wir von den Lebensverhältnissen, Sitten[24] und Gebräuchen[25] der Germanen? Erika Zahn."

17. *humorous student song by J. V. von Scheffel (1826–86)*
18. die Schlacht *battle*
19. einwandern *to immigrate*
20. der Söldner *mercenary*
21. die Völkerwanderung *migration of tribes*
22. absetzen *to depose*
23. die Westgoten *Visigoths*; die Ostgoten *Ostrogoths*; die Vandalen *Vandals*; die Burgunder *Burgundians*; die Langobarden *Langobards*; die Franken *Franks*
24. die Sitten (*pl.*) *manners, morals*
25. der Gebrauch *custom*

—,,Tacitus hat viel darüber berichtet. Seine *Germania* ist unsere Hauptquelle.[26]"

—,,Gut. Das genügt. —Nun zum zweiten Bild. Manfred Ebel, Sie haben das Wort."

26. die Hauptquelle *chief source*

2 Karl der Grosse

—,,Das Bild stellt Karl den Großen dar. Er trägt die römische Kaiserkrone. Es ist das Jahr 800."

—,,Wie sah es damals in Westeuropa aus?"

—,,Die Franken hatten im 6. Jahrhundert den Rhein überquert und allmählich fast das ganze Gebiet des heutigen Frankreich erobert. Sie wurden der mächtigste Stamm der Germanen. Unter ihrem König Karl dem Großen beherrschten sie schließlich ganz Westeuropa. Im Osten reichte ihr Reich bis an die Elbe, im Westen bis zu den Pyrenäen, im Norden bis zum heutigen Dänemark und im Süden bis zum Tiber."

—,,Wie kam es, daß der Frankenkönig Karl weströmischer Kaiser wurde? Das kann mir ein anderer erzählen. Ebel, das haben Sie übrigens gut gemacht. Fischer, fahren[1] Sie fort!"

—,,Karl war der mächtigste König in Westeuropa. Der Papst wandte sich daher mit der Bitte um Hilfe an ihn, als er von dem Adel[2] der Stadt Rom angegriffen wurde. Karl half dem Papst. Dieser dankte ihm, indem[3] er ihm am

---

1. fortfahren *to continue*   2. der Adel *nobility*   3. indem *by (...ing)*

Weihnachtstage des Jahres 800 die römische Kaiserkrone aufsetzte.[4] Die Bevölkerung Roms jubelte[5] damals: ‚Dem erhabenen[6] Karl, dem von Gott gekrönten großen und friedebringenden Kaiser, Leben und Sieg.' Die Frankenkönige nannten sich zuerst Könige von Gottes Gnaden,[7] *Dei Gratia*."

—„Gut, Fischer. Setzen Sie sich. Jetzt möchte ich von Anna Steinhausen wissen, was heute noch auf das Karolingische Reich zurückgeführt[8] werden kann, was heute noch daran erinnert."

—„Deutschland und Frankreich gehen auf das karolingische Reich zurück. Nach dem Tode Karls des Großen wurde das große fränkische Reich im Vertrage[9] von Verdun im Jahre 843 in ein Ost- und ein Westreich geteilt. Aus dem Ostreich entwickelte sich Deutschland und aus dem Westreich Frankreich. Die Kaiserwürde[10] blieb beim Ostreich."

—„Wir wollen keine Einzelheiten besprechen.[11] Noch etwas anderes reicht in diese Zeit zurück. Ich habe das erst vor zwei Jahren mit Ihnen besprochen. Nun, weiß das keiner mehr? Karl Oster."

—„Der Feudalismus."

—„Was können Sie zur Entstehung des Feudalismus sagen?"

—„Die Frankenkönige betrachteten[12] ihr Land als persönliches Eigentum.[13] Sie liehen[14] ihren Vasallen große Gebiete, ‚Lehen',[15] zur Verwaltung, und die Vasallen gaben Teile ihrer Lehen an ihre eigenen Anhänger weiter. Diese Lehen wurden allmählich erblich.[16]"

4. die Krone aufsetzen *to crown*
5. jubeln *to rejoice*
6. erhaben *august*
7. die Gnade *grace*
8. zurückführen auf *to trace back to*
9. der Vertrag *treaty*
10. die Kaiserwürde *imperial dignity, imperial office*
11. besprechen *to discuss*
12. betrachten *to regard*
13. das Eigentum *property*
14. leihen *to lend*
15. das Lehen *fief*
16. erblich *hereditary*

—„Worin liegt die Bedeutung Karls des Großen? Rosemarie Stein."

—„Er wurde als der Erneuerer[17] des römischen Kaisertums[18] angesehen. Er verwirklichte[19] die geistige[20] Einheit Westeuropas. Mit ihm beginnt das christliche Mittelalter."

—„Wodurch wurde diese Einheit in den nächsten Jahrhunderten bedroht? Denken Sie besonders an den Zeitraum[21] 1050 bis 1250. Hertha Wolf."

—„Durch den Kampf zwischen Kaiser und Papst um die Vorherrschaft[22] im ‚Heiligen Römischen Reich Deutscher Nation'. Im 13. Jahrhundert siegte das Papsttum in diesem Kampf. Bald darauf gewann der französische König Einfluß auf das Papsttum, das im 14. Jahrhundert in die ‚babylonische Gefangenschaft[23]' in Avignon ziehen mußte."

—„Danke, das genügt. Wie steht es mit dem Bürgertum[24] in dieser Zeit? Was können Sie von der Bedeutung der Städte sagen? Hans Volkert."

—„Als Handelszentren wurden viele Städte im Zeitraum 1250 bis 1500 reich und mächtig. In Deutschland gab es einen mächtigen Städtebund,[25] die ‚Hansa', dem besonders die norddeutschen Städte angehörten.[26] Die Hansa besaß eine große Handelsflotte[27] und auch eine Kriegsflotte.[27] In den meisten Städten entwickelte sich ein starkes Bürgertum. Die Patrizier fühlten sich dem Adel ebenbürtig.[28]"

—„Ganz recht. Das haben Sie gut gemacht. Nun zu Bild Nr. 3."

17. der Erneuerer *renewer, restorer*
18. das Kaisertum *emperorship*
19. verwirklichen *to realize*
20. geistig *spiritual*
21. der Zeitraum *period*
22. die Vorherrschaft *predominance*
23. (*Residence of the popes at Avignon, under French influence, 1308–1378.*)
24. das Bürgertum *middle class*
25. der Städtebund *league of cities*
26. angehören *to belong to*
27. die Handelsflotte *merchant marine;* die Kriegsflotte *navy*
28. ebenbürtig *equal in rank*

3 Karl der Fünfte

—,,Das ist Karl V.", rief Barbara Schäfer.
—,,Richtig, aber warten Sie, bis Sie gefragt werden. Wann lebte er, und welche bedeutenden Ereignisse wissen Sie aus dieser Zeit?"
—,,Es war die Zeit Martin Luthers und der Reformation. Karl V. war ein Habsburger und strenggläubiger[1] Katholik. Er herrschte über die habsburgischen Länder in Mitteleuropa und über Spanien und die von Spanien eroberten Länder in Amerika. In seinem Reich, so sagte man, ging die Sonne nicht unter."
—,,Sie erwähnten schon die Reformation. Was können Sie zur politischen Bedeutung der Reformation sagen? Manfred Ebel."
—,,Durch die Reformation wurde die Christenheit in ein katholisches und ein protestantisches Lager[2] gespalten.[3] Besonders für Deutschland hatte diese Spaltung viele politische Nachteile. Das Kaisertum blieb bei den Habsburgern, beim

1. strenggläubig *devout*
2. das Lager *camp*
3. spalten *to split*

katholischen Haus Österreich. Die norddeutschen Fürsten gingen zum Protestantismus über."

—„Wohin führte der Konfessionsstreit[4] im 17. Jahrhundert? Erna Linde."

—„Er führte zum Dreißigjährigen Krieg (1618–1648), durch den große Teile Deutschlands zerstört wurden. Das protestantische Schweden und auch das katholische Frankreich griffen[5] auf Seiten der protestantischen Fürsten in den Krieg ein.⁵ Am Ende des Dreißigjährigen Krieges hatte der Kaiser fast alle Macht verloren. Das Reich zerfiel[6] in eine große Anzahl von kleinen Territorialstaaten, die sich praktisch als ‚souverän' betrachteten."

—„Gut. —Wen erkennen Sie auf dem nächsten Bild?"

4. der Konfessionsstreit *religious quarrel*
5. eingreifen *to intervene*
6. zerfallen *to disintegrate*

4 Der Grosse Kurfürst

—„Das ist der Große Kurfürst.¹"

—„Richtig, Rosemarie Stein. Erzählen Sie uns bitte, was Sie über ihn wissen."

—„Der Große Kurfürst legte den Grundstein zum Aufstieg² Preußens. Er regierte über die Mark Brandenburg.³ Durch eine kluge Neutralitätspolitik gelang es ihm in den letzten Jahren des Dreißigjährigen Krieges, sein Land vor Verwüstungen⁴ zu schützen⁵ und wirtschaftlich zu entwickeln. Er holte viele Holländer und Schweizer in sein Land und nahm fast 20 000 französische Flüchtlinge auf. Das waren französische Protestanten, die nach der Aufhebung⁶ des Edikts von Nantes (1685) Frankreich verließen, weil sie nicht Katholiken werden wollten. Handel, Gewerbe⁷ und Industrie in Brandenburg verdanken ihnen viel."

1. der Kurfürst *Elector*
2. der Aufstieg *rise*
3. die Mark Brandenburg *Electorate of Brandenburg*
4. die Verwüstung *devastation*
5. schützen *to protect*
6. die Aufhebung *repeal, revocation*
7. das Gewerbe *trade, business*

—„Kennen Sie einige berühmte Zeitgenossen[8] des Großen Kurfürsten?„

—„Ludwig XIV. von Frankreich, den kaiserlichen Feldherrn[9] Prinz Eugen von Savoyen, der Mitteleuropa vor der Eroberung durch die Türken bewahrte,[10] Cromwell, Milton und den Philosophen Leibniz."

—„Danke, das genügt." Studienrat Becker zeigte das nächste Bild.

8. der Zeitgenosse *contemporary*
9. der Feldherr *general*
10. bewahren vor *to save from*

5 Friedrich der Grosse

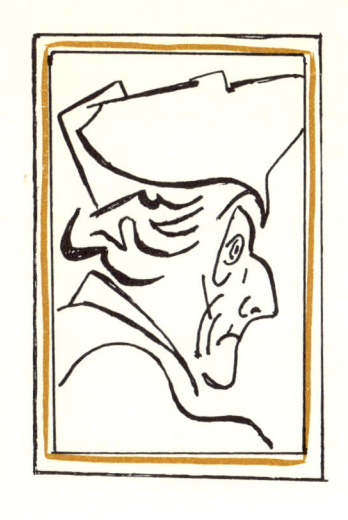

—„Ich brauche wohl gar nicht zu fragen, wer das ist", sagte er. „Erzählen Sie uns kurz das Wesentliche, Ursel Schwan."

—„Das ist Friedrich der Große. Er machte Brandenburg-Preußen zur europäischen Großmacht und zum Gegenspieler[1] Österreichs innerhalb des deutschen Reiches. Im Siebenjährigen Kriege (1756–1763) erwies[2] er sich als einer der größten Feldherren seiner Zeit. Nach dem Kriege widmete er seine ganze Energie dem Wiederaufbau seines Landes. Er tat viel für Handel, Verkehr und Landwirtschaft. In religiöser Hinsicht war er tolerant. In seinem Staate konnte jeder ‚nach seiner Façon selig werden[3]'. Persönlich interessierte er sich besonders für Musik und französische Literatur. Der französische Philosoph Voltaire war mehrere Jahre lang sein Gast in Potsdam."

—„Kennen Sie einige berühmte Zeitgenossen Friedrichs des Großen? Manfred Ebel."

1. der Gegenspieler *opponent*
2. sich erweisen *to prove*
3. nach seiner Façon selig werden *to go to Heaven in his own fashion*

—„Ich denke an den Komponisten Johann Sebastian Bach, an Maria Theresia, die Kaiserin von Österreich, und an den amerikanischen General und späteren Präsidenten George Washington. Dieser hatte übrigens auch einen Adjutanten Friedrichs des Großen, den General von Steuben, als Organisator seines Heeres. Große Zeitgenossen waren auch der französische Philosoph Rousseau und der deutsche Philosoph Kant."

—„Können Sie mir noch schnell die wichtigsten Namen unter den deutschen Dichtern und Komponisten in der zweiten Hälfte des 18. Jahrhunderts nennen?"

—„Die größten Dichter waren Wieland, Herder, Lessing, Goethe und Schiller, die größten Komponisten Haydn, Mozart und Beethoven."

—„Gut. Damit kehren wir zur politischen Geschichte zurück. —Wer ist dieser Herr? Zwar kein Deutscher, aber jemand, der die deutsche Geschichte wesentlich beeinflußt hat", sagte Dr. Becker, indem[4] er ein weiteres Bild zeigte.

4. indem *as, while*

6 Napoleon Bonaparte

—,,Das ist Napoleon Bonaparte."
—,,Ganz recht, Bruno Schneider. Was können Sie über ihn berichten?"
—,,In der französischen Revolution war er zum General geworden, dann machte er sich zum Diktator, krönte sich selbst 1804 zum französischen Kaiser und unternahm große Eroberungskriege. Mit dem deutschen Reiche, das abgesehen[1] von Österreich und Preußen nur aus kleinen und schwachen Staaten bestand, hatte Napoleon ein leichtes Spiel. Viele deutsche Fürsten gingen einfach zu ihm über. Er besiegte[2] Österreich und zwang Franz II. im Jahre 1806, als deutscher Kaiser abzudanken[3] und sich von nun an nur ‚Kaiser von Österreich und König von Ungarn' zu nennen. Damit war das ‚Heilige Römische Reich deutscher Nation' endgültig aufgelöst. Im selben Jahre besiegte Napoleon Preußen, das sich bisher durch Neutralität zu retten versucht hatte. Mehrere Jahre lang hatte Napoleon den größten Teil Eu-

---

1. abgesehen von *apart from*
2. besiegen *to defeat*
3. abdanken *to abdicate*

ropas, von Portugal bis nach Rußland, in seiner Macht. Erst nach seinem katastrophalen Rußlandfeldzug[4] (1812) gelang es der ‚Großen Koalition'—Preußen, Österreich, Rußland und England—in den Befreiungskriegen[5] (1813-1815) Napoleon endgültig zu besiegen."

—„Was können Sie zu dem Frieden sagen, der auf die napoleonischen Kriege folgte? Herbert Frankenstein."

—„Der Wiener Kongreß, der eine Neuordnung in Europa vorbereiten sollte, brachte eine schwere Enttäuschung.[6] Die führenden Staatsmänner, der französische Minister Talleyrand und der österreichische Minister Metternich, wollten die alte Ordnung des Absolutismus wiederherstellen,[7] die vor der französischen Revolution herrschte. Es war eine Zeit der reaktionären Politik. Während der Befreiungskriege hatte der König von Preußen versprochen, seinem Land eine Verfassung zu geben. Nach dem Kriege hielt er sein Wort nicht. Die liberalen Reformen, die der Freiherr[8] Karl vom Stein seit 1807 durchgeführt[9] hatte, wurden teilweise wieder aufgehoben.[10] Die deutschen Fürsten dachten nur an ihre eigenen ‚dynastischen' Interessen. Daher unterdrückten sie nicht nur alle demokratischen Bestrebungen,[11] sie verhinderten auch eine Neugründung des deutschen Reiches. In der losen Vereinigung von 36 deutschen Staaten, die jetzt entstand, im ‚Deutschen Bund', spielte der preußisch-österreichische Dualismus eine große Rolle."

—„Was wurde denn nun in der nächsten Zeit aus den Bestrebungen nach nationaler Einheit und politischer Freiheit? Heinrich Müller."

4. der Rußlandfeldzug *Russian campaign*
5. die Befreiungskriege (*pl.*) *wars of liberation*
6. die Enttäuschung *disappointment*
7. wiederherstellen *to restore*
8. der Freiherr *baron*
9. durchführen *to carry out*
10. aufheben *to repeal*
11. die Bestrebung *endeavor*

—„So gut wie nichts. Sie wurden beinahe wieder vergessen."

—„Da gehen Sie wohl zu weit, Müller. Es ist wahr, daß das Bürgertum, das politisch noch sehr unreif[12] war, sich in die häusliche ‚Gemütlichkeit' zurückzog. Aber die Studenten und Professoren an den Universitäten, die Turnerbewegung[13] und andere hielten[14] trotz aller Verfolgungen die freiheitlichen Ideen wach.[14] Sie wurden durchaus nicht vergessen. Es ist bezeichnend, daß in diesen Jahrzehnten[15] eine starke Auswanderung[16] nach den Vereinigten Staaten stattfand. Auch erhielt die deutsche Freiheitsbewegung neue Kraft durch die Freiheitskämpfe anderer Völker, wie zum Beispiel der Griechen und Polen. Vor allem aber wirkte das Beispiel der französischen Revolutionen von 1830 und 1848. Im Jahre 1848 brach auch in Deutschland die Revolution aus. —Was geschah kurz darauf in Frankfurt am Main? Erwin Fischer."

—„In der Paulskirche zu Frankfurt trat die ‚Deutsche Nationalversammlung' zusammen, um eine Verfassung für ganz Deutschland auszuarbeiten. Nach dem Vorbild[17] der Verfassung der Vereinigten Staaten und der Erklärung der Menschenrechte in der französischen Revolution von 1789 wurde eine demokratische Verfassung ausgearbeitet. Viel schwieriger war die Frage der nationalen Einigung. Zwei Parteien bildeten sich. Die eine wollte ‚Großdeutschland' mit Einschluß[18] Österreichs, die andere wollte ‚Kleindeutschland', das heißt Deutschland unter preußischer Führung und ohne Österreich. Schließlich siegte die ‚kleindeutsche' Partei. Die Nationalversammlung bot dem preußischen König Friedrich Wilhelm IV. die Kaiserkrone an. Der König lehnte[19]

12. unreif *immature*
13. die Turnerbewegung *gymnastic movement*
14. wachhalten *to keep awake, keep alive*
15. das Jahrzehnt *decade*
16. die Auswanderung *emigration*
17. das Vorbild *model*
18. der Einschluß *inclusion*
19. ablehnen *to refuse, decline*

sie ab.[19] Er wollte die Krone nicht aus den Händen des Volkes annehmen, sondern nur von den Fürsten. ‚Ich nehme keine Krone aus dem Rinnstein[20] auf', erklärte er. Die allgemeine Enttäuschung war groß. Die Nationalversammlung,
5 die keine wirkliche Macht hatte, löste sich auf. Sogleich setzte die Reaktion wieder ein. Die Revolution wurde überall blutig unterdrückt. Viele Revolutionäre flohen nach Amerika. Unter ihnen war Carl Schurz, der in den Vereinigten Staaten Senator und später Innenminister[21] wurde."
10 —„Das haben Sie gut gemacht, Fischer. Was können Sie nun zusammenfassend[22] über die deutsche Freiheitsbewegung sagen? —Hertha Wolf. —Wurde gar nichts erreicht?"
—„Doch. Die deutschen Fürsten mußten allmählich Verfassungen einführen,[23] wenn es auch keine demokratischen
15 Verfassungen waren. Die absolutistische Herrschaft[24] der Fürsten wurde allmählich eingeschränkt."
—„Was wurde nun das Hauptziel der Deutschen?"
—„Die vielen Gegensätze, vor allem die Rivalität zwischen Preußen und Österreich, schienen es unmöglich zu machen,
20 Einheit und Freiheit zugleich zu erreichen. Man wollte deshalb zuerst die nationale Einheit und erst an zweiter Stelle die demokratische Verfassung."
Studienrat Becker zeigte das nächste Bild.

20. der Rinnstein *gutter*
21. der Innenminister *Secretary of the Interior*
22. zusammenfassend *by way of summary*
23. einführen *to set up, establish*
24. die Herrschaft *rule*

7. Otto von Bismarck

—„Dieser Mann ist Ihnen gewiß gut bekannt. Welche geschichtlichen Ereignisse verbinden Sie mit Bismarcks Namen? Wer hat lange Zeit nichts gesagt? Walter Schirmer, Sie haben das Wort."

—„Bei dem Namen Bismarck denke ich in erster Linie[1] an die Neugründung des deutschen Reiches 1871, durch die der preußische König Wilhelm I. deutscher Kaiser wurde. Dann denke ich an den großen Meister der Diplomatie, der es verstand,[2] den Frieden in Europa zu konsolidieren."

Da meldete[3] sich Joan Benson und sagte, daß Bismarck doch auch Kriege geführt habe, und zwar gegen Dänemark, Österreich und Frankreich. Walter Schirmer gab[4] ihr recht[4]: „Gewiß, Kriege hat er auch geführt. Trotzdem war er aber kein eroberungslustiger[5] Politiker, der immer zu Kriegen trieb. Die Kriege, die er zu führen hatte, sind nur aus der damaligen Zeit zu verstehen", sagte Schirmer.

1. in erster Linie *first of all*
2. es verstehen *to know how to*
3. sich melden *to volunteer (in class)*
4. recht geben *to agree*
5. eroberungslustig *desirous of conquest*

Joan Benson unterbrach[6] hier wieder: „Das kann man ja wohl von allen Kriegen sagen. Bismarck spielte doch in diesen Kriegen eine große Rolle."

—„Sicher. Sie werden aber zugeben,[7] daß man im 19. Jahrhundert allgemein den Krieg als legales Mittel zur Entscheidung von internationalen Streitfragen[8] ansah. Auch dürfen Sie nicht vergessen, daß im 19. Jahrhundert fast alle Großmächte so viele Kriege geführt haben wie Preußen, und zum Teil noch mehr. Das Ziel Bismarcks war zunächst die Befestigung[9] der Vorherrschaft Preußens innerhalb des deutschen Staatenbundes, dann die politische Einigung Deutschlands unter preußischer Führung und unter Ausschluß[10] Österreichs. Was wir an Bismarck schätzen,[11] ist seine für die damalige Zeit sehr maßvolle[12] auswärtige Politik. Er war keineswegs ein ehrgeiziger[13] Abenteurer[14] wie zum Beispiel sein Gegner[15] Napoleon III., der sich in jede internationale Krise einmischte,[16] um einen Vorteil daraus zu ziehen, und der sogar in Mexico ein Kaiserreich unter französischer Protektion errichtete."

—„Was Sie da sagen, ist nicht übel", meinte Studienrat Becker. „Vielleicht können wir Miss Benson von dem Verantwortungsbewußtsein[18] Bismarcks überzeugen,[19] wenn wir ihr erklären, warum wir Bismarck als Erhalter[20] des europäischen Friedens schätzen. Wer will ganz kurz über Bismarcks Europapolitik reden? —Hanna Krüger, bitte."

—„Bismarcks Friedensverträge mit seinen besiegten Geg-

6. unterbrechen *to interrupt*
7. zugeben *to concede*
8. die Streitfrage *controversy*
9. die Befestigung *consolidation*
10. der Ausschluß *exclusion*
11. schätzen *to value*
12. maßvoll *moderate*
13. ehrgeizig *ambitious*
14. der Abenteurer *adventurer*
15. der Gegner *antagonist*
16. sich einmischen *to meddle*
17. errichten *to establish*
18. das Verantwortungsbewußtsein *sense of responsibility*
19. überzeugen *to convince*
20. der Erhalter *preserver*

nern waren milde und frei von Demütigungen.[21] Auf dem Berliner Kongreß im Jahre 1878 gelang es ihm, einen Balkankrieg zu lokalisieren und einen großen europäischen Krieg zu verhüten. Vor allem aber sicherte er Mitteleuropa durch ein kompliziertes Bündnissystem und hielt den österreichisch-russischen Gegensatz in Schach.[22] Ohne dieses Bündnissystem wäre die lange Friedenszeit von 1871 bis 1914 in Europa wahrscheinlich nicht möglich gewesen."

—„Gut. Das genügt. Nun noch kurz etwas über Bismarcks Innenpolitik. Karl Goldbach."

—„Bismarck wollte die paternalistische Monarchie und hatte wenig Sympathie für den Parlamentarismus. Er führte einen scharfen Kampf gegen alle Parteien, die ihm gefährlich und staatsfeindlich erschienen. Er bekämpfte die katholische Zentrumspartei im sogenannten Kulturkampf[23] (1871–1887) und suchte die Sozialdemokratie durch das Sozialistengesetz[24] (1878) zu unterdrücken."

—„Wie wurden diese Probleme gelöst? Heinz Littmann."

—„Der Kulturkampf wurde durch Verhandlungen mit Papst Leo XIII. beendet. Das Sozialistengesetz wurde 1890 aufgehoben."

—„Gut. Was können Sie über Bismarcks Sozialpolitik sagen? Gisela Karstens."

—„Er hatte großes Interesse für die soziale Gesetzgebung. Er führte 1883 in Deutschland als dem ersten Land der Welt staatliche Krankenversicherung ein, im Jahre 1884 Unfallversicherung[25] und im Jahre 1889 Invaliden- und Altersversicherung."

Dr. Becker zeigte das nächste Bild.

21. die Demütigung *humiliation*
22. in Schach halten *to keep in check*
23. der Kulturkampf *struggle of Prussian government with Papacy*
24. das Sozialistengesetz *law against Socialists*
25. der Unfall *accident*

8 Wilhelm der Zweite

—‚‚Ich brauche gar nicht zu fragen, wer auf diesem Bild zu sehen ist. Welche entscheidenden Ereignisse verbinden Sie mit Kaiser Wilhelm II.?"

Klaus Horstmann meldete sich. ‚‚Er wollte die deutsche Politik selbst bestimmen und entließ Bismarck im Jahre 1890. Die Reichskanzler, die auf Bismarck folgten, waren vom Kaiser abhängig. Er war persönlich ungeschickt[1] und taktlos. Sein ‚neuer Kurs' war unsicher. Er wollte ‚Weltpolitik' betreiben[2] und brachte durch den Aufbau der deutschen Flotte das Reich in wachsenden Gegensatz zu England. Das Bündnissytem Bismarcks brach allmählich zusammen. In Europa entstanden zwei feindliche Lager mit Frankreich, Rußland und England auf der einen Seite, Deutschland, Österreich und Italien auf der anderen. Die Bundesgenossen[3] Deutschlands waren schwach und unzuverlässig.[4] Österreich wurde als ‚Vielvölkerstaat[5]' fortwährend[6] in die Balkanunruhen ver-

1. ungeschickt *awkward*
2. betreiben *to carry on, pursue*
3. der Bundesgenosse *ally*
4. unzuverlässig *unreliable*
5. der Vielvölkerstaat *state of many ethnic groups*
6. fortwährend *continually*

wickelt,[7] und Italien neigte[8] immer mehr zu England und Frankreich."

—"Das genügt für die Außenpolitik. Was können Sie zur innerpolitischen Lage unter Wilhelm II. sagen? Erna Linde."

—"Deutschland war zu einem führenden Industriestaat geworden. Die Arbeiter forderten soziale und politische Gleichberechtigung,[9] ohne Erfolg. Die Klassengegensätze wurden verschärft und verhinderten eine demokratische Entwicklung der Verfassung. Das preußische Dreiklassenwahlrecht[10] wurde erst am Ende des Ersten Weltkriegs aufgehoben."

—"Gut. Auf den Weltkrieg selbst wollen wir nicht eingehen. Was waren die Folgen des Krieges für Deutschland? Karl Oster."

—"Nach der militärischen Niederlage brach im November 1918 die Revolution aus. Der Kaiser floh nach Holland. Deutschland wurde eine Republik."

—"Ganz recht, und damit sind wir bei diesem Herrn angelangt.[11]"

7. verwickeln *to entangle*
8. neigen *to incline*
9. die Gleichberechtigung *equality of rights*
10. das Dreiklassenwahlrecht *"three-class suffrage," division of voters into three classes by ability to pay taxes (1850–1918)*
11. anlangen (bei) *to arrive (at)*

Friedrich Ebert

Studienrat Becker stellte sein 9. Bild auf. „Nun, wer ist das?"

—„Das ist Friedrich Ebert, der erste Reichspräsident", antwortete Barbara Schäfer.

—„Woran denken Sie, wenn Sie seinen Namen hören?"

—„Er war Vorsitzender[1] der sozialdemokratischen Partei, der stärksten Partei im Reichstag. Im Jahre 1919 wurde er zum Reichspräsidenten gewählt."

—„Warum nennen wir die deutsche Republik von 1919 bis 1933 die ‚Weimarer Republik'? Hermann Hahn."

—„In Weimar arbeitete die deutsche Nationalversammlung eine neue demokratische Verfassung aus, die im August 1919 angenommen wurde."

—„Mit welchen wirtschaftlichen und politischen Problemen hatte die Weimarer Republik zu kämpfen?"

—„Schon durch den Krieg hatte Deutschland sehr hohe innere Schulden. Dazu kamen die sehr harten Bedingungen

---

1. der Vorsitzende *chairman*

des Versailler Vertrags, unter anderm[2] Anerkennung[3] der alleinigen[4] Schuld[5] am Weltkrieg und infolgedessen[6] ungeheure Reparationen, die Deutschland gar nicht zahlen konnte. Die Schuldenlast[7] wurde unerträglich. Die Regierung suchte sich dadurch zu helfen, daß sie immer mehr Geld druckte. In der Inflation 1919–1923 wurde das deutsche Geld völlig entwertet.[8] Die Bevölkerung verarmte.[9] Die wirtschaftliche Not verschärfte die fortwährenden inneren Unruhen. Kommunistische und nationalistische Gruppen suchten, mit Gewalt die Macht zu ergreifen. Die demokratische Regierung konnte sich zunächst behaupten[10]. Ebert hatte in Rathenau und Stresemann bedeutende Staatsmänner, die ihm halfen. Aber das deutsche Volk selbst hatte zu wenig Erfahrung mit demokratischen Einrichtungen.[11] Es gab in Deutschland über 30 Parteien. Allmählich wurde das Volk immer mehr von der Propaganda radikaler Links- und Rechtsparteien irregeführt.[12]"

Inzwischen hatte Herr Becker das nächste Bild aufgestellt.

2. unter anderm (*abbr.* u. a.) *among others*
3. die Anerkennung *recognition*
4. alleinig *sole*
5. die Schuld *guilt*
6. infolgedessen *consequently*
7. die Schuldenlast *burden of debts*
8. entwerten *to depreciate*
9. verarmen *to be reduced to poverty*
10. sich behaupten *to hold one's ground*
11. die Einrichtung *institution*
12. irreführen *to mislead*

10 Paul von Hindenburg

—,,Das ist Hindenburg", meldete sich Anna Steinhausen.

—,,Was wissen Sie von ihm und seiner Amtszeit[1] zu berichten?" fragte Herr Becker.

—,,Hindenburg war in den letzten Jahren des Ersten Weltkriegs der Oberbefehlshaber der deutschen Armeen. Als Friedrich Ebert starb, wurde er Reichspräsident. Der Außenminister[2] der damaligen Regierung war Gustav Stresemann. Zusammen mit Aristide Briand, Frankreich, und Sir Austen Chamberlain, England, leitete[3] er eine Verständigungspolitik[4] in Europa ein,[3] die zum Locarno Vertrag (1925) und zur Aufnahme Deutschlands in den Völkerbund[5] führte (1926). Mit Hilfe amerikanischer Kapitalanleihen[6] schien auch die deutsche Wirtschaft wieder zu gesunden.

,,Dann kam im Jahre 1929 die Weltwirtschaftskrise, die für Deutschland katastrophale Folgen hatte. Die ausländi-

1. die Amtszeit *term in office*
2. der Außenminister *Minister for Foreign Affairs*
3. einleiten *to introduce*
4. die Verständigungspolitik *policy of international agreement, rapprochement*
5. der Völkerbund *League of Nations*
6. die Kapitalanleihe *capital loan*

schen Kredite wurden zurückgezogen, der deutsche Export ging stark zurück, und im Winter 1931 gab es 7 Millionen Arbeitslose. Die wirtschaftliche Not verschärfte den politischen Radikalismus. Die Propaganda der Rechtsparteien machte die ‚Erfüllungspolitik' (Erfüllung der Bedingungen des Versailler Vertrags) der demokratischen Regierung für das wirtschaftliche Elend Deutschlands verantwortlich.[7]

„In den Reichstagswahlen im Juli 1932 erhielten die Nationalsozialisten nahezu 40% der Sitze. Hitler forderte jetzt die Regierungsgewalt. Nach langen Verhandlungen ernannte Hindenburg ihn am 30. Januar 1933 zum Reichskanzler. Wie alle Reichskanzler vor ihm leistete[8] auch Hitler einen feierlichen[9] Eid,[8] die Weimarer Verfassung zu schützen. Er dachte aber nicht daran, diesen Eid zu halten. Ohne es zu ahnen,[10] hatte Hindenburg mit der Ernennung Hitlers das Ende der Republik besiegelt.[11]"

—„Das haben Sie richtig erzählt", sagte Herr Becker, indem er ein weiteres Bild zeigte. Auf den hinteren Bänken lachten einige Schüler.

7. verantwortlich *responsible*
8. einen Eid leisten *to take an oath*
9. feierlich *solemn*
10. ahnen *to suspect*
11. besiegeln *to seal*

11 Adolf Hitler

—,,Sie können heute über den Mann lachen, aber den Terror der zwölf Jahre Nazi-Zeit können Sie sich wohl kaum vorstellen", erklärte Herr Becker. ,,Beim Zusammenbruch des nationalsozialistischen Regimes 1945 waren Sie noch
5 kleine Kinder. Ich habe das ganze ‚dritte Reich' erlebt und möchte es nicht noch einmal tun. —Was können Sie über die frühe Nazi-Zeit berichten? Bruno Schneider."

—,,Hitler versprach, die Fesseln[1] des Versailler Vertrags zu brechen. Er versprach Arbeit und Brot, und daß es ‚nie
10 wieder Krieg' geben würde. Er begann, Autobahnen zu bauen und heimlich[2] aufzurüsten. Die Arbeitslosigkeit verschwand. Riesige Aufzüge,[3] Massendemonstrationen (Reichsparteitage) in Nürnberg und Ferienreisen im Programm ‚Kraft durch Freude' hielten die Massen des Volkes in Bewe-
15 gung und guter Stimmung. Hinter dieser Fassade stand eine rücksichtslose Diktatur. Mit Hilfe seiner uniformierten Parteiorganisationen SA[4] und SS,[5] welche Polizeimacht

1. die Fessel *fetter, chain*
2. heimlich *secret*
3. der Aufzug *parade*
4. die Sturmabteilung (SA) *Nazi storm troopers' detachment*
5. die Schutzstaffel (SS) *Nazi special (élite) guard unit*

erhielten[6] und sehr brutal vorgingen,[7] liquidierte Hitler alle demokratischen Einrichtungen. Alle Parteien außer der nationalsozialistischen wurden verboten oder lösten sich ‚freiwillig' auf. Rede- und Pressefreiheit wurden aufgehoben. Keine Opposition wurde geduldet. Seine Gegner ließ Hitler in Konzentrationslager bringen oder heimlich ermorden. Im August 1934 starb Hindenburg. Hitler schaffte[8] das Amt des Reichspräsidenten ab[8] und nahm den Titel ‚Führer und Reichskanzler' an. Damit war alles verschwunden, was noch an die Weimarer Republik erinnerte. Hitler begann die offene Verfolgung der Juden, Kirchen und Liberalen."

—„Das genügt. Jetzt ein paar Worte über Hitlers Außenpolitik. —Erwin Fischer."

—„Auf diesem Gebiet verstand es Hitler in den ersten Jahren ganz besonders, die Masse des deutschen Volkes zu gewinnen. Er forderte die Gleichberechtigung Deutschlands und das Ende des Versailler Vertrags. Je mehr England und Frankreich zögerten, seinen Forderungen nachzugeben,[9] umso mehr entflammte er die nationalen Leidenschaften.[10] Im Jahre 1935 führte er die allgemeine Wehrpflicht wieder ein. Bald darauf schloß er mit England einen Flottenpakt und erreichte damit seinen ersten großen außenpolitischen Erfolg. Im nächsten Jahre schickte er deutsche Truppen in das entmilitarisierte[11] Rheinland. Er schloß mit Italien und Japan einen Anti-Komintern[12]-Pakt. Im Jahre 1938 kam der Anschluß[13] Österreichs an Deutschland, den beide Länder zur Zeit der Weimarer Republik ausdrücklich[14] gewünscht hatten. Dann forderte Hitler die Eingliederung der sudetendeutschen Gebiete in das deutsche Reich. Im Münchner

6. erhalten *to receive*
7. vorgehen *to proceed, act*
8. abschaffen *to abolish*
9. nachgeben *to give in to, to yield*
10. die Leidenschaft *passion*
11. entmilitarisiert *demilitarized*
12. (die) Komintern *Comintern, Communist International*
13. der Anschluß *union*
14. ausdrücklich *expressly*

Vertrag vom September 1938 erhielt er auch diese Gebiete. Er erklärte damals, er habe nun keine territorialen Forderungen mehr und sei völlig zufrieden. Die Welt atmete auf[15] und glaubte, der Friede sei gerettet. Aber schon im März 1939 brach Hitler sein Wort und besetzte die Tschechoslowakei. Im August schloß er mit Stalin einen Nicht-Angriffspakt.[16] In einem Geheimvertrag mit Stalin wurde die Teilung Polens geplant. Jetzt verlangte Hitler die Revision der deutsch-polnischen Grenze. Im Vertrauen[17] auf seine Militärbündnisse mit England und Frankreich lehnte Polen die Forderungen Hitlers ab. Am 1. September 1939 griff Hitler Polen an. England und Frankreich erklärten Deutschland den Krieg. Der zweite Weltkrieg hatte begonnen."

—„Den Verlauf[18] des Krieges wollen wir nicht im einzelnen besprechen. Wann wurde es klar, daß die deutsche Wehrmacht trotz aller Erfolge in den Jahren 1940 und 1941 den Krieg nicht gewinnen konnte? Walter Schirmer."

—„Der Krieg gegen England machte keine Fortschritte. Hitler wagte[19] keine Invasion, und die Luftangriffe hatten keinen Erfolg. Der Angriff auf Rußland verwickelte Hitler in ein ähnliches Abenteuer wie Napoleon vor ihm. Nach dem Angriff der Japaner auf Pearl Harbor besiegelte der Eintritt[20] der U.S.A. in den Krieg das Schicksal der Achse Berlin-Rom-Tokio. Im Jahre 1942 begannen die großen Luftangriffe der Alliierten auf Deutschland. Die Russische Armee schlug die Deutschen zurück. Am 6. Juni 1944 landeten die Alliierten in der Normandie. Im April 1945 trafen[21] amerikanische und russische Truppen an der Elbe zusammen.[21] Hitler beging

15. aufatmen *to draw a breath of relief*
16. der Nicht-Angriffspakt *nonaggression pact*
17. das Vertrauen *reliance*
18. der Verlauf *course*
19. wagen *to venture, dare*
20. der Eintritt *entrance*
21. zusammentreffen *to meet, join*

Selbstmord. Am 8. Mai erfolgte[22] die bedingungslose Kapitulation Deutschlands."

—„Wohin hatte die Hitler-Diktatur Deutschland im Jahre 1945 gebracht? —Ursel Schwan."

—„Bis an den Rand[23] des Verderbens.[24] Um bis zur letzten Minute an der Macht zu bleiben, wollte Hitler bis zum letzten Mann kämpfen. Seine Gestapo[25] machte jeden effektiven Widerstand gegen sein Regime unmöglich. Noch in den letzten Wochen des Krieges mußten ‚Männer im Alter von 16 bis 70 Jahren' in den ‚Volkssturm'[26] eintreten. Durch rücksichtslose Unterdrückung von Millionen Menschen in Europa und durch furchtbare Judenverfolgungen hat Hitler den deutschen Namen in der Welt schwer geschädigt.[27]

„Das deutsche Reich besteht nicht mehr. Die deutschen Provinzen im Osten scheinen auf lange Zeit verloren, und die Wiedervereinigung Westdeutschlands mit der sogenannten ‚Deutschen Demokratischen Republik' ist vorläufig unmöglich."

—„Warum vorläufig unmöglich?"

—„Weil zuerst in der Sowjetzone freie Wahlen stattfinden müssen. Erst dann kann eine gesamtdeutsche Regierung gebildet werden."

—„Ganz recht. —Wir kommen damit zum Schluß", bemerkte Studienrat Becker, indem er sein letztes Bild zeigte. „Das Bild dieses Mannes führt uns in die unmittelbare Gegenwart.[28] Ich brauche gar nicht zu fragen, wer das ist."

22. erfolgen *to take place*
23. der Rand *edge, brink*
24. das Verderben *ruin*
25. die Gestapo (Geheime Staatspolizei) *Secret Police*
26. der Volkssturm *"last reserve"*
27. schädigen *to damage*
28. die Gegenwart *present*

12 Konrad Adenauer

—‚‚Adenauer", riefen mehrere Schüler.

—‚‚Bundeskanzler von 1949 bis 1953, im Jahre 1953 zum zweiten, und im Jahre 1957 zum dritten Mal gewählt", sagte Hanna Krüger.

—‚‚Was für eine Staatsform haben wir in der Bundesrepublik?"

—‚‚Wir haben wieder einen demokratischen Staat."

—‚‚Was ist wohl die größte Gefahr für den Frieden Europas und der ganzen Welt? Was meinen Sie, Heinz Littmann?"

—‚‚Der sowjetische Imperialismus, der auch die Wiedervereinigung Deutschlands verhindert".

—‚‚Das ist auch meine Ansicht", erklärte Herr Becker, ‚‚und dabei[1] dürfen wir nicht vergessen, daß der sowjetische Imperialismus in vieler Hinsicht eine Fortsetzung des zaristischen Imperialismus ist. Ich möchte Ihnen eine Stelle aus einer Rede vorlesen, die der amerikanische Präsident Eisenhower am 16. Oktober 1952 in Chicago gehalten hat:

‚‚ ‚Die letzten 200 Jahre erzählen eine einfache, aber sensa-

---

1. dabei *in that connection*

tionelle Geschichte von Rußlands Beziehung[2] zu Europa. Während all dieser Zeit kann man Rußlands Druck auf den Kontinent am einfachsten durch die Entfernung[3] der russischen Grenze vom Mittelpunkt Europas in Berlin ausdrücken. Im Jahre 1750 lag diese Grenze 1200 Meilen von Berlin. Im Jahre 1800 betrug die Entfernung nur 750, 1815 nur noch 200 Meilen. Jetzt, nach unzähligen[4] weiteren Grenzveränderungen, hat Rußland seine Grenze nach Westen vorgeschoben,[5] bis es Berlin in sein Gebiet einschloß.[6] So ist unter dem Impuls des Kommunismus die alte russische Vision von einem zwei Kontinente umspannenden[7] Reich—von Aachen bis Wladiwostok—der Wirklichkeit heute näher als der Phantasie.'

„Wir sind damit zum Schluß gekommen. Nach meiner Uhr muß es gleich klingeln. Ich weiß, daß man mit einem Dutzend Bildkarten nur einige Höhepunkte in einer Geschichte von 2 000 Jahren bezeichnen kann. Es war ein Experiment, aber ich bin mit dem Resultat zufrieden. Es freut mich, daß Sie sich so gut vorbereitet hatten. Hoffentlich ist auch unser amerikanischer Gast nicht enttäuscht."

2. die Beziehung *relationship*
3. die Entfernung *distance*
4. unzählig *innumerable*
5. vorschieben *to shove forward*
6. einschließen *to enclose, include*
7. umspannen *to encompass*

Altbürger und Flüchtlinge

Die Familie Janssen und die Familie Kowalski
Wohnungsverhältnisse und Lebenshaltungskosten

Der Textilvertreter[1] Johannes Janssen und seine Frau leben in einer kleinen Stadt in Nordwestdeutschland, in dem Gebiet zwischen Weser und Ems. Die Stadt wurde im Kriege nicht zerstört. Sie wurde aber gleich nach Kriegsende besetzt.
5 Viele Häuser mußten für die britischen Besatzungstruppen geräumt[2] werden. Auch die Janssens mußten ausziehen.[3] Es war damals fast unmöglich, eine Wohnung zu finden. Tausende von Flüchtlingen aus Schlesien und Ostpreußen

1. der Textilvertreter *representative for a textile firm*
2. räumen *to evacuate*
3. ausziehen *to move out*

134

strömten seit 1945 in diese unzerstörte Stadt. Die Einwohnerzahl verdoppelte sich, und die Wohnungsnot wurde sehr bitter. Alle Altbürger[4] mußten Zimmer abgeben und Flüchtlinge aufnehmen. In den meisten Fällen mußten Altbürger und Flüchtlinge Küche, Keller und Toilette gemeinsam 5 benutzen. Das führte immer zu Schwierigkeiten und oft zu Streit. Erst nach der Währungsreform wurde es auch mit den Wohnungsverhältnissen allmählich besser. Hier und da wurden Mehrfamilienhäuser und Wohnblocks gebaut.

Während der ersten Nachkriegsjahre wohnten Herr und 10 Frau Janssen bei ihrem Schwiegersohn.[5] Nach der Währungsreform bemühte[6] sich Herr Janssen um eine eigene Wohnung. Da sein Haus von der Besatzungsmacht beschlagnahmt[7] worden war, galt[8] er als „Besatzungsgeschädigter[9]". Ausgebombte, Flüchtlinge und Besatzungsgeschädigte hatten 15 den ersten Anspruch[10] auf Neubauwohnungen. Nach einer längeren Wartezeit erhielt Herr Janssen eine Dreizimmerwohnung in einem Neubau. Fünf Familien zogen[11] in dieses Haus ein.[11] Jeder Mieter[12] erhielt hinter dem Haus einen kleinen Streifen Gartenland. 20

Herrn Janssen ging es finanziell gut. Er vertrat eine große Textilfirma und hatte ein gutes Einkommen. Von Montagmorgen bis Freitagabend war er meist in seinem Auto unterwegs und besuchte Kunden.[13] Sonnabend und Sonntag blieb er zu Hause, machte seine Abrechnungen[14] oder ging 25 in den Garten zu seinen Blumen. Mit den anderen Mietern

4. der Altbürger *native citizen*
5. der Schwiegersohn *son-in-law*
6. sich bemühen (um) *to apply (for)*
7. beschlagnahmen *to confiscate, requisition*
8. gelten *to be considered*
9. der Besatzungsgeschädigte *person who has incurred loss as result of military occupation*
10. der Anspruch *claim*
11. einziehen *to move into*
12. der Mieter *tenant*
13. der Kunde *customer*
14. die Abrechnung *account*

hatte er zunächst keinen Kontakt. Man grüßte sich förmlich, wenn man sich im Treppenhaus[15] oder im Garten begegnete, und wußte in den ersten Monaten kaum mehr als die Namen der anderen Mieter. Alle waren froh, endlich einmal wieder
5 allein zu sein. So dauerte es eine Weile, bis sich das Verhältnis der Mieter zueinander änderte.

Eines Tages stand Herr Janssen mit aufgekrempelten Hemdsärmeln[16] im Garten, um seine Blumen zu begießen.[17] Da erschien Herr Kowalski mit Säge und Brettern, um für
10 seinen dreijährigen Sohn eine Sandkiste zu bauen. Beide Herren nickten einander zu. Kowalski war Schlosser[18] in einer kleinen Maschinenfabrik und bewohnte mit seiner Familie die Dachgeschoßwohnung.[19] Er war Flüchtling aus Schlesien.

—,,Verflixt,[20] da bricht mir doch der Henkel[21] meiner
15 Gießkanne ab", brummte[22] Herr Janssen. ,,Emilie! E-MIlie!" rief er, und seine Frau erschien am Fenster. ,,Emilie, hast du vielleicht einen Eimer[23]? Die Gießkanne ist kaputt.[24]" Die Gießkanne hatte sich vom Henkel gelöst.[25] In seiner Hilflosigkeit betrachtete Herr Janssen abwechselnd[26] den Henkel
20 in seiner Hand und seine Frau am Fenster. Frau Janssen konnte ein Lächeln nicht unterdrücken. Noch ehe sie antworten konnte, hörte Herr Janssen Herrn Kowalski fragen: ,,Kann ich Ihnen helfen? Der Schaden ist schnell repariert."

Herr Janssen drehte sich um[27] und sagte: ,,Ja, können Sie
25 das denn wirklich?"

15. das Treppenhaus *stairwell*
16. mit aufgekrempelten Hemdsärmeln *in turned-up shirtsleeves*
17. begießen *to water*
18. der Schlosser *locksmith, metal worker*
19. die Dachgeschoßwohnung *attic apartment*
20. verflixt *confound it!*
21. der Henkel *handle*
22. brummen *to grumble*
23. der Eimer *pail*
24. kaputt *broken*
25. sich lösen *to come loose*
26. abwechselnd *by turns, alternately*
27. sich umdrehen *to turn around*

—‚‚Aber sicher, Herr Janssen. So schlimm ist das gar nicht. Zeigen Sie mal her."

Herr Kowalski verschwand im Haus. Als er nach kurzer Zeit zurückkam, hatte er den Henkel wieder an die Gießkanne gelötet.[28]

—‚‚Donnerwetter, Herr Kowalski, das hätte ich nicht gekonnt. Haben Sie herzlichen Dank, Herr Kowalski. Sie sind wirklich ein Fachmann.[29] Rauchen Sie eine Zigarre?"

—‚‚Da sage ich nicht ‚nein'! Besten Dank."

Herr Janssen gab Herrn Kowalski Feuer. Beide reichten sich die Hand. ‚‚Jetzt wohnen wir fast schon ein Jahr in demselben Haus, ohne daß wir uns bekannt gemacht haben. Hoffentlich kann ich Ihnen auch einmal behilflich sein. Ich bin allerdings kein Fachmann für Reparaturen. Das werden Sie gemerkt haben."

—‚‚Das war eine Kleinigkeit für mich, Herr Janssen. Ich bin Schlosser von Beruf."

—‚‚Sie stammen nicht aus dieser Gegend, Herr Kowalski. Das schließe[30] ich aus Ihrem Namen. Auch sprechen Sie ganz anders als die Leute hier."

—‚‚Da haben Sie recht. Ich bin Schlesier. Erst 1947 bin ich hierher gekommen. In den ersten Jahren war das Leben für mich hier gar nicht einfach. Für die Leute hier war ich ein Fremder. Außerdem bin ich katholisch, und die meisten Menschen in dieser Gegend sind doch evangelisch. Industrie gibt es hier auch nicht. Meine Frau und ich lebten praktisch von der Hand in den Mund. Meine Frau arbeitete als Reinmachefrau,[31] und ich machte Gelegenheitsarbeit.[32] Seit vier Jahren habe ich aber eine feste Stelle in einer kleinen Ma-

---

28. löten *to solder*
29. der Fachmann *expert*
30. schließen aus *to conclude from, infer from*
31. die Reinmachefrau *cleaning woman*
32. die Gelegenheitsarbeit *occasional work*

schinenfabrik. Wenn wir auch mit meinem Lohn keine großen Sprünge machen können, so geht es uns doch heute gar nicht mehr so schlecht."

—„Das freut mich. Haben Sie da oben Platz genug? Sie haben doch zwei Kinder."

—„Die Wohnung ist klein, aber sie reicht aus.[33] Wir haben zwei Schlafzimmer, ein Wohnzimmer, Küche und Bad. Mit den schrägen[34] Wänden haben wir uns abgefunden.[35] Wichtig ist vor allem, daß uns die Miete[36] nicht viel kostet."

—„Was bezahlen Sie denn da oben?"

—„55.– DM."

—„Das ist für eine Dachgeschoßwohnung teuer genug. Ich bezahle Parterre[37] 75.– DM."

—„Damals waren wir froh, überhaupt[38] eine Wohnung zu finden. In der Not frißt der Teufel Fliegen. Solange die Mieten nicht ebenso steigen wie die Preise, habe ich keinen Grund, über die Miete zu klagen."

—„Da haben Sie recht. Über die steigenden Preise ärgere[39] ich mich auch. Meine Frau singt mir am Wochenende, wenn ich nach Hause komme, immer das gleiche Lied: ‚Du mußt mir mehr Haushaltsgeld geben. Alles ist wieder teurer geworden.' "

—„Leider stimmt's.[40] Das muß ich auch immer von meiner Frau hören. Die Preise steigen, aber die Löhne haben[41] es nicht so eilig.[41] Wir kommen gerade aus. Anschaffen[42] können wir allerdings nicht viel. Mit Abzahlungsgeschäften[43] mag ich nichts zu tun haben. Man kann zwar

---

33. ausreichen *to suffice, do*
34. schräg *slanting*
35. sich abfinden *to put up (with)*
36. die Miete *rent*
37. das Parterre *ground floor*
38. überhaupt *at all*
39. sich ärgern *to be annoyed*
40. (das) stimmt *that's right*
41. es eilig haben *to be in a hurry*
42. anschaffen *to buy (durable goods)*
43. das Abzahlungsgeschäft *instalment buying; store selling on the instalment plan*

vieles gleich haben, aber man belastet[44] sich auch sehr lange mit den Abzahlungen. Oft muß man noch zahlen, wenn das, was man gekauft hat, schon längst kaputt ist. Meine Arbeitskollegen sind etwas großzügiger[45] als ich. Sie kaufen und kaufen, und ich weiß nicht, wie sie es eigentlich mit all ihren Abzahlungen schaffen.[46] Ich meine, daß darin auch eine große Gefahr liegt. Wir versuchen erst einmal[47] zu sparen,[48] um gleich bar[49] zahlen zu können. Dann brauchen wir auch keine Zinsen[50] zu zahlen."

—,,Ich bin ganz Ihrer Ansicht, Herr Kowalski. Aber ohne das Abzahlungsgeschäft geht es heute gar nicht. Wir produzieren schneller und mehr als vor dem Kriege. Wir müssen aber auch verkaufen.[51] Alles kann ja nicht exportiert werden. Gewiß, der Weltmarkt ist für unsere Industrie lebensnotwendig. Der stabile Faktor ist und bleibt aber der Markt im eigenen Land. Die Lebenshaltungskosten[52] sind heute zu hoch. Nur wenige können es sich leisten,[53] bei größeren Anschaffungen gleich bar zu bezahlen. Die überwiegende Masse der Bevölkerung kauft und stottert ab.[54] Wir dürfen nicht vergessen, daß fast ein Drittel unserer Bevölkerung im Krieg und durch den Krieg beinahe alles verloren hat. Da müßten die meisten Menschen lange Jahre sparen, um auch nur das Allernotwendigste zu kaufen. Unser Abzahlungsgeschäft hat Schattenseiten. Das gebe ich zu. Aber es wird noch lange Jahre ein notwendiges Übel bleiben."

—,,Das ist gut und schön, aber wir denken zunächst nur an Kleidung und Hausrat.[55] Jetzt bringe ich im Monat un-

44. belasten *to burden*
45. großzügig *liberal*
46. schaffen *to manage*
47. erst einmal *first of all*
48. sparen *to save*
49. bar *cash*
50. die Zinsen (*pl.*) *interest*
51. verkaufen *to sell*
52. die Lebenshaltungskosten (*pl.*) *living costs*
53. sich leisten *to afford*
54. abstottern *to "stutter off" (slang), pay in instalments*
55. der Hausrat *household furniture*

gefähr 400.– DM und manchmal etwas mehr nach Hause. Wie ich schon sagte, bezahle ich 55.– DM Miete, 30.– DM rechne ich für die Heizung, 15.– DM für Licht, Gas und Wasser, und etwa 225.– DM brauchen wir für unseren Haushalt.
5 Da bleiben nur 75.– DM für Kleidung, Zeitung, Rundfunkgebühr[56] und sonstige Ausgaben.[57] Ich rauche abends gerne eine Zigarre und gehe hin und wieder mit meiner Frau ins Kino. Solange wir gesund bleiben, können wir mit unserem Los[58] zufrieden sein."

10 —„Sie haben die richtige Einstellung[59] zum Leben, Herr Kowalski. Sie sind noch jung, und alles liegt noch vor Ihnen. Ich bin jetzt im 60. Lebensjahr. Ich bin nicht unzufrieden. Aber manchmal denke ich doch an frühere Zeiten, als man weniger Steuern zahlen mußte. Das Geldverdienen macht
15 nicht mehr viel Spaß.[60] Je mehr man verdient, je mehr wird einem abgezogen."[61]

—„Wissen Sie, Herr Janssen, Ihre Sorgen möchte ich haben!" Herr Kowalski lachte. „Ich zahle, meine ich, auch genug Lohnsteuer, Kirchensteuer und Monatsbeiträge[62] für
20 die Gewerkschaft.[63] Das Geld möchte ich lieber selbst verbrauchen. Dann ginge es mir auch besser."

—„Mir wird fast ein Drittel meines Einkommens vom Finanzamt[64] abgezogen.[65] Der Staat hält[66] immer mehr vom Nehmen als vom Geben. Ich sehe natürlich ein, daß unser
25 Staat nach diesem Krieg und seinen Folgen gewaltige soziale Lasten[67] zu tragen hat. Fast jeder dritte Deutsche in der Bundesrepublik bezieht[68] in dieser oder jener Form Sozial-

56. die Rundfunkgebühr *radio fee* (*levied monthly on owner of set*)	62. der Monatsbeitrag *monthly dues*
57. die Ausgabe *expenditure*	63. die Gewerkschaft *trade union*
58. das Los *lot*	64. das Finanzamt *tax office*
59. die Einstellung *attitude*	65. abziehen *to deduct*
60. Spaß machen *to be fun*	66. halten von *to think of*
61. abziehen *to deduct*	67. die Last *burden*
	68. beziehen *to draw, receive*

unterstützung.[69] Über 30% der Bundesausgaben sind Sozialausgaben. Die früheren Besatzungskosten laufen[70] als Stationierungskosten für westalliierte Truppen und als Verteidigungskosten weiter.[70] Grund zum Klagen und Jammern haben wir allerdings nicht. Aber ärgern darf man sich noch. Die Hauptsache ist, daß die wirtschaftlichen Verhältnisse stabil bleiben. —Da fällt mir übrigens etwas ein, Herr Kowalski. Wir haben bei unserem Schwiegersohn noch ein paar alte Möbelstücke stehen. Die sind dort nur im Wege. Ich glaube, es ist ein kleiner Kleiderschrank,[71] eine Kommode, ein halbhoher runder Tisch und ein Sessel. Es sind natürlich altmodische Sachen. Meine Frau und ich haben sie vor dreißig Jahren gekauft. Sie sind aber noch gut erhalten.[72] Wenn ich Ihnen damit einen Gefallen tun kann, möchte ich das gerne tun."

—"Umsonst[73] kann ich das natürlich nicht annehmen. Gebrauchen,[74] Herr Janssen, können wir fast alles."

—"Bezahlen kommt gar nicht in Frage. Für uns haben die Sachen keinen Wert mehr, und mein Schwiegersohn wird froh sein, wenn sie bei ihm nicht mehr im Wege stehen. Ich werde ihm gleich heute abend sagen, daß Sie kommen, um die Sachen abzuholen.[75]"

—"Haben Sie herzlichen Dank, Herr Janssen. Und wenn Sie noch einmal etwas zu reparieren haben, brauchen Sie es bloß[76] zu sagen. —Das wird eine Überraschung für meine Frau!"

"Also abgemacht,[77] Herr Kowalski. Sie holen die Möbelstücke ab, wenn Sie Zeit haben. —Jetzt muß ich aber zu

---

69. die Sozialunterstützung *relief, welfare, and social-security payments*
70. weiterlaufen *to continue*
71. der Kleiderschrank *wardrobe*
72. gut erhalten *in good condition*
73. umsonst *for nothing*
74. gebrauchen *to use*
75. abholen *to get*
76. bloß *only*
77. abgemacht *agreed!*

meinen Blumen, und Sie haben noch eine Sandkiste zu bauen."

Die Frauen der beiden Männer trafen sich einige Tage später im Gemüseladen, und Frau Kowalski bedankte sich bei Frau Janssen für die Möbelstücke: „Sie können sich meine Freude und Überraschung gar nicht vorstellen, Frau Janssen, als mein Mann gestern abend mit einem Arbeitskollegen die Möbel in unsere Wohnung trug. Können Sie denn die Sachen auch wirklich entbehren[78]?"

—„Darüber brauchen Sie sich keine Sorgen zu machen. Bei uns konnten wir sie nicht unterbringen. In der Wohnung meiner Tochter nahmen sie nur Platz weg."

—„Bei uns oben sieht es jetzt geradezu[79] gemütlich aus. Sie können sich gar nicht denken, welche Hilfe uns das bedeutet. Wir hätten uns in absehbarer Zeit[80] keine Möbel kaufen können. Mein Mann will nichts mit Abzahlungsgeschäften zu tun haben. Ich finde, man sollte doch einmal eine

78. entbehren *to do without*
79. geradezu *downright*
80. in absehbarer Zeit *before long*

Ausnahme[81] machen. Zu gerne hätte ich einen neuen Radioapparat. Wir haben einen kleinen, aber der stammt noch aus der Hitlerzeit. Mehr als eine Station kann man damit nicht hören. Die Abzahlungsgeschäfte machen es heute so leicht, einmal etwas Neues anzuschaffen. Ein schöner großer Radioapparat kostet zwischen 250.– und 300.– DM, aber man kann ihn in ganz kleinen Raten[82] in zwei Jahren abzahlen. Mein Mann will absolut nichts davon hören. — Die Lebensmittel sind zu teuer. Wenn ich vom Einkaufen nach Hause komme, habe ich gewöhnlich mehr ausgegeben, als ich eigentlich wollte und durfte. Fleisch essen wir in der Woche gar nicht. Das gibt es nur am Sonntag. Mein Mann und ich essen nur Margarine, die Butter ist für die Kinder . . . "

—„Wie alt sind Ihre Kinder eigentlich?" unterbrach Frau Janssen.

—„Der Junge ist drei Jahre alt, und das Mädchen zwei Jahre."

—„Da haben Sie Arbeit genug. Meine Enkelkinder[83] sind schon etwas älter. Meine Tochter bringt sie morgens in den Kindergarten und holt sie am Spätnachmittag wieder ab. Das ist eine große Erleichterung.[84]"

—„Im nächsten Jahr hoffe ich, meine beiden auch dorthin zu bringen. Dann kann ich tagsüber wieder auf Arbeit gehen. Ich muß dringend[85] neue Stoffe[86] kaufen. Ich mache die Kleider für mich und die Kinder selbst."

—„Für Ihre Kinder kann ich wahrscheinlich von meiner Tochter ein paar Sachen bekommen, die meinen Enkelkindern zu klein geworden sind."

—„Da wäre ich Ihnen wirklich sehr dankbar, Frau Janssen."

81. die Ausnahme *exception*
82. in Raten *by instalments*
83. das Enkelkind *grandchild*
84. die Erleichterung *relief*
85. dringend *urgently*
86. der Stoff *material*

Frau Meyers Ärger über die Flüchtlinge
Der Lastenausgleich. Löhne und Gehälter

Auf dem Treppenabsatz[1] im ersten Stock stehen Frau Müller und Frau Meyer.

—„Nein, das ist doch toll,[2]" schimpft[3] Frau Meyer. „In die Neubauten nebenan[4] ziehen nur Flüchtlinge. Altbürger,
5 die sich schon viel länger um eine Neubauwohnung bemühen, müssen zurückstehen. Die Flüchtlinge gehen einfach zum städtischen[5] Wohnungsamt und schon erhalten sie eine Wohnung. Müssen wir uns das alles gefallen lassen[6]? —Was sagen Sie dazu, Frau Müller? Ihr Mann ist doch bei der Stadt-
10 verwaltung. —Ich habe ja gar nichts gegen Flüchtlinge. Aber erst sollten doch die Altbürger berücksichtigt[7] werden."

1. der Treppenabsatz *stair landing*
2. toll *absurd*
3. schimpfen *to scold*
4. nebenan *next door*
5. städtisch *municipal*
6. sich gefallen lassen *to put up with*
7. berücksichtigen *to take into consideration*

—„Liebe Frau Meyer, das ist alles nicht so einfach. Ich habe schon oft mit meinem Mann darüber gesprochen. Was soll die Stadtverwaltung tun? Sie kann es nicht allen recht machen.[8] In den ersten Jahren nach 1945 fand man sich mit den Flüchtlingen ab. Jeder war in Not und jeder war froh, mit dem Leben davongekommen[9] zu sein. Aber nach der Währungsreform 1948 änderte sich die Atmosphäre. Damals fragte man: ‚Warum baut man nicht Häuser für die Flüchtlinge? Wir bezahlen Steuern und Steuern. Wofür eigentlich? Wenn Wohnungen für die Flüchtlinge gebaut werden, dann hört der ewige Streit auf. Jeder ist dann wieder Herr in seinem Haus.' Nun baut die Stadt Wohnungen für die Flüchtlinge, und schon ist das auch nicht richtig! Wir Einheimischen sollten doch froh sein, daß wir unsere Heimat nicht verloren haben. Wir haben hier doch fast alles retten können."

—„Das ist es nicht allein, Frau Müller. Unsere kleine Stadt hat sich seit Kriegsende völlig verändert. Mein Mann ist, wie Sie wissen, bei der städtischen Sparkasse.[10] Sie werden es nicht für möglich halten, aber mehr als die Hälfte der Angestellten sind jetzt Flüchtlinge. In der Scheckabteilung[11] hat man sogar einen Flüchtling zum Abteilungsleiter gemacht. Der Mann war erst fünf Jahre da. Die Einheimischen wurden einfach übergangen.[12] Mein Mann zum Beispiel arbeitet schon seit 15 Jahren in der Sparkasse. Diese Bevorzugung[13] von Flüchtlingen ist doch nicht gerecht.[14]"

—„Ich gebe zu, Frau Meyer, daß hier und da ein Flüchtling bevorzugt wird. Aber Sie wissen doch, daß jede öffentliche Dienststelle einen gewissen Prozentsatz von Flüchtlingen beschäftigen[15] muß. Natürlich müssen die Flüchtlinge auch

8. recht machen *to please*
9. davonkommen *to escape*
10. die Sparkasse *savings bank*
11. die Scheckabteilung *check department*
12. übergehen *to pass over, pass by*
13. die Bevorzugung *preferential treatment*
14. gerecht *just*
15. beschäftigen *to employ*

bei Beförderungen[16] berücksichtigt werden. Es gibt sehr tüchtige[17] Menschen unter ihnen. Sie brauchen sich nur im Geschäftsviertel umzusehen. Da haben sich doch einige Flüchtlinge glänzend durchgesetzt[18]! In mancher Hinsicht
5 sind sie ein großer Gewinn für unsere Stadt."

—„Mag sein, Frau Müller. Trotzdem sehe ich nicht ein, warum wir Einheimischen in unserer eigenen Stadt den Flüchtlingen den Vortritt[19] lassen müssen!"

—„Liebe Frau Meyer, wir müssen uns mit den neuen
10 Einwohnern unserer Stadt abfinden. Unsere Kinder wachsen zusammen mit den Flüchtlingskindern auf und besuchen mit ihnen zusammen die Schule. Es hat keinen Zweck, künstlich[20] eine Scheidewand[21] aufrechtzuerhalten.[22] Ihren Ärger kann ich verstehen. Aber wir sind ja auch keine Engel. Die
15 Flüchtlinge haben, weiß Gott, Grund genug, sich auch über uns zu beklagen."

—„Wenn man selbst betroffen wird, Frau Müller, dann sieht es anders aus. Wir rechneten fest mit der Beförderung meines Mannes, und dann wird nichts daraus, weil ein
20 Flüchtling bevorzugt wird."

—„Das dürfen Sie nicht so tragisch nehmen, Frau Meyer. Vielleicht wird Ihr Mann bei der nächsten Gelegenheit befördert. —Da klingelt es in meiner Wohnung. Es wird der Milchmann sein. Entschuldigen Sie bitte, Frau Meyer.
25 Ich muß jetzt auch an die Arbeit. In einer Stunde kommt mein Mann zum Mittagessen."

✢ ✢ ✢ ✢ ✢

Vor dem Neubau nebenan hielt der Lieferwagen[23] eines Warenhauses. Der Fahrer stieg aus und klingelte an der

16. die Beförderung *promotion*
17. tüchtig *able*
18. sich durchsetzen *to succeed*
19. den Vortritt lassen *to give precedence*
20. künstlich *artificial*
21. die Scheidewand *barrier*
22. aufrechterhalten *to maintain*
23. der Lieferwagen *delivery truck*

146

Haustür. Herr Plewka trat auf die Straße und sprach mit dem Fahrer, der mit seinem Helfer eine moderne Kücheneinrichtung²⁴ abzuladen²⁵ begann.

Frau Meyer, die gerade bei Frau Müller eine Tasse Kaffee trank, hatte schon alles beobachtet. 5

—„Da sehen Sie's, Frau Müller. Die Plewkas bekommen eine neue Küche. Wie diese Leute das nur machen! Wir können uns nichts leisten. Ich sage ja immer: den Flüchtlingen geht es heute viel besser als uns Einheimischen."

—„Das kann man wirklich nicht sagen, Frau Meyer. Die 10

24. die Kücheneinrichtung *kitchen furnishings, equipment* 25. abladen *to unload*

Plewkas zum Beispiel kenne ich. Das sind sehr fleißige Leute. Ich kann mich noch erinnern, wie sie 1946 hier ankamen. Das Wohnungsamt hatte ihnen eine Dachkammer im Hause gegenüber gegeben."

5 —„Na, also, Frau Müller. Und heute wohnen sie schon in einem Neubau und können sich ganz modern einrichten! Da stimmt doch etwas nicht.[26]"

In diesem Augenblick kam Herr Müller nach Hause. Frau Meyer wollte sich verabschieden, aber Frau Müller hielt sie
10 zurück.

—„Sag mal, Gustav—hast du den Lieferwagen vor dem Haus nebenan gesehen?" fragte Frau Müller.

—„Ja, sicher. Warum fragst du? Die Plewkas bekommen eine neue Küche. Herr Plewka stand gerade vor der Tür, und
15 da haben wir ein paar Worte miteinander geredet. Die Leute haben eine Zahlung aus dem Lastenausgleich[27] erhalten."

—„Ich verstehe nichts vom Lastenausgleich, Herr Müller", bemerkte Frau Meyer. „Ich weiß nur, daß mein Mann und ich nicht davon profitieren. Wir wundern uns aber immer
20 wieder, daß sich andere Leute plötzlich so viel leisten können. Uns fällt auf, daß die meisten Flüchtlinge sind."

—„Ich will versuchen, es Ihnen zu erklären, Frau Meyer. Der Lastenausgleich ist ein Gesetz, das 1952 in Kraft[28] trat. Vielleicht können wir stolz darauf sein, daß wir als einziger
25 moderner Staat ein solches Gesetz haben. Überlegen[29] Sie einmal, wie ungleich der Krieg die einzelnen Menschen betroffen hat. Millionen sind aus ihrer Heimat im Osten vertrieben worden und haben alles verloren. Im Westen verloren viele ihren Besitz durch den Bombenkrieg. Aber

---

26. da stimmt doch etwas nicht *there must be something wrong*
27. der Lastenausgleich *Equalization of Burdens Fund*
28. in Kraft treten *to come into force*
29. überlegen *to consider*

andere hatten nur zerbrochene Fensterscheiben.[30] Manche wurden durch die Geldentwertung[31] zu armen Leuten, andere erlitten[32] fast keinen materiellen Schaden. Sie müssen doch zugeben, Frau Meyer, daß die Verluste der einzelnen vom Zufall[33] abhingen! Wenn unsere Regierung nicht versucht hätte, den Millionen von Kriegsopfern[34] zu helfen, hätten wir die schwere soziale Katastrophe der ersten Nachkriegsjahre niemals überwinden[35] können. Durch den Lastenausgleich werden alle Vermögen[36] in Westdeutschland mit einer Abgabe[37] von 50% belastet.[38] Die Abgabe ist bis zum Jahre 1979 zu zahlen. Sie wird in vierteljährlichen Raten gezahlt. Vermögen bis zu 5 000.- DM bleiben abgabefrei."

—„Wer bekommt denn Zahlungen aus dem Lastenausgleich?" fragte Frau Meyer.

—„Wie ich schon sagte, die Leute, die durch den Krieg Heimat oder Eigentum verloren haben. Jeder Fall wird genau geprüft,[39] und die Not des einzelnen ist entscheidend. Die Unterstützung aus dem Lastenausgleich wird in Form von Hausratshilfe, Wohnraumhilfe, Baudarlehen[40] usw. gewährt.[41] Alte und arbeitsunfähige[42] Leute erhalten eine monatliche Rente.[43] Insgesamt betragen die Ausgleichszahlungen ungefähr 3 Milliarden DM im Jahre."

—„Das ist ja schrecklich viel Geld, Herr Müller. Und so viel soll nun bis zum Jahre 1979 jährlich gezahlt werden? Da bin ich wirklich froh, kein Vermögen über 5 000.- DM zu

30. die Fensterscheibe *window pane*
31. die Geldentwertung *depreciation of money*
32. erleiden *to suffer*
33. der Zufall *chance*
34. das Kriegsopfer *war victim*
35. überwinden *to overcome*
36. das Vermögen *property, wealth*
37. die Abgabe *tax, levy*
38. belasten *to burden, tax*
39. prüfen *to examine*
40. das Baudarlehen *building loan*
41. gewähren *to grant*
42. arbeitsunfähig *incapable of work*
43. die Rente *pension, old-age assistance*

besitzen. Ich würde ja noch alle die Jahre für diesen Lastenausgleich zahlen müssen."

„Wir müssen fair denken, Frau Meyer. Die Lasten des Krieges und seiner Folgen müssen wir alle tragen. Ich freue mich zum Beispiel ehrlich[44] darüber, daß die Plewkas endlich auch eine Zahlung aus dem Lastenausgleich bekommen haben. Wie wären sie sonst aus ihrer Not herausgekommen? Sie wissen doch selbst, Frau Meyer, wie teuer das Leben heute ist! Herr Plewka verdient als Buchhalter[45] in seiner Firma nicht mehr als ungefähr 425.– DM monatlich. Mit zwei Kindern braucht die Familie rund 225.– DM für den Haushalt. Wenn Sie dann 75.– DM Miete rechnen und die Ausgaben für Heizung, Licht, Gas usw. bedenken,[46] da bleibt wirklich kaum etwas übrig. Wie sollten diese Leute sich noch etwas anschaffen können?"

—„Sie dürfen mich nicht mißverstehen, Herr Müller. Ich bin nicht auf die Plewkas neidisch.[47] Es ärgert mich nur, daß *wir* uns nichts anschaffen können. Man möchte doch auch gerne einmal etwas Neues und Modernes haben! Unsere Möbel sind nun schon 35 Jahre alt. Solange sind wir schon verheiratet. Aber wenn ich von einem neuen Sessel spreche, dann scheint mein Mann auf beiden Ohren taub zu sein."

—„Das ist bei uns genau so, Frau Meyer", bemerkte Frau Müller. „Mein Mann will auch nichts von neuen Möbeln wissen."

—„Aber Lotte! Du weißt doch, daß wir uns keine neuen Möbel leisten können. Herr Meyer wird ähnliche Sorgen haben wie wir. Wir brauchen dringend eine Gehaltsaufbesserung.[48] Die Lebenshaltungskosten liegen 75% über dem

---

44. ehrlich *honestly*
45. der Buchhalter *bookkeeper*
46. bedenken *to consider*
47. neidisch (auf) *envious (of)*
48. die Gehaltsaufbesserung *salary increase*

Stand[49] der Vorkriegszeit. Die Gehälter der Beamten und öffentlichen Angestellten[50] sind aber nur um ca. 65% gestiegen. Da sind die Arbeiter verhältnismäßig besser dran.[51] Die Kaufkraft ihrer Löhne übersteigt[52] heute die des Jahres 1938."

—„Was verdient denn ein Arbeiter heute durchschnittlich, Gustav?"

—„75.– bis 100.– DM die Woche. Hilfsarbeiter[53] erhalten etwas weniger, aber Facharbeiter verdienen natürlich wesentlich mehr. Ein Baggerführer,[54] zum Beispiel, kann in der Saison auf monatlich 1 000.– DM und mehr kommen. Das ist natürlich ein Spitzenlohn.[55]"

—„Ich werde meinen Mann heute abend fragen, ob er nicht Baggerführer werden will."

Herr Müller mußte laut lachen. „Fragen Sie ihn, Frau Meyer. Ich bin gespannt,[56] was er Ihnen zur Antwort gibt. Ich kann es mir ungefähr denken. Er wird wissen, warum er öffentlicher Angestellter bleiben will. Der Baggerführer hat zwar einen sehr hohen Lohn. Er ist aber von der Konjunktur[57] abhängig und wird in manchen Monaten bedeutend weniger verdienen. Mit 15 Dienstjahren hat Ihr Mann doch ein Monatsgehalt von über 700.– DM. Und bedenken Sie doch auch, daß Ihr Mann nach mindestens 25 Dienstjahren eine Pension bis zu 75% seines letzten Einkommens erhält. Dagegen erhält der Baggerführer nur eine kleine Rente."

—„Sie haben selbstverständlich recht, Herr Müller. Not leiden wir nicht. Aber bis wir eine Gehaltsaufbesserung

---

49. der Stand *level*
50. die Beamten und öffentlichen Angestellten *public employees, of which the "Beamten" are on civil service*
51. besser dran sein *to be better off*
52. übersteigen *to exceed*
53. der Hilfsarbeiter *helper, unskilled worker*
54. der Baggerführer *bulldozer operator*
55. der Spitzenlohn *peak wages*
56. gespannt *anxious (to know)*
57. die Konjunktur *business conditions*

bekommen, müssen Sie mich ab und zu schon mal jammern lassen."

—"Das kann ich verstehen. Es geht uns genau so, und wir ärgern uns auch. Trotzdem dürfen wir nicht vergessen, daß es Tausenden viel schlechter geht. Denken Sie nur an die Flüchtlinge aus der Sowjetzone! Diese Menschen erhalten gar nichts aus dem Lastenausgleich. Ihre Ansprüche, so heißt es, können erst nach der Wiedervereinigung befriedigt[58] werden. Aber wann wird das sein? Das Gesetz des Lastenausgleichs berücksichtigt zur Zeit nur die Flüchtlinge aus den Gebieten östlich der Oder-Neiße Linie und die Kriegssachgeschädigten[59] in Westdeutschland und Westberlin. Die Flüchtlinge aus der Sowjetzone müssen froh sein, wenn sie Arbeit finden und sich über Wasser halten können."

58. befriedigen *to satisfy*
59. der Kriegssachgeschädigte *person having suffered material war loss*

Studenten in Heidelberg

Donald Campbell in Heidelberg
Stadt und Universität

Donald Campbell, amerikanischer Fulbright-Student, sitzt mit Robert Balke, einem deutschen Studenten, in der Studentenkneipe[1] „Zum Roten Ochsen" in Heidelberg.

—„Das sieht ja hier aus wie in einem Museum, Robert. All die bunten[2] Mützen,[3] Säbel,[4] Bierkrüge und Trinkhörner an den Wänden und der Decke!"

1. die Studentenkneipe *students' tavern*
2. bunt *colorful*
3. die Mütze *cap*
4. der Säbel *sword*

—,,Eine Art von Museum ist es auch, aber ein lustiges. Abends kann man hier kaum einen Platz finden. Die meisten Besucher sind allerdings Touristen, die das romantische Heidelberg erleben wollen. Natürlich sitzen hier oft Gruppen von Studenten in Band und Mütze,[5] aber das wilde Trinken und ausgelassene[6] Treiben,[7] das es in früheren Jahren in Heidelberg gab, hat schon seit langem aufgehört."

—,,Die deutschen Studentenverbindungen[8] sind doch wohl ungefähr dasselbe wie die *college fraternities* in Amerika. Gibt es denn auch so etwas wie *sororities* in Deutschland?"

—,,Nein, Verbindungen von Studentinnen haben wir nicht an den deutschen Universitäten."

—,,Man hat mir erzählt, das Hitler-Regime hätte 1933 die Verbindungen unterdrückt."

—,,Allerdings. Sie wurden ‚gleichgeschaltet[9]‘."

—,,Was heißt denn das?"

—,,Sie mußten in die ‚nationalsozialistische Front‘ eintreten und sich in ‚nationalsozialistische Kameradschaften[10]‘ unwandeln[11] lassen, die unmittelbar von der Partei kontrolliert werden konnten. So haben es die Nazis mit allen unabhängigen Organisationen gemacht."

—,,Und wenn eine Organisation sich wehrte[12]?"

—,,Dann wurde sie aufgelöst und ihr Besitz beschlagnahmt."

—,,Nach dem Kriege sind die Studentenverbindungen dann wieder neu gegründet worden?"

—,,Ja, die meisten lebten[13] wieder auf.[13]"

5. in Band und Mütze *wearing cap and sash with fraternity colors*	9. gleichschalten *to bring into line (Nazi period)*
6. ausgelassen *boisterous*	10. die Kameradschaft *fellowship*
7. das Treiben *doings*	11. umwandeln *to transform*
8. die Studentenverbindung *student fraternity*	12. sich wehren *to resist*
	13. aufleben *to be revived*

—,,Sind denn nun alle Verbindungen ‚schlagende Verbindungen',[14] Robert?"

—,,Keineswegs. Die meisten schlagen nicht, so zum Beispiel die katholischen Verbindungen und der evangelische Wingolfbund."

—,,Aber alle tragen Band und Mütze?"

—,,Allerdings. Das heißt, nur bei Zusammenkünften[15] in ihren Häusern und in besonderen Lokalen.[16] In der Öffentlichkeit und in der Universität ist das Couleurtragen,[17] wie wir es nennen, verboten."

—,,Welcher Prozentsatz der deutschen Studenten gehört denn überhaupt Verbindungen an?"

—,,Das kann ich Ihnen nicht genau sagen, aber schätzungsweise[18] 25%.— Wie lange sind Sie eigentlich schon in Heidelberg, Donald?"

—,,Erst seit ungefähr 14 Tagen. Die Stadt gefällt mir außerordentlich gut, aber nehmen[19] Sie es mir bitte nicht übel,[19] wenn ich Ihnen sage, daß ich von den Universitätsgebäuden etwas enttäuscht bin. Ich hatte mir die Heidelberger Universität ganz anders vorgestellt."

---

14. die schlagende Verbindung *dueling fraternity*
15. die Zusammenkunft *meeting*
16. das Lokal *tavern*
17. das Couleurtragen *wearing fraternity colors (on cap and sash)*
18. schätzungsweise *by way of estimate*
19. übelnehmen *to take offense*

Deutsche Zentrale für Fremdenverkehr

Heidelberg: Blick auf die Stadt

Heidelberg: Alte Brücke und Schloß

Deutsche Zentrale für Fremdenverkehr

—„Wahrscheinlich, weil Sie erwartet hatten, so etwas wie einen amerikanischen *Campus* zu finden?"

—„Nicht ganz, aber da Heidelberg die älteste deutsche Universität ist, glaubte ich, die Universität würde ein Stadtviertel für sich bilden, mit ehrwürdigen[20] Gebäuden aus der mittelalterlichen Zeit. Die Hauptgebäude liegen zwar zusammen, bilden aber kein besonderes Stadtviertel und scheinen nicht einmal besonders altertümlich.[21]"

—„Da haben Sie ganz recht, Donald. Das habe ich von anderen ausländischen Studenten auch gehört. Sie sollten aber bedenken, daß unsere deutschen Universitäten nur mit Ihren *Graduate Schools* verglichen werden können. Bei uns gibt es nicht den breiten Unterbau[22] des *College*, den Ihre amerikanischen Universitäten haben. Auch ist das Verhältnis der Studenten zur Universität hier ganz anders als bei Ihnen. Hier hört[23] der Student seine Vorlesungen[23] und ist im übrigen[24] sich selbst überlassen.[25] Ein *Counseling*- oder *Advising-System* haben wir nicht. Den Stoff[26] zum Examen muß er sich selbst erarbeiten.[27] Die Studenten wohnen hier in möblierten Zimmern, verstreut[28] in der Stadt, während sie doch bei Ihnen in der Mehrzahl zusammen in Wohnblocks untergebracht sind. —Was übrigens die Gebäude angeht, so ist die im Jahre 1713 erbaute ‚Alte Universität' immerhin[29] zweieinhalb Jahrhunderte alt und als Barockbau[30] doch auch schon einigermaßen ‚altertümlich'."

20. ehrwürdig *venerable*
21. altertümlich *ancient*
22. der Unterbau *understructure (here, of undergraduate divisions in American universities)*
23. Vorlesungen hören *to attend lectures*
24. im übrigen *for the rest*
25. sich selbst überlassen *left to himself*
26. der Stoff *subject matter*
27. erarbeiten *to work up*
28. verstreuen *to scatter*
29. immerhin *after all*
30. der Barockbau *building in baroque style (elaborate style of art and architecture, approximately 1550–1750)*

—„So habe ich es ja auch nicht gemeint, Robert. Ich hatte erwartet, in einer bereits seit 1386 bestehenden Universität noch viel ältere Gebäude zu finden."

—„Ah, jetzt verstehe ich. Aber Sie dürfen nicht vergessen, daß Heidelberg im Jahre 1693 von einer französischen Armee fast völlig zerstört wurde. Aus dem Mittelalter und der Renaissance sind eigentlich nur ein paar Kirchen, die Schloßruine und das Haus ‚Zum Ritter' übriggeblieben. —Wissen Sie auch, daß das neue Universitätsgebäude 1931 von Amerikanern gestiftet[31] worden ist? Ihr damaliger Botschafter,[32] Jacob Gould Schurman, der selbst früher einmal Heidelberger Student war, hat die Stiftung ermöglicht und persönlich den Scheck überreicht.[33] Sie finden die Namen Ihrer Landsleute, die an der Stiftung beteiligt[34] waren, auf einer großen Gedenktafel[35] in der Empfangshalle.[36]"

—„Das neue Gebäude habe ich natürlich gesehen. Aber ich wußte nicht, daß es von Amerikanern gestiftet worden ist."

—„Um noch einmal auf Ihre Enttäuschung zurückzukommen, so bin ich überzeugt, daß sie recht bald[37] verschwinden wird. Hauptsache ist, daß Ihnen Heidelberg gefällt. Sie werden sehen, daß die Universität den Geist der Stadt bestimmt, und daß sie sozusagen das Herz der Altstadt ist, wo die meisten Studenten wohnen. Aber jetzt sollten wir uns doch wohl noch ein Glas Bier bestellen."

Theater, Oper und Film in Deutschland

Am nächsten Nachmittag trafen sich Donald Campbell und Robert Balke an der Universität. Für diesen Tag hatten sie ihre Vorlesungen hinter sich.

31. stiften *to donate*
32. der Botschafter *ambassador*
33. überreichen *to present*
34. beteiligt sein an *to have a share in*
35. die Gedenktafel *memorial tablet*
36. die Empfangshalle *foyer*
37. recht bald *very soon*

—,,Haben Sie Lust, heute abend mit mir ins Theater zu gehen? Ich habe zufällig[1] zwei Karten. Es wird Lessings *Minna von Barnhelm* gegeben."

—,,Sehr gern, Robert. Ich hatte[2] heute abend nichts vor.["]

—,,Und was machen Sie jetzt?"

—,,Nichts Besonderes. Ich wollte zum Neckar hinuntergehen und mich auf eine Bank setzen. Wollen Sie mitkommen? —Das freut mich. —Ist übrigens das Theater, in das wir heute abend gehen, ein Studententheater?"

—,,Nein, Donald. Die Universität und die Studenten haben nichts damit zu tun. Es ist ein Stadttheater."

—,,Kann sich denn ein kleine Stadt wie Heidelberg ein eigenes ständiges[3] Theater leisten? Bei uns in den U.S.A. haben nur die großen Städte eigene Theater. Wir haben allerdings an unseren Universitäten häufig Studentenbühnen[4] und in kleineren Städten oft Amateurgruppen, die von Zeit zu Zeit ein Stück aufführen.[5] Ab und zu unternehmen die

1. zufällig *by chance*
2. etwas vorhaben *to have something planned*
3. ständig *permanent, established*
4. die Bühne *stage, theater*
5. aufführen *to perform*

159

großen Theater auch ausgedehnte[6] Gastspielreisen[7] durch die Staaten."

—„Sie werden erstaunt sein, Donald, wie viele kleine Städte in Deutschland eigene Theater unterhalten.[8] Das hat historische Gründe. Jahrhunderte hindurch bestand Deutschland, wie Sie wissen, aus vielen kleinen Fürstentümern.[9] Jeder kleine Fürst glaubte es seinem Prestige schuldig[10] zu sein, ein eigenes Theater zu unterhalten. An die Stelle der Fürsten traten im Laufe[11] der Zeit der Staat und die Städte. Trotz der hohen Kosten und trotz der Konkurrenz[12] des Films haben sich die vielen Theater bis zum heutigen Tage erhalten können. Staat und Städte gewähren hohe Unterhaltszuschüsse[13] und Steuerermäßigungen.[14] Deutschland hat eine besondere Vorliebe[15] für das Theater."

—„Wieviel Theater gibt es denn heute in Deutschland?"

—„Das kann ich Ihnen nicht genau sagen. Ich erinnere mich, einmal in einem Zeitungsartikel die Zahl 190 gelesen zu haben. Diese Zahl wird wohl auch die Freilichttheater[16] und die kleinen Privattheater einschließen. Vor dem Kriege gab es sogar über 300 Theater."

—„Gibt es denn auch genug gute Regisseure[17] und Schauspieler für so viele Theater?"

—„Wir haben eine Reihe sehr tüchtiger Leute, aber natürlich lange nicht genug. Gustav Gründgens ist wohl der hervorragendste,[18] sowohl als Regisseur wie auch als Schauspieler."

6. ausgedehnt *extended*
7. die Gastspielreise *tour (of actors)*
8. unterhalten *to support, maintain*
9. das Fürstentum *principality*
10. schuldig sein *to owe*
11. der Lauf *course*
12. die Konkurrenz *competition*
13. der Unterhaltszuschuß *maintenance subsidy*
14. die Ermäßigung *reduction*
15. die Vorliebe *preference, predilection*
16. das Freilichttheater *open-air theater*
17. der Regisseur *director*
18. hervorragend *outstanding*

—,,Stehen die Klassiker noch immer im Vordergrund in Deutschland?"

—,,Die Klassiker des 18. und 19. Jahrhunderts werden jedenfalls immer noch viel gespielt, und selbstverständlich auch die modernen Dramatiker seit Hauptmann. Eine Reihe von ihnen war in der Nazi-Zeit verboten."

—,,Gibt es denn auch hervorragende jüngere deutsche Dramatiker?"

—,,Es gibt leider nur sehr wenige. Wolfgang Borchert und Carl Zuckmayer sind wohl die bekanntesten. Borchert hat mit seinem Drama *Draußen vor der Tür*, welches das Problem des heimkehrenden Soldaten behandelt, großes Aufsehen[19] erregt.[19] Er wäre vielleicht ein sehr bedeutender Dramatiker geworden, starb aber schon 1947 im Alter von 27 Jahren. Zuckmayer hat mit einigen Dramen, besonders mit *Des Teufels General*, große Erfolge auf den deutschen Bühnen erzielt.[20] Das Stück behandelt den Untergang[21] eines Fliegergenerals,[22] der die Nazis verachtet[23] und von der Gestapo verfolgt[24] wird."

—,,Interessiert sich das deutsche Theaterpublikum auch für ausländische Autoren?"

—,,Und wie! Fast die Hälfte der seit dem Kriege aufgeführten Stücke stammen aus dem Ausland. Besonders amerikanische Autoren hatten sehr große Erfolge, zum Beispiel Thornton Wilder, Tennessee Williams und Arthur Miller."

—,,Aus welchen Bevölkerungskreisen[25] kommen denn die Besucher der deutschen Theater?"

—,,Die Mehrzahl der Besucher sind Arbeitnehmer[26] großer

---

19. Aufsehen erregen *to cause a sensation*
20. erzielen *to achieve*
21. der Untergang *ruin*
22. der Fliegergeneral *air-force general*
23. verachten *to despise*
24. verfolgen *to persecute*
25. der Kreis *circle*
26. der Arbeitnehmer *worker, employee*

161

Betriebe,[27] Beamte und Angestellte von Behörden,[28] usw. Sie haben meist ein Abonnement.[29]"

—"Was verstehen Sie unter Abonnement, Robert?"

—"Das ist eine Vorausbezahlung[30] auf einen festen Platz, an einem gewissen Tag in der Woche, für die ganze Saison. Für die Existenz der Theater spielt das Abonnement natürlich eine große Rolle."

—"Sagen Sie, Robert — wird im Heidelberger Stadttheater gelegentlich[31] auch einmal eine Oper oder Operette aufgeführt?"

—"Aber gewiß. Lassen Sie sich heute abend den Wochenspielplan des Theaters geben.[32] Eine Oper oder Operette wird sicher darauf sein. —Übrigens, wenn Sie zur Theaterkasse[33] gehen, vergessen Sie nicht, Ihren Studentenausweis vorzuzeigen. Dann erhalten Sie eine 50%ige Ermäßigung."

—"Das läßt sich hören.[34] Ich möchte nämlich ziemlich oft ins Theater gehen. Wenn Sie mir jetzt noch sagen, wie es mit Konzerten und Filmen steht,[35] werde ich Sie für heute mit keinen weiteren Fragen belästigen.[36]"

—"Von ,belästigen' kann gar keine Rede[37] sein. Es freut mich, daß Sie so interessiert sind. —Was Konzerte angeht, so werden Sie in Deutschland auf Ihre Kosten[38] kommen, selbstverständlich auch in Heidelberg. In den meisten deutschen Städten—sogar in den kleinen in der Provinz—können Sie regelmäßig[39] Sinfoniekonzerte hören. In den Großstädten

27. der Betrieb *plant*
28. die Behörde *public office, public authority*
29. das Abonnement *subscription*
30. die Vorausbezahlung *payment in advance*
31. gelegentlich *occasionally*
32. sich geben lassen *to get*
33. die Kasse *ticket office*
34. das läßt sich hören *that sounds all right!*
35. wie es ... steht *how it is with ...*
36. belästigen *to bother*
37. davon kann keine Rede sein *that's out of the question*
38. auf seine Kosten kommen *to get one's money's worth*
39. regelmäßig *regularly*

gibt es hervorragende Orchester, wie zum Beispiel die Berliner und die Münchener Philharmoniker. Aber auch die Rundfunkorchester und die Orchester der Opernhäuser und Theater geben regelmäßig Sinfoniekonzerte, die zum Teil ausgezeichnet sind."

—„Und wie steht's mit dem Film? Im Kino war ich bisher noch nicht."

—„Da werden Sie vielleicht etwas enttäuscht sein. Der deutsche Film hat seit 1933 besonders schwere Verluste erlitten und kann sich nur langsam erholen.[40] In der Nazi-Zeit emigrierten viele führende Regisseure und Schauspieler. Die gesamte Filmproduktion ging in den Besitz des Staates über, und infolgedessen wurde das ganze Filmwesen[41] bei Kriegsende von den Besatzungsmächten beschlagnahmt. Die deutsche Filmindustrie mußte also sozusagen wieder von vorne[42] anfangen, ohne Ateliers[43] und ohne Kapital. Heute kann sie wieder ungefähr die Hälfte der in der Bundesrepublik gezeigten Filme liefern.[44] Der Rest kommt aus dem Ausland, besonders aus Amerika. Sie werden fast alle irgendwie[45] bedeutenden[46] amerikanischen Filme in Deutschland sehen können, natürlich mit synchronisiertem deutschem Text."

—„Wollen Sie damit sagen, daß Deutschland eigentlich keine hervorragenden Filme mehr produziert, Robert?"

—„Das möchte ich nicht behaupten, Donald. Aber wirklich erstklassige deutsche Filme sind viel seltener geworden als sie es in früheren Jahren waren. Der heutige deutsche Film ist nicht schlecht, erreicht aber verhältnismäßig selten das internationale Niveau.[47]"

—„Ich danke Ihnen sehr für die anregende[48] Unterhaltung.

40. sich erholen *to recover*
41. das Filmwesen *film industry*
42. von vorne *anew, all over*
43. das Atelier *studio*
44. liefern *to furnish*
45. irgendwie *in any way*
46. bedeutend *significant*
47. das Niveau *level, standard*
48. anregend *stimulating*

Jetzt wird es aber Zeit zum Abendessen. Wo und wann treffen wir uns heute abend?"

—„Am besten vor dem Theater, kurz vor 8 Uhr."

Im Café nach dem Theater

Nach dem Theater wollten Donald Campbell und Robert
5 Balke noch irgendwo eine Tasse Kaffee trinken. Sie gingen in ein Café in der Hauptstraße. Aber das Lokal war überfüllt. Sie konnten keinen Platz finden und waren im Begriff,[1] wieder hinauszugehen. Da hörte Balke hinter sich seinen Namen rufen. Er drehte sich nach der Stimme um und
10 begrüßte seine Freundin Doris Berger. Doris stellte ihn ihrer Freundin Luise Brinkmann vor und lud ihn ein,[2] an ihrem Tisch Platz zu nehmen.[3]

—„Sehr liebenswürdig,[4] Doris", sagte Robert. „Ich bin aber nicht allein. Darf ich meinen Freund mit an Ihren
15 Tisch bringen?"

—„Selbstverständlich! Wir rücken[5] ein wenig zusammen.[5] Wir können auch zu viert[6] an diesem Tisch sitzen."

—„Darf ich Ihnen Herrn Donald Campbell vorstellen? Fräulein Doris Berger und Fräulein Luise Brinkmann. Herr
20 Campbell ist amerikanischer Fulbright-Student und Historiker, Spezialgebiet: Deutschland zwischen den beiden Weltkriegen. Er will hier zwei Semester studieren."

Die beiden Mädchen freuten sich, Herrn Campbell kennenzulernen. Robert und Donald holten zwei Stühle herbei,
25 die an einem Tisch in der Nähe gerade frei geworden waren, und nahmen Platz.

1. im Begriff sein *to be on the point of*
2. einladen *to invite*
3. Platz nehmen *to sit down*
4. liebenswürdig *kind*
5. zusammenrücken *to move together*
6. zu viert *four (of us)*

—„Gut, daß wir Sie heute abend noch treffen, Robert. Luise und ich wollen morgen nach Neckarsteinach wandern. Haben Sie Lust, mitzukommen?"

—„Und ob![7] Wann geht es los?[8]"

—„Ungefähr um 10 Uhr, dachte ich. Morgen ist Sonnabend. Da haben wir nur zwei Vorlesungen. Anschließend könnten wir gleich losziehen.[9]"

—„Geht sonst noch jemand[10] mit?"

—„Nein. Eigentlich wollten wir allein losziehen."

—„Welche Ehre für mich! Aber Doris, eine kleine Bitte: Darf ich meinen amerikanischen Freund fragen, ob er sich unserer Wanderung anschließen möchte?"

7. und ob! *I should say so!*
8. Wann geht es los? *When do we take off?*
9. losziehen *to start out*
10. sonst noch jemand *anyone else?*

—,,Selbstverständlich. Wenn er Zeit und Lust hat, ist er herzlich willkommen."

—,,Donald, haben Sie gehört? Eine Wanderung nach Neckarsteinach mit diesen beiden jungen Damen! Was meinen Sie dazu?"

—,,Die Einladung ist zu verlockend,[11] als daß ich sie ausschlagen[12] könnte. Ich schließe mich gerne an. —Was studieren Sie übrigens, wenn ich fragen darf, Fräulein Berger?"

—,,Anglistik,[13] wie unser Freund Robert. Wir hören beide in diesem Semester Vorlesungen über Beowulf und Altenglisch. —Sagen Sie, Herr Campbell. Müssen die Anglisten[14] in Amerika auch den Beowulf lesen?"

—,,Das nehme ich an. Wer Englisch studiert, muß wohl überall Altenglisch und den Beowulf studieren."

—,,Sehen Sie, Doris! Selbst in den U.S.A. gibt es für den Anglisten kein Entrinnen[15] vor dem Beowulf", bemerkte Robert Balke.

—,,Und was ist Ihr Fach, Fräulein Brinkmann?" wollte Donald wissen.

—,,Ich bin Germanistin und höre in diesem Semester Vorlesungen über die Geschichte der deutschen Sprache, das Volkslied und die deutsche Literatur des 20. Jahrhunderts."

—,,Da würde es mich sehr interessieren, von Ihnen etwas über das Verhältnis der deutschen Literatur in den zwanziger und dreißiger Jahren zu den damaligen politischen Ereignissen zu erfahren."

—,,Aber Kinder, das ist ein weites[16] Feld, und Ihr werdet doch jetzt nicht noch fachsimpeln[17] wollen", meinte Robert.

11. verlockend *enticing*
12. ausschlagen *to refuse*
13. die Anglistik *English philology, English literature*
14. der Anglist *student of English philology*
15. das Entrinnen *escape*
16. weit *large*
17. fachsimpeln *to talk shop*

Fräulein Brinkmann wird Ihnen gewiß gerne ein andermal ein Kolleg[18] über Literatur und Politik lesen.[18] Es ist fast Mitternacht, und es wird langsam Zeit, nach Hause zu gehen. —Wo treffen wir uns morgen?"

—„Am Brunnen vor der alten Universität", schlug Doris vor.

Wanderung nach Neckarsteinach
Der Fremdenverkehr in Deutschland

Um zehn Uhr traf[1] man sich am Brunnen vor der alten Universität. Vom Universitätsplatz führte der Weg zunächst durch die engen Gassen der Altstadt. Donald Campbell wandte sich an Luise Brinkmann:

—„Sagen Sie, Fräulein Brinkmann: Gibt es außer Heidelberg noch andere Städte in Deutschland, die der Krieg verschont[2] hat? Ich habe bisher noch keine Reisen in Deutschland unternehmen können."

—„Ja, Gottseidank sind uns auch noch einige andere historische Städte unbeschädigt erhalten geblieben,[3] besonders Rothenburg, Bamberg, Fulda, Dinkelsbühl, Nördlingen und Lüneburg. —Eine Reise durch die historischen deutschen Städte ist immer noch eine Reise durch die Epochen der abendländischen[4] Kultur. Da können Sie, zum Beispiel, nicht weit von hier, nach Trier, der alten römischen Kaiserstadt fahren. Dort sehen Sie in der Porta Nigra ein Baudenkmal aus der römischen Zeit. In Aachen erinnert das alte Münster[5] an seinen Erbauer Karl den Großen. Ebenfalls nicht weit von hier, in Worms und Speyer, stehen noch heute

---

18. ein Kolleg lesen *to give a course of lectures*

1. man traf sich *they met*

2. verschonen *to spare*
3. erhalten bleiben *to be preserved*
4. abendländisch *western*
5. das Münster *cathedral*

die einzigartigen[6] romanischen[7] Dome der Staufenkaiser.[8] In Freiburg, Marburg und Köln sehen Sie in den großen Kathedralen Musterbeispiele[9] der gotischen Baukunst.[10] Besonders in Süddeutschland finden Sie zahlreiche hervorragende Bauwerke des Barock. Oder fahren Sie einmal durch die Täler des Rheins, des Mains, der Weser oder wandern Sie, wie wir es heute tun, durch das Neckartal. Dann kommen Sie immer wieder durch Städtchen und Dörfer, die Ihnen mit ihren alten Fachwerkbauten,[11] Kirchen und zum Teil erhaltenen Stadtmauern eine bewegte[12] Geschichte aus ihrer jahrhundertealten Vergangenheit erzählen können. Viele Stadtviertel aus dem Mittelalter sind durch den Bombenkrieg dem Erdboden[13] gleich gemacht worden, so zum Beispiel in Köln, Frankfurt, Nürnberg, Hildesheim, Braunschweig, Ulm, Stuttgart und Hannover. Manche bekannte alte Bauwerke hat man aber wieder im alten Stil so getreu wie nur möglich wiederhergestellt, wie den ‚Römer' und das Goethehaus in Frankfurt. —Hier sind wir am ‚Ritter' angelangt. Früher war dieses schöne Renaissance-Gebäude das Haus eines angesehenen und wohlhabenden[14] Bürgers. Heute ist es ein Hotelrestaurant. Es steht aber unter Denkmalschutz.[15] Hier links steht übrigens Heidelbergs älteste Kirche, St. Peter, die auf das 12. Jahrhundert zurückgeht. Und da vor Ihnen auf dem Markt steht der sogenannte Herkulesbrunnen. —Langweile ich Sie mit meinem Geschwätz[16]?"

6. einzigartig *unique*
7. romanisch *Romanesque*
8. die Staufenkaiser (*pl.*) Hohenstaufen emperors (*dynasty, 1138–1254*)
9. das Musterbeispiel *classic example*
10. die Baukunst *architecture*
11. die Fachwerkbauten (*pl.*) *half-timbered buildings*
12. bewegt *eventful*
13. dem Erdboden gleich machen *to level*
14. wohlhabend *wealthy*
15. unter Denkmalschutz *under state protection as a historic monument*
16. das Geschwätz *chatter*

—„Ganz gewiß nicht, Fräulein Brinkmann. Ich bin Ihnen im Gegenteil[17] außerordentlich dankbar. Wer hätte sich sonst wohl die Mühe[18] gemacht, mir soviel zu erzählen? Ich will ja hier nicht nur studieren, sondern auch Land und Leute kennenlernen."

—„Luise, Luise! Bitte, etwas langsamer. Ich höre dich schon wieder Vorträge[19] halten. Der arme Mr. Campbell! Geht etwas langsamer, damit wir auch etwas von eurer gelehrten[20] Unterhaltung profitieren. Robert redet heute nur Unsinn.[21]"

Um nebeneinander gehen zu können, marschierten alle vier auf der Straße. Da ertönte[22] lautes Hupen.[23]

17. im Gegenteil *on the contrary*
18. die Mühe *trouble, pains*
19. einen Vortrag halten *to give a lecture*
20. gelehrt *learned*
21. der Unsinn *nonsense*
22. ertönen *to sound*
23. hupen *to honk*

—,,Vorsicht![24] Rechts heran! Da kommt ein großer Reiseomnibus." Robert drängte seine Freunde schnell auf den Bürgersteig.[25]

—,,Donnerwetter! Solch ein Bus nimmt ja die ganze Straßenbreite ein. Für Gegenverkehr[26] ist überhaupt kein Platz. Woher kommt dieser Bus?" fragte Donald.

—,,Aus England. Neben dem Nummernschild[27] sehen Sie das Nationalitätszeichen[28] GB."

—,,Wie kommt denn solch ein großer Bus von England auf den Kontinent?"

—,,Ganz einfach. Er benutzt die große Autofähre[29] zwischen Dover und Ostende. Das ist heute nichts Besonderes mehr. Dänische, norwegische und schwedische Busse setzen[30] ebenfalls auf großen Autofähren über[30] die See. Es wird nicht lange mehr dauern, bis die ersten amerikanischen Reisebusse in Fährbooten über den Atlantik kommen."

—,,Nun aber sachte,[31] lieber Robert", meinte Donald. ,,Zukunftsmusik[32] ist ganz schön. Aber Ihre Prognose über den interkontinentalen Busverkehr scheint mir doch etwas zu kühn[33] zu sein. —Wissen Sie ungefähr, wieviel Ausländer Deutschland im Jahre besuchen?"

—,,Das kann ich Ihnen natürlich nicht genau sagen, Donald. Ich las neulich[34] einmal in einem Reisejournal die Zahl von über 2 Millionen."

—,,Und wohin gehen die meisten Ausländer in Deutschland?"

—,,Sie haben eine besondere Vorliebe für das Rheintal

---

24. Vorsicht! *careful!*
25. der Bürgersteig *sidewalk*
26. der Gegenverkehr *countertraffic*
27. das Nummernschild *license plate*
28. das Nationalitätszeichen *nationality identity plate*
29. die Fähre *ferry*
30. übersetzen *to ferry across*
31. nun aber sachte! *take it easy now!*
32. die Zukunftsmusik *dreams about the future*
33. kühn *bold*
34. neulich *recently*

von Köln bis Bingen, Heidelberg natürlich, den Schwarzwald, München und Oberbayern."

—„Sind denn die deutschen Hotels auf einen derartigen[35] Massenbesuch eingestellt[36]? Die meisten ausländischen Besucher kommen doch wohl in den Ferienmonaten des Juli und August."

—„Gelegentlich ist es vielleicht etwas schwierig, alle unterzubringen. Es werden aber immer mehr Hotels und Gasthäuser gebaut."

—„Wie teuer kommt denn eine Übernachtung in einem Hotel?"

—„Das kommt darauf an.[37] In Heidelberg, München, Köln, Frankfurt oder Berchtesgaden wird man in einem bürgerlichen[38] Hotel 10.– bis 12.– DM mit Frühstück für ein Einzelzimmer zahlen müssen. In den kleineren Orten auf dem Lande ist es natürlich billiger. Da kann man mit 5.– bis 6.– DM auskommen. Dazu kommt gewöhnlich 10% Bedienungsgeld.[39] Die Übernachtung in den großen Luxushotels ist selbstverständlich wesentlich teurer. Unter 20.– DM werden Sie da kaum ein Einzelzimmer erhalten."

—„Was muß man heute durchschnittlich für ein ordentliches Mittag- oder Abendessen rechnen?"

—„Das hängt ganz davon ab,[40] wo Sie Ihre Mahlzeiten einnehmen[41] wollen. In Gasthäusern auf dem Lande oder in Dörfern bekommen Sie schon eine gute Mahlzeit für 2,50 DM plus 10% Bedienungsgeld. In größern Städten zahlen Sie gewöhnlich 3.– bis 4.– DM für eine Mahlzeit. Dieser Preis schließt natürlich keine Getränke ein."

35. derartig *such*
36. eingestellt auf *adapted to, prepared for*
37. das kommt darauf an *that depends*
38. bürgerlich *"middle class," moderately expensive*
39. das Bedienungsgeld *service charge, tip*
40. das hängt davon ab *that depends*
41. eine Mahlzeit einnehmen *to take a meal*

—„Was trinkt man bei Ihnen meistens zu den Mahlzeiten?"
—„In Weingegenden, wie am Rhein, an der Mosel oder in der Pfalz, Wein. Sonst meistens Bier. In München selbstverständlich Bier aus Maßkrügen.[42]"

—„Nun sagen Sie mir bitte, wie ich mich als Fremder zurechtfinde. Wie finde ich zum Beispiel ein Hotel in mittlerer Preislage[43]?"

—„Ganz einfach. Da wenden Sie sich an den örtlichen Verkehrsverein.[44] Dort erhalten Sie ein übersichtliches[45] Faltblatt[46] mit allen Angaben[47] über Hotels, Gasthäuser, Pensionen und Restaurants. Meist enthalten diese Faltblätter auch alles Wissenswerte über die Sehenswürdigkeiten des betreffenden Ortes."

—„Kann sich ein ausländischer Besucher auch verständigen,[48] wenn er nicht Deutsch spricht?"

—„In den Dörfern und auf dem Lande ist das natürlich etwas schwierig. In den Städten gibt es immer Leute, die Englisch und Französisch sprechen. In den größeren Hotels hat der ausländische Reisende natürlich keine Schwierigkeiten."

—„Wenn ich jetzt einmal unterbrechen darf", sagte Luise, „möchte ich Herrn Campbell darauf aufmerksam machen,[49] daß man von der Alten Neckarbrücke, an der wir jetzt angelangt sind, einen besonders schönen Blick auf das Schloß hat. Es ist sicher die großartigste[50] Schloßruine Deutschlands."

—„Sie haben ganz recht, Luise", meinte Donald. „Hier habe ich schon ein paarmal gestanden. Ich muß zugeben, daß die Bilder, die man vom Heidelberger Schloß sieht,

42. der Maßkrug *stein, liter-mug*
43. die Preislage *price range*
44. der Verkehrsverein *travel bureau*
45. übersichtlich *clear, informative*
46. das Faltblatt *folder*

47. die Angaben (*pl.*) *data*
48. sich verständigen *to make oneself understood*
49. aufmerksam machen auf *to call attention to*
50. großartig *magnificent*

diesen zauberhaften[51] Eindruck nicht wiedergeben[52] können. Die landschaftliche[53] Lage[54] ist wirklich einzigartig. Der Kurfürst von der Pfalz hätte sich wohl auch kein schöneres Fleckchen Erde für sein Schloß aussuchen[55] können."

—"Wenn Sie gelegentlich wieder hinaufwandern, versäumen[56] Sie nicht, den größten aller Trinker, den Zwerg[57] Perkeo, und das Riesenfaß[58] im Keller des Schlosses zu besuchen."

—"Darauf können Sie sich verlassen,[59] Robert. Ich kann doch nicht nach Amerika zurückgehen, ohne das Heidelberger Faß gesehen zu haben. —Ist der Zwerg Perkeo eigentlich eine historische Gestalt[60]?"

—"Soviel ich weiß, ja. Anfang des 18. Jahrhunderts hatte

51. zauberhaft *magical, enchanting*
52. wiedergeben *to reproduce*
53. landschaftlich *"scenic"*
54. die Lage *situation, site*
55. aussuchen *to select*
56. versäumen *to fail, neglect*
57. der Zwerg *dwarf*
58. das Riesenfaß *giant barrel*
59. sich verlassen auf *to depend on, rely on*
60. die Gestalt *figure*

der Kurfürst einen Hofnarren[61] dieses Namens. Gegenüber dem Faß können Sie ihn auf einem Holzbild sehen."

—,,Nun laßt uns aber weitergehen! Sonst kommen wir heute überhaupt nicht mehr aus Heidelberg hinaus", meinte Doris.

Jugendherbergen

Die vier Studenten gingen über die Alte Brücke und wanderten auf dem linken Flußufer talaufwärts.[1] Immer wieder machten Robert und die beiden Mädchen Donald Campbell aufmerksam auf Cafés, Hotels und Gartenrestaurants, die bei den Heidelberger Studenten schon seit vielen, vielen Jahren beliebt sind, und an die sich mancherlei[2] Erinnerungen knüpfen.[3] Unter Scherzen,[4] Lachen und Geplauder[5] wanderten sie durch das Dorf Ziegelhausen und an der 1130 gegründeten Benediktinerabtei[6] Neuburg vorbei nach Kleingemünd.

—,,Dort drüben, auf der anderen Seite des Neckars, liegt Neckargemünd, ein ehemaliges[7] Reichsstädtchen[8]", erklärte Doris, die auch gerne einmal den Fremdenführer[9] spielen wollte.

—,,Und ist das schon wieder eine Burg auf dem Berg da gegenüber?" wollte Donald wissen.

—,,Ja. Das ist Dilsberg, eine frühere Festung.[10] Der ganze Ort auf der Bergkuppe[11] liegt innerhalb der alten Wehrmauern.[12] Ein malerisches[13] Dorf, dessen mittelalterliches Gepräge[14] noch ganz erhalten ist."

61. der Hofnarr *court jester*

1. talaufwärts *up the valley*
2. mancherlei *various*
3. sich knüpfen an *to be connected with*
4. der Scherz *joke*
5. das Geplauder *small talk*
6. die Abtei *abbey*
7. ehemalig *former*
8. die Reichsstadt *(free) imperial city*
9. der Fremdenführer *guide*
10. die Festung *fortress*
11. die Bergkuppe *mountain summit*
12. die Wehrmauer *fortified wall*
13. malerisch *picturesque*
14. das Gepräge *stamp, character*

174

—,,Das interessiert mich außerordentlich. Das muß ich unbedingt[15] einmal sehen", erklärte Donald.

—,,Es ist sehr sehenswert. —Dort oben gibt es übrigens eine sehr schöne Jugendherberge.[16]"

—,,Über Jugendherbergen wollte ich vorhin schon fragen, als wir über Hotels und Gasthäuser sprachen. Ich habe in Amerika viel über deutsche Jugendherbergen gehört. Können auch Erwachsene diese Herbergen benutzen?"

—,,Selbstverständlich", sagte Robert Balke. ,,Sie müssen aber einen Mitgliedsausweis[17] des deutschen Jugendherbergswerks[18] haben."

—,,Was kostet eine solche Mitgliedschaft?"

15. unbedingt *absolutely*
16. die Jugendherberge *youth hostel*
17. der Mitgliedsausweis *membership certificate*
18. das Jugendherbergswerk *Youth Hostel movement*

—,,Im Jahr für Erwachsene 4.– DM, für Jugendliche[19] bis zum vollendeten 18. Lebensjahr 1.– DM, bis zum vollendeten 20. Lebensjahr 2.– DM."
—,,Was kostet denn eine Übernachtung in einer Jugendherberge?"
—,,Für Jugendliche 40 Pfennig,[20] für Erwachsene 80 Pfennig. Bettwäsche[21] gibt es gegen eine Leihgebühr[22] von 1.– DM. Für 40 Pfennig kann man einen Schlafsack entleihen.[23]"
—,,Das ist ja enorm billig. Mit diesen geringen[24] Geldbeträgen kann doch eine Jugendherberge heute gar nicht unterhalten werden."
—,,Das ist auch nicht möglich. Das Herbergswerk gilt als soziales Unternehmen und wird von öffentlichen Zuschüssen[25] unterhalten. Staat, Gemeinde, Schulen, Kirchen und Verbände,[26] wie unter anderen der Verband der Ärzte Deutschlands und der deutsche Gewerkschaftsbund,[27] unterstützen es."
—,,Wieviel Betten hat eine Jugendherberge im Durchschnitt?"
—,,Das ist sehr verschieden. Die Jugendherberge in Dilsberg zum Beispiel hat 60 Betten. Es gibt natürlich auch kleinere Jugendherbergen mit weniger Betten und auch große wie Köln mit 160 Betten, Bad Godesberg mit 120, München mit 200, Nürnberg-Kaiserburg mit 150. Im allgemeinen schwankt die Bettenzahl zwischen 20 und 60."
—,,Können auch Ausländer Ihre Jugendherbergen benutzen?"

19. der Jugendliche *young person, teen-ager*
20. der Pfennig *penny*
21. die Bettwäsche *bed linen*
22. die Leihgebühr *rental fee*
23. entleihen *to borrow, rent*
24. gering *slight*
25. der Zuschuß *contribution, subsidy*
26. der Verband *association*
27. der Gewerkschaftsbund *association of trade unions*

176

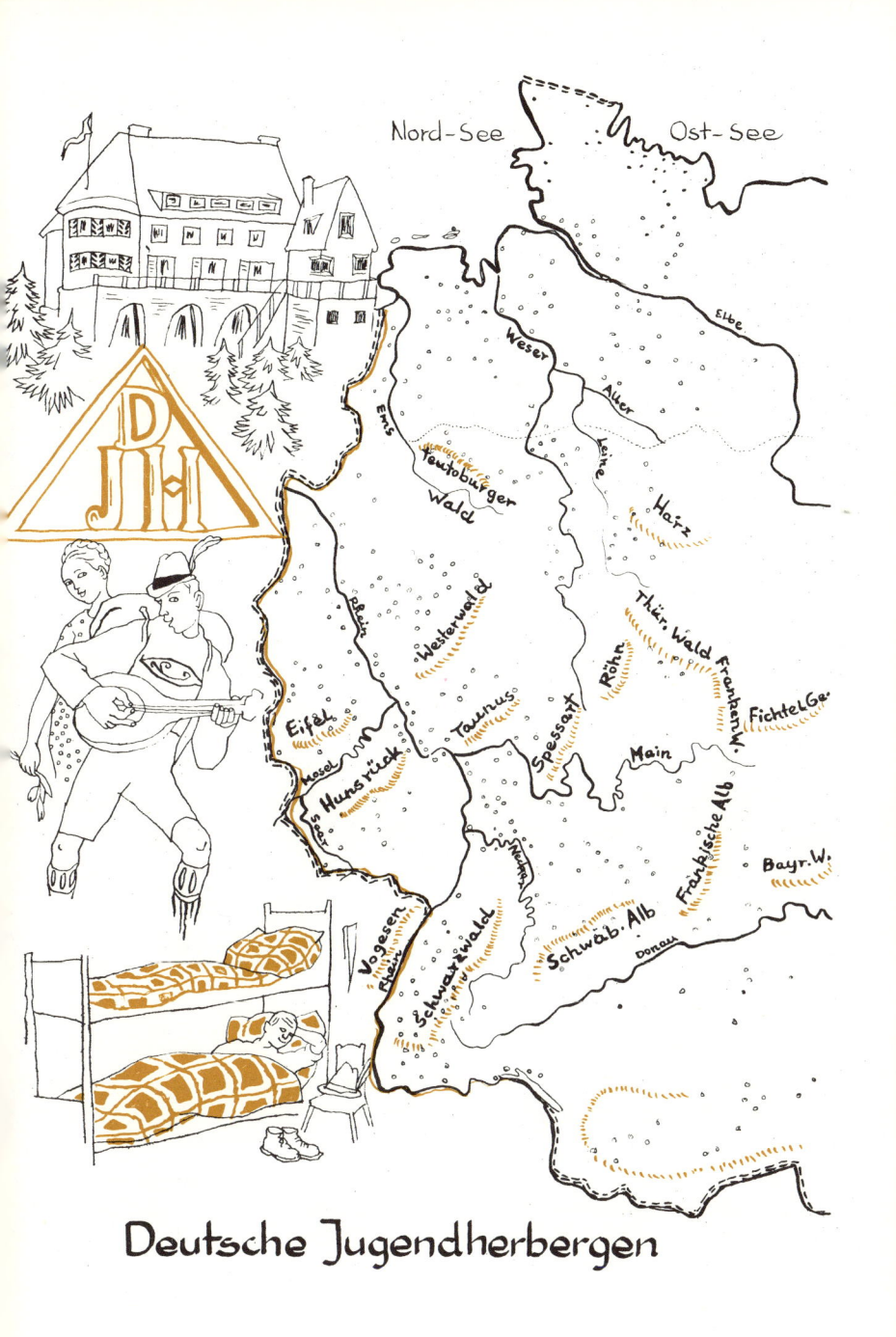

Deutsche Jugendherbergen

—„Ja, wenn sie Mitglieder ihres nationalen Herbergsverbands sind. Ausländer, die nicht Mitglieder des Jugendherbergsverbands ihrer eigenen Heimat sind, können einen zeitlich begrenzten[28] deutschen Mitgliedsausweis erhalten und zahlen dann die gleichen Gebühren für Übernachtung wie Deutsche."

—„Das ist wirklich eine fabelhafte[29] Einrichtung. —Wieviel Jugendherbergen gibt es ungefähr in Westdeutschland?"

—„Vor dem Kriege gab es 1 200. Viele wurden im Kriege zerstört und unbrauchbar gemacht, aber jetzt stehen wieder über 700 zur Verfügung. Etwa 40 dienen immer noch anderen Zwecken, wie der Unterbringung von Flüchtlingen."

—„Übernachten denn viele Ausländer in Jugendherbergen?"

—„Allerdings. Die Zahl der Übernachtungen von Ausländern beläuft[30] sich jetzt auf ungefähr 500 000 im Jahr."

—„Gibt es besondere Bestimmungen[31] über das Verhalten[32] in den Herbergen?"

—„O ja. Es darf vor allem in den Jugendherbergen nicht geraucht und kein Alkohol getrunken werden. ‚In Jugendherbergen', heißt es, ‚raucht nur der Schornstein.' Und um zehn Uhr abends muß Bettruhe[33] eintreten. —Die Verwaltung liegt in den Händen eines ‚Herbergsvaters'. Seine Frau, die ‚Herbergsmutter', hat die Küche unter sich."

—„Küche? Kann man denn auch Mahlzeiten in den Jugendherbergen einnehmen?"

—„In den meisten, ja. Die Mahlzeiten sind einfach, aber gut und vor allen Dingen billig. Man zahlt ungefähr die Hälfte von dem, was die Mahlzeiten in den Hotels und Gasthäusern kosten."

28. zeitlich begrenzt *temporary*
29. fabelhaft *fabulous*
30. sich belaufen auf *to amount to*
31. die Bestimmung *rule, regulation*
32. das Verhalten *conduct, behavior*
33. (die) Bettruhe *"lights out"*

**Das Wiesental
im Schwarzwald**

Above, below: Deutsche Zentrale für Fremdenverkehr

München: Rathaus

Burg Sooneck am Rhein

Garmisch-Partenkirchen mit Zugspitze

Above, below: Deutsche Zentrale für Fremdenverkehr

Deutsche Zentrale für Fremdenverkehr

Mittenwald: Marktstraße

Kochem an der Mosel

Deutsche Zentrale
für Fremdenverkehr

Deutsche Zentrale für Fremdenverkehr

München: Ludwigstraße mit Feldherrnhalle und Theatinerkirche. Rechts im Hintergrund die Frauenkirche

Schloß Neuschwanstein bei Füssen

Deustche Zentrale für Fremdenverkehr

—„Können wir einmal eine Jugendherberge in der Nähe Heidelbergs besichtigen[34]?"

—„Warum nicht? Das macht keine Schwierigkeiten. Wenn Sie einmal an einem Nachmittag nichts Besonderes vorhaben, besuchen wir die Heidelberger Jugendherberge im Handschuhsheimer Schloß. Sie ist mit ihren 350 Betten eine der größten."

—„Ist die Jugendherberge in einem richtigen[35] Schloß?"

—„Früher war das Gebäude ein Schloß. Viele alte Schlösser und Burgen sind zu Jugendherbergen umgebaut[36] worden. Oft liegen sie, wie die in Dilsberg, auf einem Berg oder am Hang[37] und bieten weite, herrliche Ausblicke in die Landschaft."

—„Eines möchte ich noch gerne wissen. Kann man im Falle einer mehrwöchigen[38] Fußwanderung damit rechnen, abends eine Jugendherberge zu erreichen? Ich meine: Liegen die Jugendherbergen nicht zu weit auseinander?"

—„Ganz und gar nicht. Die Jugendherbergen sind über ganz Westdeutschland verstreut. Man kann an einem Tage bequem von einer zur andern wandern."

Gegen zwei Uhr nachmittags kamen die vier Studenten in Neckarsteinach an. Robert kannte[39] sich in dem Ort aus[39] und schlug vor, zum Mittagessen in den Gasthof „Goldener Hirsch" zu gehen. Donald Campbell hatte die Wanderung durch das Neckartal viel Spaß gemacht. Während des Mittagessens meinte er:

—„Ich würde gerne einmal eine ganze Woche in diesem Tal flußaufwärts wandern und dabei in Jugendherbergen übernachten."

---

34. besichtigen *to inspect*
35. richtig *real*
36. umbauen *to remodel*
37. der Hang *slope*
38. mehrwöchig *of several weeks' duration*
39. sich auskennen *to know one's way about*

—„Da mache⁴⁰ ich vielleicht mit,⁴⁰ Donald. Unser Neckartal hat viele historisch interessante Burgen und Städtchen. Wenn wir von hier aus weiter wanderten, kämen wir zunächst nach Hirschhorn, einem kleinen Dorf, das auch noch ganz von einer Mauer umgeben ist. Wir könnten das oberhalb⁴¹ des Dorfes gelegene⁴² Karmeliterkloster besuchen und die auf der Höhe gelegene Burg Hirschhorn. Nur acht Kilometer weiter liegt Eberbach mit der Ruine der Hohenstaufenburg Stolzeneck. Gar nicht weit von Eberbach ist die höchste Erhebung⁴³ des Odenwalds, der Katzenbuckel. Weiter flußaufwärts würden wir nach Zwingenburg kommen, wo auch noch eine alte Burg aus dem 16. Jahrhundert zu sehen ist. Von dieser Burg könnten wir einen Abstecher⁴⁴ in die wildromantische Wolfsschlucht⁴⁵ machen. In ihr soll⁴⁶ Carl Maria von Weber zu seinem *Freischütz* inspiriert worden sein.⁴⁶ In Neckarelz könnten wir über den Neckar fahren und das alte Deutschordensschloß⁴⁷ Neuburg besuchen. Der Besuch von Neckarzimmern mit der Burg Hornberg wäre von besonderem Interesse. In dieser Burg hat Götz von Berlichingen seine Memoiren geschrieben, die Goethe später als Unterlage⁴⁸ für sein Drama dienten. Noch weiter talaufwärts könnten wir nach Heilbronn wandern und nach Marbach, dem Geburtsort Schillers ..."

—„Hören Sie auf, Robert. Am liebsten möchte ich gleich von hier weiter wandern. Was meinen übrigens unsere beiden Damen dazu? Hätten Sie nicht Lust, diese Pilgerfahrt mitzumachen?"

—„Doch. Sobald wir wieder Ferien haben."

40. mitmachen *to join, participate*
41. oberhalb *above*
42. gelegen *situated*
43. die Erhebung *elevation*
44. der Abstecher *excursion, side trip*
45. die Schlucht *ravine*
46. soll ... worden sein *is said to have been* ...
47. das Deutschordensschloß *castle of the Teutonic Order*
48. die Unterlage *basis, source*

Nach dem Essen wanderten die vier Studenten zur Burgruine Schwalbennest hinauf und am Spätnachmittag fuhren sie nach Heidelberg zurück.

Zeitungen, Zeitschriften, Rundfunk, Fernsehen und Sport

An einem Nachmittag bummelten[1] Donald Campbell und Robert Balke durch die Stadt. Vor einem Zeitungsstand blieben sie stehen,[2] um sich die neuesten Zeitungen anzusehen. Robert Balke kaufte sich die „Süddeutsche Zeitung" und die Illustrierte „Quick". Donald Campbell kaufte sich die Zeitschrift „Der Spiegel", deren Aufmachung ihn an die amerikanische Zeitschrift „Time" erinnerte.

—„Welche deutschen Tageszeitungen können Sie mir empfehlen,[3] Robert?"

—„Ich kaufe hin und wieder die ‚Süddeutsche Zeitung', um mich über die große Politik zu informieren. Gelegentlich

1. bummeln *to stroll*
2. stehenbleiben *to stop*
3. empfehlen *to recommend*

lese ich auch die ‚Frankfurter Allgemeine Zeitung', das ‚Hamburger Abendblatt' oder die ‚Rheinische Post'. Diese gehören zu den einflußreichen[4] Zeitungen, die hauptsächlich von den gebildeten[5] Kreisen gelesen werden. Ihre Auflage[6]
5 ist allerdings nicht sehr hoch, vielleicht zwei- bis dreihunderttausend. Sie haben aber einen sehr guten Nachrichtendienst[7] und eine sehr interessante Berichterstattung[8] aus allen Teilen der Welt über Politik, Wirtschaft und Kultur. Auch bieten sie ein Feuilleton,[9] das wirklich lesenswert ist. Wenn diese
10 Zeitungen auch nicht an Ihre ‚New York Times' heranreichen,[10] so kann man sie doch ihrer Aufmachung und ihrem Inhalt[11] nach mit dieser großen amerikanischen Zeitung vergleichen."

—„Sind die Zeitungen, die Sie eben erwähnten, an poli-
15 tische Parteien gebunden?"

—„Nein. Das kann man eigentlich nicht sagen. Finanziell sind sie jedenfalls von den Parteien unabhängig. Auch suchen sie, mehr oder weniger über den Parteien zu stehen. Abhängig sind sie aber alle, wie ja wohl die meisten Zeitungen
20 der Welt, von den Anzeigen.[12] Die deutsche Wirtschaft zahlt heute rund eine halbe Milliarde DM im Jahre für Reklame.[13] Die Anzeigenseiten sind aber in unseren Blättern vom Text getrennt."

—„Das ist mir schon aufgefallen. In den amerikanischen
25 Zeitungen erscheinen die Großanzeigen auf fast allen Seiten. Eigentlich bleibt nur die Titelseite frei von Reklame. Haben Sie eine ungefähre Vorstellung, Robert, wieviel Zeitungen täglich in Westdeutschland erscheinen?"

4. einflußreich *influential*
5. gebildet *educated*
6. die Auflage *edition, circulation*
7. der Nachrichtendienst *news service*
8. die Berichterstattung *reporting*
9. das Feuilleton *critical and literary part of a newspaper*
10. heranreichen an *to come up to*
11. der Inhalt *contents*
12. die Anzeige *advertisement*
13. die Reklame *advertising*

—„Etwa 1 400. Zusammen haben sie eine Auflage von etwa 16 Millionen täglich. Vor dem Kriege war Berlin das geistige und politische Zentrum der Presse, wie es London und Paris für ihre Länder noch heute sind. Allerdings gab es schon vor dem Kriege mit der ‚Frankfurter Zeitung', dem ‚Hamburger Fremdenblatt' und der ‚Kölnischen Zeitung'—um nur die führenden Blätter zu nennen—angesehene Zeitungen von Weltruf,[14] die außerhalb Berlins gedruckt[15] wurden. Seit dem Zusammenbruch hat aber Berlin seine führende Stellung als Pressezentrum verloren. Die Presse hat sich seit 1945 dezentralisiert. Die Provinzhauptstädte der einzelnen Länder, wie München, Düsseldorf und Hannover haben ihre eigenen Pressezentren entwickelt. Ein Spitzenblatt[16] wie die ‚New York Times' oder die London ‚Times' hat es allerdings bei uns bisher nicht gegeben, auch nicht vor dem Kriege."

—„Was Sie vorhin über die ‚Frankfurter Allgemeine Zeitung' und die ‚Süddeutsche Zeitung' sagten, Robert, trifft[17] auch für diese beiden Zeitungen zu.[17] Sie haben nur eine beschränkte[18] Auflage und werden fast nur von Gebildeten gelesen. Weit höhere Auflagen haben bei uns in Amerika die Zeitungen, die sich mehr mit der Unterhaltung ihrer Leser befassen.[19] Bilderseiten und Sport stehen bei der populären Presse im Vordergrund. Artikel und Text werden immer mehr durch Schlagzeilen[20] und Bilder ersetzt."

—„Wir haben in Westdeutschland auch eine solche Tageszeitung. Kaufen Sie sich einmal die ‚Bildzeitung'. Sie kostet nur 10 Pfennig. Große und dickgedruckte Schlagzeilen beherrschen die Titelseite. Jede Nummer dieses Blattes bringt irgendwelche[21] Sensationsnachrichten mit Bildern.

14. der Weltruf *worldwide reputation*
15. drucken *to print*
16. das Spitzenblatt *top-level newspaper*
17. zutreffen *to hold true*
18. beschränkt *limited*
19. sich befassen *to concern oneself*
20. die Schlagzeile *headline*
21. irgendwelch- *some, of some sort*

Aber dieses sogenannte ‚Boulevardblatt²²' erfreut²³ sich einer sehr großen Beliebtheit.²⁴ Mit einer Auflage von zwei Millionen ist dieses Blatt die größte deutsche Tageszeitung."

—„Haben auch die kleineren Städte und die Gemeinden
5 auf dem Lande eigene Tageszeitungen?"
—„Man könnte diesen Eindruck gewinnen.²⁵ In Wirklichkeit sind aber viele Zeitungen in den kleineren Orten nur sogenannte ‚Kopfblätter²⁶'. Das heißt: sie sind die Nebenausgaben²⁷ einer Hauptzeitung und geben, mit Ausnahme
10 des Namens und der lokalen Berichterstattung, den gleichen Inhalt."

22. das Boulevardblatt "*boulevard paper*," *sensational type of newspaper primarily intended for street sale*
23. sich erfreuen (*with gen.*) *to enjoy*
24. die Beliebtheit *popularity*
25. gewinnen *to gain*
26. das Kopfblatt "*front-page newspaper*"
27. die Nebenausgabe *branch edition*

188

—„Werden die Zeitungen bei Ihnen meist im Abonnement[28] gehalten?"

—„Eigentlich nur die Lokalzeitungen und die großen seriösen Zeitungen wie die ‚Frankfurter Allgemeine'. Dagegen werden die Illustrierten und auch die ‚Bildzeitung' fast durchweg[29] im Straßenverkauf abgesetzt.[30]"

—„Die Illustrierten scheinen in Deutschland sehr beliebt zu sein."

—„Das war schon vor dem Kriege so. Heute entsprechen[31] sie noch mehr als früher dem Geschmack[32] der Menschen. In der Hast unserer Tage begnügen[33] sich viele Menschen mit Bildern und kurzen Texten darunter. Wenn etwas gelesen wird, dann muß es schon sensationell und spannend[34] sein. Vor einigen Jahren veröffentlichten[35] viele Illustrierten sogenannte Tatsachenberichte aus dem Kriege und vor allem aus dem Leben der früheren Nazi-Größen. Skandalgeschichten reizen[36] natürlich immer die Neugierde[37] der Menschen und sind leicht abzusetzen."

—„Das ist wohl überall so."

—„Die Zeitschriften—Wochenblätter, Monats- und Vierteljahreszeitschriften—stellen meines Erachtens[38] ein gewisses Gegengewicht[39] dar. Wir haben hier einige sehr gute Zeitschriften. Ich denke zum Beispiel an die Hamburger Wochenzeitung ‚Die Zeit' und den Kölner ‚Rheinischen Merkur' oder an die Wochenzeitschrift ‚Der Spiegel', die Sie sich eben gekauft haben. Sie läßt in ihrer Aufmachung und in ihrem Inhalt den Einfluß Ihrer Zeitschrift ‚Time' deutlich

28. im Abonnement halten *to subscribe to*	34. spannend *exciting*
29. durchweg *altogether, entirely*	35. veröffentlichen *to publish*
30. absetzen *to sell*	36. reizen *to attract*
31. entsprechen *to correspond to*	37. die Neugierde *curiosity*
32. der Geschmack *taste*	38. meines Erachtens *in my opinion*
33. sich begnügen *to be satisfied*	39. das Gegengewicht *counterweight, balance*

erkennen. Natürlich gibt es bei uns so wie bei Ihnen in Amerika unzählige Fachzeitschriften,[40] die meist ein hohes Niveau haben."

—"Wie steht es bei Ihnen mit dem Einfluß der Presse auf die öffentliche Meinung, Robert?"

—"Ich weiß, warum Sie fragen, Donald. Sie sagten mir vor ein paar Tagen einmal, daß die Presse in Ihrem Lande Ihrer Ansicht nach keinen allzu großen Einfluß auf die Meinungsbildung hätte. Hier haben die Zeitungen doch noch einen recht beachtlichen[41] Einfluß auf ihre Leser. Das sehen Sie schon an dem breiten Raum, den der Text auf den Zeitungsseiten einnimmt. Der tägliche Leitartikel[42] und die Berichterstattung aus allen Teilen der Welt darf in unseren Zeitungen nicht fehlen. Neben den Zeitungen hat aber auch der Rundfunk einen erheblichen[43] Einfluß auf die Meinungsbildung. Mindestens jeder fünfte Deutsche besitzt heute einen Rundfunkapparat. Die Zahl der Rundfunkhörer ist somit sehr groß."

—"Was kostet bei Ihnen ein Empfänger mittlerer Preislage?"

—"Zwischen 300.- und 350.- DM. Es gibt natürlich billigere, aber auch wesentlich kostspieligere.[44]"

—"Wie wird der Rundfunk bei Ihnen finanziert?"

—"Die monatliche Rundfunkgebühr von 2.- DM pro Apparat wird von der Post eingezogen[45] und an die Rundfunkgesellschaften abgeführt.[46] Die Rundfunkgesellschaften nehmen monatlich ungefähr 10 Millionen DM ein. Damit ist der Rundfunk von Reklamesendungen[47] unabhängig."

—"Sind Sie mit dem Sendeprogramm zufrieden?"

—"Ehrlich gesagt: Die Sendungen sind nicht schlecht. Der Rundfunk kann es natürlich nicht allen Hörern recht

---

40. die Fachzeitschrift *scientific or learned journal*
41. beachtlich *notable*
42. der Leitartikel *editorial*
43. erheblich *considerable*
44. kostspielig *expensive*
45. einziehen *to collect*
46. abführen an *to turn over to*
47. die Sendung *broadcast*

machen. Musik und Unterhaltung nehmen die Hälfte der Sendezeiten ein. Etwa ein Drittel wird mit Berichterstattung gefüllt, und etwa 15% wird kulturellen Themen gewidmet."
—„Wieviel Rundfunksender[48] haben Sie in Westdeutschland?"
—„Zur Zeit sieben und den Sender ‚Freies Berlin'."
—„Wie steht es in Deutschland mit dem Fernsehen[49]?"
—„Das Fernsehen ist bei uns noch im Anfangsstadium.[50] Es gibt Fernsehsender in allen Ländern der Bundesrepublik, und das Netz[51] wird von Jahr zu Jahr weiter und dichter[52] ausgebaut.[53] Ich bin selbst erstaunt darüber, wie schnell sich das Fernsehen bei uns durchsetzt. Wir sind aber noch hinter den U.S.A. und England zurück."
—„Halten Sie das für bedauerlich[54]? In Amerika übt das Fernsehen schon seit Jahren einen beachtlichen Einfluß auf die öffentliche Meinung und das gesellschaftliche[55] Leben aus. Man ist geteilter Meinung, ob das gut oder schlecht ist. Die Erzieher[56] vor allem sind sehr skeptisch. —Wird das deutsche Fernsehen auch aus Teilnehmergebühren[57] finanziert?"
—„Allerdings. Die monatliche Fernsehgebühr beträgt pro Apparat 5.– DM und wird ebenfalls von der Post eingezogen."
—„Sie sprachen vorhin von dem breiten Raum, den der Sport in der populären Presse einnimmt. Daß Fußball[58] der volkstümlichste[59] Sport in Deutschland ist, weiß ich natürlich. Auch habe ich gelesen, daß in der Spielsaison sonntags rund 5 Millionen Zuschauer[60] auf den Tribünen[61] der Sportplätze die Wettkämpfe[62] der Fußballer verfolgen. Aber eines ist mir

48. der Rundfunksender *radio station*
49. das Fernsehen *television*
50. das Stadium *stage*
51. das Netz *network*
52. dicht *dense*
53. ausbauen *to enlarge*
54. bedauerlich *regrettable*
55. gesellschaftlich *social*
56. der Erzieher *educator, teacher*
57. der Teilnehmer *participant*
58. der Fußball *soccer*
59. volkstümlich *popular*
60. der Zuschauer *spectator*
61. die Tribüne *stands*
62. der Wettkampf *contest, match*

nicht klar. Immer wieder höre ich den ‚Fußball-Toto' erwähnen. Was ist das eigentlich? Eine Art Lotterie?"

—„Ganz recht. Es gibt bei uns eine Reihe von staatlich lizensierten Toto-Gesellschaften, bei denen man auf die Ergeb-
5 nisse[63] der einzelnen Fußballspiele wetten kann. Der Fußball-Toto ist sehr beliebt und setzt[64] jährlich rund eine halbe Milliarde DM um.[64]. Davon fließt[65] ungefähr ein Zehntel dem Sport selbst wieder zu[65] und dient dem Wiederaufbau der im Kriege zerstörten Sportanlagen[66] oder der Neueinrichtung[67]
10 von Sportplätzen, Stadien usw."

—„Ich weiß, daß man sich in Deutschland für fast alle Sportarten interessiert. Wird denn auch *basketball* gespielt, und sind unser *baseball* und *football* überhaupt bekannt?"

—„*Basketball* wird von einzelnen Vereinen gespielt. Aber
15 *baseball* und *football* sind so gut wie unbekannt."

—„Jetzt möchte ich mich aber gerne irgendwo hinsetzen. Darf ich Sie zu einer Tasse Kaffee einladen?"

—„Das dürfen Sie. Ich nehme mit Vergnügen an."

63. das Ergebnis *result, outcome*
64. umsetzen *to turn over (money)*
65. zufließen *to flow to, go to*
66. die Anlage *field, installation*
67. die Neueinrichtung *setting up, building*

Ausblick

Über die Umwälzungen,[1] die der zweite Weltkrieg in Westdeutschland herbeigeführt[2] hat, urteilte[3] der bekannte schweizerische Journalist Robert Jungk nach einer Reise durch die Bundesrepublik im Herbst 1953: „Deutschland ist heute sozial aufgelockert[4] wie nie zuvor. Es ist—vergleichbar nur mit den Vereinigten Staaten—ein *melting pot*, ein ‚Schmelztiegel' geworden. Zur gesellschaftlichen Umschmelzung[5] kommt noch die Durchmischung[6] der verschiedenen deutschen Stämme durch Evakuation, Zwangsentwurzelung,[7] Flucht und Wanderung.[8] Schlesier leben in Bayern, Ostpreußen in Schleswig oder dem Rheinland, Berliner sind überall zu finden: von Hamburg bis Stuttgart, von München bis Köln bringen sie so manches ‚in Fluß'.[9] Aber außer diesen durch die politischen Ereignisse bewirkten[10] Veränderungen sind ja auch noch die ebenfalls alle alten Formen auflösenden Einflüsse der Technik[11] am Werk.[12] Die Fabriken sind immer weiter[13] in ehemals[14] rein landwirtschaftliche Regionen hineingewachsen, Auto, Motorrad[15] und Bus heben[16] den alten für Deutschland so typischen Gegensatz[17] von Stadt und Land immer mehr auf.[16]" *

1. die Umwälzung *upheaval*
2. herbeiführen *to bring about*
3. urteilen *to give an opinion*
4. auflockern *to loosen up*
5. die Umschmelzung *remelting, transformation*
6. die Durchmischung *intermingling*
7. die Zwangsentwurzelung *uprooting by force*
8. die Wanderung *migration*
9. „in Fluß" bringen *to make "fluid," to get things moving*
10. bewirken *to cause*
11. die Technik *techniques, technical developments*
12. am Werk *at work*
13. immer weiter *farther and farther*
14. ehemals *formerly*
15. das Motorrad *motorcycle*
16. aufheben *to cancel, efface*
17. der Gegensatz *contrast*

*Littmann-Mellbourn, *Deutsche Zeitbilder*, Georg Westermann Verlag, Braunschweig, 1957, pp. 133–134.

Soweit die Bundesrepublik in Frage kommt, gibt es in der Tat zahlreiche Anzeichen[18] einer vielversprechenden geistigen,[19] sozialen und politischen Erneuerung.[20]

Wie aber steht es mit der sogenannten „Deutschen Demokratischen Republik"? Wann und unter welchen Bedingungen ist die Wiedervereinigung zu erwarten? Der Eiserne Vorhang geht mitten durch Deutschland und mitten durch Europa. Wie wird sich der weltpolitische Dualismus in der Zukunft in Europa auswirken[21]?

18. das Anzeichen *sign, indication*
19. geistig *intellectual*
20. die Erneuerung *regeneration*
21. wie wird sich . . . auswirken *what consequences will . . . have*

Fragen

WO IST DEUTSCHLAND?

Pages 1–6

1. Wo wird die deutsche Sprache gesprochen?
2. Wie lange besteht der Begriff „Deutschland" schon in der Geschichte?
3. Welche natürlichen Grenzen hat Deutschland?
4. Welche Grenzen sind „offen"?
5. Welche Nachbarn hatte das Deutschland von 1937?
6. Welche drei großen Zonen kann man in der deutschen Landschaft unterscheiden?
7. Wie heißt der höchste Berg Deutschlands?
8. Nennen Sie den höchsten Berg Europas!
9. Welche großen Flüsse Deutschlands fließen nach Norden?
10. Durch welche Länder fließt die Donau?

Pages 6–10

1. Wann begann das Nazi-Regime in Deutschland?
2. Was tat Hitler, nachdem er sich zum Diktator gemacht hatte?
3. Warum kam es 1939 zum Krieg?
4. Was folgte auf den „totalen Krieg" in Deutschland?
5. Was war das Ende Hitlers?
6. Welches Ziel hatten sich die Siegermächte auf der Konferenz in Jalta gesetzt?
7. Wer übernahm 1945 die Regierungsgewalt in Deutschland?
8. In welche Besatzungszonen wurde Deutschland aufgeteilt?
9. Wie wurde Berlin aufgeteilt?
10. Welche deutsche Ländernamen verschwanden von der Landkarte?

Pages 10–15

1. Wie sah es in Deutschland nach dem Zusammenbruch aus?
2. Warum war Westdeutschland schon bei Kriegsende gefährlich übervölkert?

3. Warum kamen noch weitere Millionen Flüchtlinge nach Westdeutschland?
4. Von wem mußten die Heimatvertriebenen untergebracht und unterstützt werden?
5. Wie lebten die Menschen damals, als es nur wenig zu kaufen gab?
6. Was erklärt ein Bericht des U.S. State Department über die Lage Deutschlands im Sommer 1945?
7. Welches Ziel hatte der Morgenthau-Plan?
8. Warum schien das Ende der deutschen Wirtschaft gekommen?
9. Von wem erhielten die deutschen Wohlfahrtsorganisationen Hilfe in der Zeit der äußersten Not?

Pages 15–18

1. Wie lange dauerte die Hungerzeit?
2. Welche unangenehmen und schwierigen Probleme gab es auch noch?
3. Nennen Sie einige der wichtigsten Ereignisse im politischen und wirtschaftlichen Wiederaufbau Westdeutschlands!
4. Wie wird der rapide Wiederaufbau der westdeutschen Wirtschaft oft genannt?
5. Welches schwierige Problem bleibt bis heute ohne Lösung?

W. J. BROWNING IN DEUTSCHLAND

Pages 23–25

1. Aus welcher Stadt kam Mr. Browning?
2. Wen wollte Mr. B. besuchen?
3. Seit wann hatte Mr. B. seinen Freund nicht mehr gesehen?
4. Was tat Mr. B. nach seiner Ankunft in Bremerhaven?
5. Welchen Rat gab der Geschäftsführer des Reisebüros Mr. B.?
6. Was tat Mr. B. bis zur Abfahrt seines Zuges nach Hamburg?

Pages 26–37

1. Wann hatten Mr. Browning und Herr Weber sich zuerst kennengelernt?
2. Was sah Mr. Browning während der Taxi-Fahrt?
3. Was erzählte Herr Weber über seine Rückkehr nach Berlin im August 1945?
4. Wie sah die Berliner Innenstadt damals aus?
5. Was mußte Herr Weber von Nachbarn erfahren?

6. Wann gab es zum ersten und letzten Mal freie Wahlen für ganz Berlin?
7. Warum wurde Westberlin 1948 blockiert?
8. Welche große Hilfsaktion rettete Westberlin?
9. Wann hörte die Blockade auf?
10. Warum war der Aufbau Westberlins schwieriger als der Westdeutschlands?
11. Welches ist das größte und schwierigste Problem Westberlins?
12. Was ist das Brandenburger Tor für viele Menschen im Osten?
13. Warum will Herr Weber trotz allem in Westberlin bleiben?
14. Was zeigte Herr Weber seinem Freund in Westberlin?
15. Welche politische Bedeutung hat Westberlin heute?

Pages 37–44

1. Wohin ging Mr. Browning eines Morgens?
2. Was sah Mr. B. an der Sektorengrenze?
3. Durch welche Straße fuhr das Taxi zuerst im Ostsektor?
4. Was fand am 17. Juni 1953 vor dem früheren Reichsluftfahrtministerium statt?
5. Woran erinnerte sich Mr. Browning, als er die Straße „Unter den Linden" wiedersah?
6. Wie sahen die meisten Menschen aus, die Mr. B. im Ostsektor sah?
7. Was sagte der Fahrer über die Geschäfte der kommunistischen Handelsorganisation?
8. Wie heißt die Prachtstraße Ostberlins?
9. Warum würde ein Westberliner im Ostsektor nicht einkaufen gehen wollen?
10. Wie steht der Wechselkurs zwischen DM-West und DM-Ost?
11. Wie kam es, daß der Fahrer Mr. B. so viel über das kommunistische Schulwesen erzählen konnte?
12. Was ist die erste Fremdsprache auf der höheren Schule in der Sowjetzone?

Pages 44–54

1. Von wem wurde Mr. Browning auf dem Flugplatz erwartet?
2. Was war Herr Stein von Beruf?
3. Weshalb konnte er fließend Englisch sprechen?
4. Was für ein Auto hatte Herr Stein?
5. Worüber wunderte sich Mr. B., als Herr Stein ihn durch Hamburg fuhr?

197

6. Wohin wollte Mr. B. am nächsten Morgen fahren?
7. Was sagte Herr Stein, als er dies hörte?
8. Wann fuhren die beiden Herren am nächsten Morgen ab?
9. Mit welcher Geschwindigkeit fuhr Herr Stein?
10. Was wollte Mr. B. über den Volkswagen wissen?
11. Was konnte Mr. B. rechts und links der Autobahn sehen?
12. Woran erinnerte der Verkehr auf der Autobahn Mr. B.?
13. Wie sah es unmittelbar nach dem Kriege im Ruhrgebiet aus?
14. Welche Gefahr bestand damals?

Pages 54–66

1. Erzählen Sie, was Sie über Bonn wissen!
2. Wieviel Parteien gibt es im deutschen Bundestag?
3. Welche Partei hat die meisten Abgeordneten im Bundestag?
4. Welches ist die zweitstärkste Partei?
5. Warum gibt es keine Kommunisten im Bundestag?
6. Aus wieviel Ländern besteht die Bundesrepublik?
7. Welcher Unterschied besteht zwischen dem Bundesrat und dem amerikanischen Senat?
8. Wer entscheidet in Verfassungsfragen und Streitigkeiten zwischen Bund und Ländern?
9. Was ist ein „konstruktives Mißtrauensvotum?"
10. Wer ist der Chef der deutschen Regierung?
11. Was ist die Rolle des Bundespräsidenten?
12. Warum ist die „Deutsche Demokratische Republik" keine Demokratie im westlichen Sinne?

Pages 66–79

1. Wie heißt das zweitgrößte Industriegebiet Westdeutschlands?
2. Welche Stadt ist das Zentrum dieses Gebietes?
3. Was war Mr. Brownings Freund in Frankfurt von Beruf?
4. Worüber sprachen die beiden Herren nach dem Abendessen?
5. Was war die „Politik der Demontage?"
6. Was nennt Herr Bauer „das deutsche Wunder?"
7. Was erhielt Westdeutschland durch den Marshall-Plan?
8. Was ist über den heutigen Lebensstandard in Deutschland im Vergleich zu Amerika zu sagen?
9. Was sagt Herr Bauer zu der amerikanischen Wirtschaftshilfe?
10. Was hält Herr B. von der europäischen Zusammenarbeit?

Pages 79–85

1. Was las Mr. Browning am nächsten Morgen nach dem Frühstück?
2. Welche Überschrift hatte der Artikel aus dem Jahre 1955?
3. Wer hatte diesen Artikel geschrieben?
4. Was hat dem Artikel nach die Deutschen ergriffen?
5. Warum wundert sich der Franzose nicht, daß die Managerkrankheit besonders in Deutschland zu Hause ist?
6. Worauf hoffen die Deutschen in politischer Hinsicht?
7. Worauf legen die Deutschen dem Artikel nach wenig Wert?
8. Was versicherten fast alle Deutschen, mit denen er sprach, dem französischen Journalisten?

Pages 85–94

1. Was für einen Wagen fuhr Herr Bauer?
2. Wohin führte die Rundfahrt?
3. Wo machten die beiden Herren schließlich eine Pause?
4. Woran mußte Mr. Browning während der Fahrt oft denken?
5. Woher schienen manche der Neubauten Frankfurts direkt verpflanzt zu sein?
6. Was meinen viele Leute vom heutigen Frankfurt?
7. Was kostet ein einfaches einstöckiges Haus heute in Deutschland?
8. Was mußte Herr Bauer Mr. Browning versprechen, als sie voneinander Abschied nahmen?

SCHULE UND UNTERRICHT

Pages 95–99

1. Was für eine Schule besucht Anna Steinhausen?
2. Wie alt war Anna, als sie auf das Gymnasium kam?
3. Gehen alle Kinder mit zehn oder elf Jahren auf die höhere Schule?
4. Auf welcher Schule gibt es in Deutschland Schulgeldfreiheit?
5. Wieviel Jahre umfaßt die höhere Schule?
6. Welche höheren Schultypen unterscheidet man in Deutschland?
7. Worauf bereitet die Mittelschule vor?
8. Wie lange dauert in Deutschland die Schulpflicht?
9. Wieviel Stunden Unterricht haben die deutschen Schüler an den höheren Schulen?
10. Was ist der Unterschied zwischen einem Pflichtfach und einem Wahlfach?

Pages 100-105

1. In welcher Stunde gab es ein Repetitorium?
2. Welchen Spitznamen hat Dr. Becker bei den Schülern?
3. Was hatte Dr. Becker unter dem Arm, als er die Klasse betrat?
4. Was wußte der Schüler Müller über die Germanen zu sagen?
5. Wie endete der Kampf zwischen den Römern und Germanen?
6. Welcher römische Autor hat über die Sitten und Gebräuche der Germanen berichtet?

Pages 106-108

1. Wie groß war das Reich der Franken unter Karl dem Großen?
2. In welchem Jahre wurde Karl der Große zum weströmischen Kaiser gekrönt?
3. Worin liegt die Bedeutung Karls des Großen?
4. Welche beiden europäischen Staaten gehen auf das karolingische Reich zurück?
5. Was verstehen Sie unter Feudalismus?
6. Was war die Hansa?

Pages 109-110

1. Über welche Länder herrschte Karl V.?
2. In welche beiden Lager wurde die Christenheit durch die Reformation gespalten?
3. Welche politischen Nachteile brachte die religiöse Spaltung für Deutschland?
4. Zu welchem großen Kriege führte der Konfessionsstreit im 17. Jahrhundert?
5. Worin zerfiel das Reich im 17. Jahrhundert?

Pages 111-112

1. In welchem Lande herrschte der Große Kurfürst?
2. Wozu legte der Große Kurfürst den Grundstein?
3. Wie gelang es dem Großen Kurfürsten, sein Land wirtschaftlich zu entwickeln?
4. Warum verließen damals so viele Franzosen ihre Heimat?
5. Welche berühmten Zeitgenossen des Großen Kurfürsten können Sie nennen?

Pages 113-114

1. Was machte Friedrich der Große aus dem kleinen Land Brandenburg-Preußen?

2. Als was erwies Friedrich sich im Siebenjährigen Kriege?
3. Was tat der König nach dem Siebenjährigen Kriege?
4. Wie war der König in religiöser Hinsicht?
5. Wofür interessierte Friedrich sich besonders?
6. Wer waren berühmte Zeitgenossen Friedrichs des Großen?
7. Was war der General Steuben, ehe er nach Amerika kam?

Pages 115–118

1. Warum zeigte Dr. Becker auf seinem sechsten Bild Napoleon Bonaparte?
2. Wozu zwang Napoleon den Kaiser Franz II. im Jahre 1806?
3. Was wollten die führenden Staatsmänner auf dem Wiener Kongreß?
4. Was hatte der König von Preußen während der Befreiungskriege versprochen?
5. Was geschah mit den Reformen des Freiherrn vom Stein?
6. Was tat das Bürgertum in dieser Zeit der Unterdrückung?
7. Wer hielt die freiheitlichen Ideen in Deutschland wach?
8. Wohin wanderten viele Deutsche in der ersten Hälfte des 19. Jahrhunderts aus?
9. In welchem Jahre brach in Deutschland die Revolution aus?
10. Wo trat die erste deutsche Nationalversammlung zusammen?
11. Nach welchen Vorbildern wurde die erste deutsche demokratische Verfassung ausgearbeitet?
12. Was wollten die beiden Hauptparteien, die sich in der Nationalversammlung bildeten?
13. Warum lehnte der König von Preußen die Kaiserkrone ab?
14. Wer war unter den Revolutionären, die nach Amerika flohen?
15. Was wollten die Deutschen von nun an in erster Linie?

Pages 119–121

1. Woran denken die Deutschen vor allem, wenn sie den Namen Bismarck hören?
2. Was meinte Joan Benson, als gesagt wurde, Bismarck habe den Frieden in Europa konsolidiert?
3. Was erwiderte Walter Schirmer der Amerikanerin?
4. Was sagte Hanna Krüger über Bismarck als Erhalter des Friedens?
5. Was wissen Sie über Bismarcks Innenpolitik?
6. Worin liegt Bismarcks Bedeutung auf dem Gebiet der sozialen Gesetzgebung?

Pages 122–123

1. Warum wurde Bismarck im Jahre 1890 entlassen?
2. Wie kann man die Politik Wilhelms II. charakterisieren?
3. Wie sah es unter Wilhelm II. in der Innenpolitik aus?
4. Was geschah im November 1918?
5. Wohin floh der Kaiser?

Pages 124–125

1. Wer war der erste Reichspräsident?
2. Welches war 1919 die stärkste Partei im deutschen Reichstag?
3. Wie nannte man die deutsche Republik nach 1919?
4. Was waren die Folgen der wirtschaftlichen Not?
5. Welche bedeutenden deutschen Staatsmänner halfen Ebert?
6. Wieviel Parteien gab es damals in Deutschland?
7. Welche Parteien gewannen immer mehr Einfluß auf das deutsche Volk?

Pages 126–127

1. Wer wurde Eberts Nachfolger?
2. Wie hieß Eberts Außenminister?
3. Mit wem arbeitete der deutsche Außenminister zusammen?
4. Was bedeutete die Weltwirtschaftskrise für Deutschland?
5. Welche Folgen hatte diese Krise in politischer Hinsicht?
6. Wann kam Hitler an die Macht?
7. Welchen Eid leistete auch Hitler?

Pages 128–131

1. Was taten einige Schüler, als Dr. Becker das Bild Hitlers zeigte?
2. Was versprach Hitler dem deutschen Volk?
3. Was machte Hitler mit allen demokratischen Einrichtungen?
4. Wie behandelte Hitler seine politischen Gegner?
5. Nennen Sie die Hauptetappen der Außenpolitik Hitlers!
6. Wie begann der zweite Weltkrieg?
7. Mit welchem Unternehmen kann man Hitlers Angriff auf Rußland vergleichen?
8. Wann erfolgte die bedingungslose Kapitulation Deutschlands?

Pages 132–133

1. Wie oft ist Dr. Adenauer zum deutschen Bundeskanzler gewählt worden?

2. Was hält Dr. Becker für die größte Gefahr für den Frieden?
3. Mit welcher Politik vergleicht Dr. B. den sowjetischen Imperialismus?
4. Welchen amerikanischen Präsidenten zitiert Dr. B.?
5. Wie weit hat Rußland seine Grenze nach Westen vorgeschoben?

ALTBÜRGER UND FLÜCHTLINGE

Pages 134-142

1. Wo leben Herr Janssen und seine Frau?
2. Weshalb mußten die Janssens aus ihrer alten Wohnung ausziehen?
3. Wo erhielten sie schließlich eine Dreizimmerwohnung?
4. Wie lernte Herr Janssen Herrn Kowalski kennen?
5. Was war Herr Kowalski von Beruf?
6. Woher stammte Herr K.?
7. Was für eine Wohnung haben die Kowalskis?
8. Weshalb mag Herr K. nichts mit Abzahlungsgeschäften zu tun haben?
9. Wieviel verdient Herr K. im Monat?
10. Warum sind die Sozialausgaben der Bundesrepublik so hoch?
11. Warum freute sich Frau Kowalski so sehr über die Möbelstücke?
12. Warum möchte Frau K. ihre kleinen Kinder in den Kindergarten schicken?

Pages 143-152

1. Worüber schimpft Frau Meyer?
2. Wo ist Herr Müller angestellt?
3. Wo ist Herr Meyer beschäftigt?
4. Worüber ärgert sich Frau Meyer ganz besonders?
5. Welcher Ansicht ist Frau Müller über das Flüchtlingsproblem?
6. Was bringt der Lieferwagen den Plewkas?
7. Warum schimpft Frau Meyer schon wieder?
8. Was versucht Herr Müller seiner Nachbarin zu erklären?
9. Wann trat das Gesetz über den Lastenausgleich in Kraft?
10. Woher kommen die Mittel für den Lastenausgleich?
11. Warum verlangen die Beamten und Angestellten eine Gehaltsaufbesserung?
12. Welche Vorteile haben die Beamten und Angestellten in ihrem Beruf?

STUDENTEN IN HEIDELBERG

Pages 152–158

1. Als was ist Donald Campbell nach Heidelberg gekommen?
2. Mit wem sitzt Donald in einer Studentenkneipe?
3. Warum ist Donald ein wenig von der Universität Heidelberg enttäuscht?
4. Wie hatte Donald sich die Universität vorgestellt?
5. Wie unterscheidet sich eine deutsche Universität von einer amerikanischen?
6. Wie wohnen die deutschen Studenten?
7. Seit wann besteht die Heidelberger Universität?
8. Warum stehen die alten Gebäude in Heidelberg nicht mehr?
9. Welche alten Gebäude sind noch aus dem Mittelalter und der Renaissance erhalten?
10. Von wem wurde das neue Universitätsgebäude gestiftet?

Pages 158–164

1. Welches Theaterstück wird im Stadttheater gegeben?
2. Wie ist es möglich, daß in Deutschland so viele kleine Theater existieren können?
3. Welche deutschen Theaterstücke werden immer noch viel gespielt?
4. Welche ausländischen Autoren haben in Deutschland besonders große Erfolge gehabt?
5. Was wird Donald Campbell gewiß auf dem Wochenspielplan des Heidelberger Stadttheaters finden?
6. In welchen deutschen Städten kann man hervorragende Sinfonieorchester hören?
7. Was sagt Robert Balke über den deutschen Film?
8. Woher kommen viele Filme, die in Deutschland gezeigt werden?
9. Wie werden die ausländischen Filme in Deutschland gespielt?

Pages 164–167

1. Wen treffen Robert und Donald im Café?
2. Was haben die beiden Mädchen für Sonnabend vor?
3. Was studiert Fräulein Berger?
4. Welche Vorlesungen hört Fräulein Brinkmann?
5. Wo wollen die vier Studenten sich am nächsten Tag treffen?

Pages 167-174

1. Welche historischen deutschen Städte hat der Krieg verschont?
2. Was ist heute noch in Trier zu sehen?
3. In welchen Städten stehen die romanischen Dome der Staufenkaiser?
4. In welchen Städten stehen berühmte gotische Kathedralen?
5. Wo findet man vor allem Bauwerke aus der Zeit des Barock?
6. Für welche deutschen Landschaften haben ausländische Touristen eine besondere Vorliebe?
7. In welchen Monaten kommen die meisten Touristen nach Deutschland?
8. Wie teuer sind Übernachtungen und Mahlzeiten in Deutschland?
9. An wen wendet man sich am besten, wenn man ein Hotelzimmer sucht?

Pages 174-185

1. Worauf machten die drei deutschen Studenten Donald Campbell immer wieder aufmerksam, als sie talaufwärts wanderten?
2. Was gibt es in der Burg Dilsberg?
3. Von wem wird das Herbergswerk unterstützt?
4. Wieviel Jugendherbergen gibt es ungefähr in Westdeutschland?
5. Wohin gingen die vier zum Mittagessen?

Pages 185-192

1. Wie hoch sind die Auflagen der einflußreichen deutschen Zeitungen?
2. Wie stehen diese Zeitungen zu den politischen Parteien?
3. Welche Stellung hatte Berlin vor dem Kriege hinsichtlich der Presse?
4. Welche Städte sind heute die deutschen Pressezentren?
5. Gibt es auch in Westdeutschland sensationelle Tageszeitungen?
6. Warum nennt man die Lokalzeitungen „Kopfblätter"?
7. Weshalb sind die Illustrierten so beliebt?
8. Was sagt Robert Balke über die deutschen Zeitschriften?
9. Wie wird der deutsche Rundfunk finanziert?
10. Wie hat sich das deutsche Fernsehen entwickelt?
11. Was ist der volkstümlichste Sport in Deutschland?
12. Was ist der „Fußball-Toto"?

Vocabulary

EXPLANATIONS

The vocabulary is intended to be complete except for the following exclusions:

Articles, *dieser*-words, possessive adjectives, and pronouns.
Personal and interrogative pronouns.
Numerals, days of the week, and months of the year.
The most common prepositions and conjunctions.
Simple cognate adjectives.
All proper and certain geographical names; names of certain historical events and concepts; and names of certain political or military organizations and agencies which are mentioned in the text only once and are explained in the footnotes.

Generally the basic meaning of a word is given first, followed by the special meaning or meanings.

The adverbial meaning of an adjective is not given unless it differs from the adjectival meaning.

Verbs. The principal parts of auxiliaries, modal auxiliaries, irregular weak, and strong verbs are given in full. Only the infinitive is given for weak verbs. Separable prefixes are hyphenated. All verbs conjugated with *haben* omit the auxiliary; those conjugated with *sein* have *ist* before the past participle of strong verbs, and (*sein*) after the infinitive of weak verbs.

Nouns. The genitive singular and the nominative plural are indicated for masculine and neuter nouns:

> *der Papst, -es, ⸚e = der Papst, des Papstes, die Päpste*
> *das Volk, -es, ⸚er = das Volk, des Volkes, die Völker*

Since the genitive singular of feminine nouns offers no problem, only the nominative plural is indicated for feminine nouns:

> *die Grenze, -n = die Grenze, (der Grenze), die Grenzen*

Where there is only one entry after a masculine or neuter noun, the entry refers to the genitive singular, and the plural is either rare or nonexistent:

der Adel, -s = *der Adel, des Adels*
das Glück, -es = *das Glück, des Glückes*

Where there is no entry after a noun irrespective of gender, only the article is changed in the genitive singular and the plural is rare or nonexistent:

der Absolutismus
die Zukunft

Nouns which occur only in the plural are marked (*pl.*): *die Kosten (pl.)*

ABBREVIATIONS

adj. = adjective
adv. = adverb
conj. = conjunction
gen. = genitive
prep. = preposition

ab und zu now and then
der Abbau, -s dismantling
ab-berufen, berief ab, abberufen to recall
ab-biegen, bog ab, ist abgebogen to turn off
ab-brechen, brach ab, abgebrochen, bricht ab to break off
ab-danken to abdicate
der Abend, -s, -e evening; **das Abendessen, -s, —** supper
abendländisch western
abends in the evening
der Abenteurer, -s, — adventurer
ab-fahren, fuhr ab, ist abgefahren, fährt ab to depart
die Abfahrt, -en departure
sich ab-finden, fand sich ab, hat sich abgefunden (mit) to put up (with)
ab-fliegen, flog ab, ist abgeflogen to fly off
ab-führen an to turn over to
die Abgabe, -n tax, levy
abgabefrei tax-free
ab-geben, gab ab, abgegeben, gibt ab to give up, turn in; **eine Erklärung abgeben** to make a declaration; **eine Stimme abgeben** to cast a vote

abgemacht agreed
der Abgeordnete, -n, -n delegate, representative
abgesehen von aside from
ab-hangen, hing ab, abgehangen, hängt ab (von) to depend on
abhängig dependent
ab-holen to get
das Abitur, -s final comprehensive examination (secondary school)
ab-laden, lud ab, abgeladen, lädt ab to unload
ab-lehnen to decline, refuse
das Abonnement, -s, -s subscription; **im Abonnement halten** to subscribe to
die Abrechnung, -en account
die Abreise, -n departure
ab-reißen, riß ab, abgerissen to tear down
die Abrüstung disarmament
ab-schaffen to abolish
der Abschied, -s, -e farewell, parting
das Abschlußzeugnis, -ses, -e graduation certificate
ab-schneiden, schnitt ab, abgeschnitten to cut off
absehbar within sight; **in absehbarer Zeit** before long

ab-setzen to depose, sell
der Absolutismus absolutism
absorbieren to absorb
der Abstecher, -s, — excursion, side trip
ab-stimmen to vote
ab-stottern (slang) to "stutter off," pay in installments
der Abteilungsleiter, -s, — department head
ab-trennen to separate
abwechselnd alternately, by turns
abwechslungsreich rich in variety
ab-zahlen to pay off
die Abzahlung, -en installment
das Abzahlungsgeschäft, -s, -e installment buying, store selling on installment plan
ab-ziehen, zog ab, abgezogen to deduct
die Abzweigung, -en branch road
die Achse axis
die Achtung attention
der Adel, -s nobility
der Adjutant, -en, -en adjutant
das Agrarland, -s, ⸚er agrarian country
der Agrarstaat, -es, -en agrarian state
ahnen to suspect
ähnlich similar; **Ähnliches** something similar, similar things
die Aktentasche, -n briefcase
all- all; **alle vier Jahre** every four years; **vor allem** above all
die Allee, -n avenue, boulevard
allein alone
alleinig sole
allerdings to be sure, of course
das Allernotwendigste the most necessary things
allgemein general, universal
alliiert allied
die Alliierten (*pl.*) allies, allied powers
allmählich gradual
allzu too much, far too
die Alpen (*pl.*) Alps
als when, as, than
also thus, therefore
alt old

der Altbürger, -s, — old citizen, native citizen
(das) Altenglisch, -en Old English
das Alter, -s age, old age
die Altersversicherung old-age insurance
altertümlich ancient
altmodisch old-fashioned
altsprachlich "classical" (emphasizing the classical languages)
die Altstadt old part of a city
die Amateurgruppe, -n amateur group
(das) Amerika America
der Amerikaner, -s, — American
die Amerikanerin, -nen American woman
amerikanisch American
das Amt, -es, ⸚er office; **der Amtsitz, -es** headquarters
die Amtszeit term in office
an . . . vorbei past
an-bauen to build on
an-bieten, bot an, angeboten to offer
an-dauern to continue
ander- other; **ein andermal** another time
(sich) ändern to change
anderseits on the other hand
die Änderung, -en change
die Anerkennung recognition
der Anfang, -s, ⸚e beginning
an-fangen, fing an, angefangen, fängt an to begin
das Anfangsstadium, -s beginning stage
die Angaben (*pl.*) data
an-gehen, ging an, angegangen to concern
an-gehören to belong to
angesehen distinguished
der Angestellte, -n, -n (salaried) employee
angewiesen (auf) dependent on
angezogen dressed
der Anglist, -en, -en student of English philology
die Anglistik English philology
an-greifen, griff an, angegriffen to attack

209

der **Angriff,** -s, -e attack
die **Angst** fear, worry
der **Anhänger,** -s, — adherent, follower, trailer
an-kommen, kam an, ist angekommen to arrive; **das kommt darauf an** that depends
die **Ankunft** arrival
an-langen (bei) to arrive at
an-legen to put on
an-nehmen, nahm an, angenommen, nimmt an to accept, assume
anregend stimulating
an-schaffen to buy (durable goods)
die **Anschaffung,** -en purchase
(sich) an-schließen, schloß an, angeschlossen to join
anschließend after that, in addition
der **Anschluß,** -(ss)es union
(sich) an-sehen, sah an, angesehen, sieht an to look at, regard
die **Ansicht,** -en view, opinion; **meiner Ansicht nach** in my opinion
der **Anspruch,** -s, ⸗e claim
an-stecken to light
an-stellen to employ
die **Anstellung** position
die **Antwort,** -en answer
antworten to answer
die **Anzahl** number
die **Anzeige,** -n advertisement
die **Anzeigenseite,** -n advertising page
der **Anzug,** -s, ⸗e suit
der **Apparat,** -s, -e apparatus, set
die **Arbeit,** -en work; der **Arbeitnehmer,** -s, — worker, employee
arbeiten to work
der **Arbeiter,** -s, — worker, workman
das **Arbeitsfieber** fever of work; der **A.-kollege,** -n, -n fellow worker; der **A.-lohn,** -es, ⸗e wages; der **A.-lose,** -n, -n unemployed; die **A.-losigkeit** unemployment; die **A.-woche,** -n working week; der **A.-wille,** -ns will to work; das **A.-zimmer,** -s study
arbeitsunfähig incapable of work
der **Ärger,** -s annoyance
sich ärgern to be annoyed

arm poor
der **Arm,** -es, -e arm
die **Armbanduhr,** -en wrist watch
die **Armee,** -n army
das **Armenhaus,** -es, ⸗er poor house
ärmlich poor, miserable
die **Armut** poverty
die **Art,** -en kind, sort
der **Artikel,** -s, — article
der **Arzt,** -es, ⸗e physician
die **Asche** ashes
das **Atelier,** -s, -s studio
die **Atmosphäre** atmosphere
auch also, too; **auch nicht** not either
auf-atmen to draw a breath of relief
der **Aufbau,** -s rebuilding, reconstruction; die **Aufbauhilfe** reconstruction aid; die **Aufbauschule** secondary school (special type)
auf-bauen to build up
auf-bewahren to keep
der **Aufenthalt,** -s, -e stay
auf-fallen, fiel auf, ist aufgefallen, fällt auf to occur to, to strike (as strange)
auf-führen to perform
auf-geben, gab auf, aufgegeben, gibt auf to give up
auf-heben, hob auf, aufgehoben to lift, dissolve, repeal, preserve
die **Aufhebung** repeal
(sich) auf-hellen to light up
auf-holen to catch up
auf-hören to stop
auf-krempeln to turn up
die **Auflage,** -n edition, circulation
auf-leben to be revived
auf-lockern to loosen up
auf-lösen to dissolve
die **Aufmachung** make-up
aufmerksam attentive; **aufmerksam machen auf** to call attention to
die **Aufnahme,** -n admission
die **Aufnahmeprüfung,** -en entrance examination
auf-nehmen, nahm auf, aufgenommen, nimmt auf to accept, admit
auf-passen to pay attention
aufrecht-erhalten, erhielt aufrecht, aufrechterhalten, erhält aufrecht to maintain

210

die Aufrechterhaltung preservation, maintenance
auf-rüsten to arm, rearm
die Aufschrift, -en inscription
das Aufsehen, -s stir, sensation; Aufsehen erregen to cause a sensation
auf-setzen to put on; die Krone aufsetzen to crown
auf-stehen, stand auf, ist aufgestanden to get up
der Aufstieg, -s rise
auf-stellen to set up
auf-teilen to partition
auf-wachsen, wuchs auf, ist aufgewachsen, wächst auf to grow up
auf-zählen to enumerate
der Aufzug, -s, ⸚e parade
das Auge, -s, -en eye
der Augenblick, -s, -e moment
aus-arbeiten to work out
aus-bauen to enlarge
die Ausbesserung, -en repair
der Ausblick, -s view, prospect, outlook
aus-brechen, brach aus, ist ausgebrochen, bricht aus to break out
aus-brennen, brannte aus, ist ausgebrannt to burn out
aus-dehnen to extend
der Ausdruck, -s, ⸚e expression
aus-drücken to express
ausdrücklich expressly
auseinander apart
der Ausflug, -s, ⸚e excursion
aus-führen to carry out
die Ausführung fulfillment
die Ausgabe, -n expenditure
aus-geben, gab aus, ausgegeben, gibt aus to spend
der Ausgebombte, -n, -n bombed-out person
aus-gehen, ging aus, ist ausgegangen to go out, start, proceed
ausgelassen boisterous
ausgezeichnet excellent
die Ausgleichszahlung, -en compensation payment
sich aus-kennen, kannte sich aus, hat sich ausgekannt to know one's way about

aus-kommen, kam aus, ist ausgekommen (mit) to get along (on)
die Auskunft, ⸚e information
das Ausland, -s foreign country, countries
der Ausländer, -s, — foreigner
ausländisch foreign
die Ausnahme, -n exception
ausnahmsweise by way of exception
aus-nutzen to utilize
aus-plündern to plunder
aus-rechnen to calculate
aus-reichen to suffice, do
aus-scheiden, schied aus, ist ausgeschieden to retire
aus-schlagen, schlug aus, ausgeschlagen, schlägt aus to refuse
ausschließlich exclusive
der Ausschluß, -(ss)es exclusion
aus-schneiden, schnitt aus, ausgeschnitten to cut out
aus-sehen, sah aus, ausgesehen, sieht aus, to look, appear
aus-suchen to select
der Außenhandel, -s foreign trade
der Außenminister, -s, — Minister for Foreign Affairs
die Außenpolitik foreign policy
außenpolitisch pertaining to foreign policy
die Außenwand, ⸚e outer wall
außer except for; außerdem besides that; außerhalb outside of
außerordentlich extraordinary
äußerlich outward
äußerst extreme
sich aus-schlafen, schlief sich aus, hat sich ausgeschlafen, schläft sich aus to get enough sleep
die Aussicht, -en prospect
aus-steigen, stieg aus, ist ausgestiegen to get out
aus-strömen (sein) to stream out, pour out
die Auswanderung emigration
auswärtig foreign
das Auswärtige Amt Foreign Office
auswärts outside
aus-ziehen, zog aus, ist ausgezogen to move out
das Auto, -s, -s automobile

211

die **Autobahn,** -en superhighway
die **Autobahnbrücke,** -n bridge on superhighway
der **Autobus,** -ses, -se bus
die **Autofähre,** -n automobile ferry
der **Autor,** -s, -en author
autoritär authoritarian
das **Bad,** -es, ⁻er bath
der **Baggerführer,** -s, — bulldozer operator
die **Bahn,** -en road, railway
der **Bahnhof,** -s, ⁻e railway station
bald soon
der **Balkankrieg,** -es, -e Balkan war
die **Balkanunruhen** (*pl.*) Balkan unrest
das **Band,** -es, ⁻er band, ribbon
die **Bank,** ⁻e bench
die **Bank,** -en bank; der **Bankangestellte,** -n, -n bank employee; das **Bankhaus,** -es, ⁻er banking house; das **Bankzentrum,** -s, **Bankzentren** banking center
bar in cash
der **Barockbau,** -es, -ten building in baroque style
der **Bau,** -es, -ten building; das **B.-darlehen,** -s, — building loan; das **B.-denkmal,** -s, ⁻er architectural monument; die **B.-kosten** (*pl.*) building costs; die **B.-kunst** architecture; die **B.-weise** style of building; das **B.-werk,** -es, -e building, edifice
bauen to build
der **Bauer,** -s or -n, -n peasant, farmer
beachtlich notable
der **Beamte,** -n, -n civil-service employee, official
beantworten to answer
bearbeiten to till, cultivate
sich **bedanken (bei)** to express one's thanks (to)
der **Bedarf,** -s need
bedauerlich regrettable
bedauern to regret
bedenken, bedachte, bedacht to consider
bedeuten to mean

bedeutend significant
die **Bedeutung** importance
das **Bedienungsgeld,** -es service charge, tip
die **Bedingung,** -en condition
bedingungslos unconditional
bedrohen to threaten
beeinflussen to influence
beenden to end
sich **befassen** to concern oneself
befehlen, befahl, befohlen, befiehlt to order, command
die **Befestigung** consolidation
sich **befinden, befand, befunden** to be, be located
befördern to promote
die **Beförderung,** -en promotion
die **Befreiungskriege** (*pl.*) wars of liberation
befriedigen to satisfy
befürchten to fear
begegnen (sein) to meet
begehen, beging, begangen to commit
begießen, begoß, begossen to water, sprinkle
der **Beginn,** -s beginning
beginnen, begann, begonnen to begin
sich **begnügen** to be satisfied
begraben, begrub, begraben, begräbt to bury
begrenzen to limit
der **Begriff,** -s, -e concept, idea; **im Begriff sein** to be on the point of
begrüßen to greet
behandeln to treat
behaupten to maintain, assert
sich **behaupten** to hold one's ground
beherrschen to rule, dominate
behilflich helpful
die **Behörde,** -n public office, public authority
beide both
das **Bein,** -es, -e leg
beinahe almost
das **Beispiel,** -s, -e example; **zum Beispiel** for example; der **Beispielsatz,** -es, ⁻e illustration sentence
der **Beitrag,** -s, ⁻e contribution
bekämpfen to oppose, combat

bekannt known, well-known
der Bekannte, -n, -n acquaintance
bekennen, bekannte, bekannt to acknowledge, confess
sich beklagen to complain
bekommen, bekam, bekommen to get, receive
belasten to burden, tax
belästigen to bother
sich belaufen, belief, belaufen, beläuft (auf) to amount (to)
beliebt popular
die Beliebtheit popularity
bemerken to notice, observe, remark
sich bemühen (um) to apply (for)
die Benediktinerabtei, -en Benedictine abbey
benutzen to use
beobachten to observe
die Beobachtung, -en observation
bequem comfortable
beratend advisory
bereit ready; **bereits** already
der Berg, -es, -e mountain; **die Bergkuppe, -n** mountaintop; **das Bergwerk, -s, -e** mine
der Bericht, -s, -e report
berichten to report
die Berichterstattung reporting
berücksichtigen to take into consideration
der Beruf, -s, -e occupation, profession
die Berufsschule, -n (part time) trade school; **der Berufsschüler, -s, —** trade school student; **der Berufssoldat, -en, -en** professional soldier
berühmt famous
die Besatzung occupation
der Besatzungsgeschädigte, -n, -n person who incurred loss as result of military occupation; **die B.-kosten** (*pl.*) costs of occupation; **die B.-macht, ⁻e** occupying power; **die B.-politik** occupation policy; **das B.-statut, -en** occupation statute; **die B.-truppen** (*pl.*) occupation troops; **die B.-zeit** period of occupation; **die B.-zone, -n** occupation zone; **die B.-zwecke** (*pl.*) purposes of occupation

beschädigen to damage
beschaffen to procure
die Beschaffung obtaining, procuring
beschäftigen to employ
beschlagnahmen to confiscate, requisition
beschließen, beschloß, beschlossen to decide
der Beschluß, -(ss)es, ⁻(ss)e decision, resolution
beschränkt limited
beseitigen to remove, do away with
besetzen to occupy
besichtigen to inspect
die Besichtigung, -en inspection
besiegen to defeat
besiegeln to seal
der Besitz, -es, -e possession, property
besitzen to possess
besonder- special
besonders especially
besprechen, besprach, besprochen, bespricht to discuss
besser dran sein to be better off
bestehen, bestand, bestanden to exist, pass (an examination); **bestehen aus** to consist of
bestellen to order, cultivate (land)
bestimmen to decide, determine
die Bestimmung, -en rule, regulation
bestrafen to punish
die Bestrafung punishment
die Bestrebung, -en endeavor
der Besuch, -es, -e visit
besuchen to visit, attend
der Besucher, -s, — visitor
beteiligt sein an to have a share in
betonen to emphasize
die Betonung emphasis
betrachten to regard, consider
beträchtlich considerable
der Betrag, -s, ⁻e amount
betragen, betrug, betragen, beträgt to amount to
betreffen, betraf, betroffen, betrifft to concern, affect; **nicht betroffen** not affected
betreiben, betrieb, betrieben to carry on, pursue

213

betreten, betrat, betreten, betritt to enter
der Betrieb, -s, -e (industrial) plant
das Bett, -es, -en bed; **die Bettruhe** "lights out"; **die Bettwäsche** bedlinen
bettelarm destitute
die Bevölkerung, -en population
der Bevölkerungskreis, -es, -e class of society
bevorzugen to favor, prefer
die Bevorzugung preferential treatment
bewachen to watch, guard
bewahren (vor) to save (from)
sich bewähren to stand the test
bewegt agitated, eventful
die Bewegung, -en movement, moving about
bewirken to cause, bring about
bewohnbar inhabitable
bewohnen to inhabit
bewundern to admire
die Bewunderung admiration
bezahlen to pay
bezeichnen to designate
bezeichnend significant, characteristic
beziehen, bezog, bezogen to draw, receive
die Beziehung, -en relationship
beziehungsweise respectively, or
der Bezirkstag, -es, -e district parliament, district council
das Bier, -es beer
der Bierkrug, -es, ⁻e beer mug, stein
bieten, bot, geboten to offer, present
das Bild, -es, -er picture
bilden to form
die Bilderseite, -n picture page
die Bildkarte, -n portrait picture
die Bildung, -en formation
billig cheap
binden, band, gebunden to bind, tie
die Biologie biology
bis up to, to, until
bisher (*adj.:* **bisherig**) until now
bissig biting, caustic
bitte please
die Bitte, -n request

bitten, bat, gebeten (um) to ask (for), request
bitter bitter
die Bitterkeit bitterness
blamieren to make ridiculous, disgrace
das Blatt, -es, ⁻er leaf, newspaper
blättern to leaf (through)
bleiben, blieb, ist geblieben to stay, remain
der Blick, -es, -e look, glance
blicken to look, glance
der Block, -(e)s block
die Blockade, -n blockade
blockieren to block, blockade
bloß only
die Blume, -n flower
der Blumenstand, -s, ⁻e flower stand
blutig bloody, brutal
bombardieren to bombard
der Bombenangriff, -s, -e bombing attack; **der Bombenkrieg, -es** bomb warfare, aerial warfare
der Bonze, -n, -n bigwig
die Botschaft, -en embassy
der Botschafter, -s, — ambassador
brauchen to need
brechen, brach, gebrochen, bricht to break
breit broad, wide, large
das Brennmaterial, -s, -ien fuel
das Brett, -es, -er board
der Brief, -es, -e letter
bringen, brachte, gebracht to bring
das Brot, -es bread
die Brücke, -n bridge
brummen to grumble, mutter
der Brunnen, -s, — well, fountain
brüten to brood
der Buchhalter, -s, — bookkeeper
die Bühne, -n stage, theater
bummeln to stroll
der Bund, -es league, union, federation
die Bundesausgaben (*pl.*) federal expenditures; **der B.-genosse, -n, -n** ally; **die B.-hauptstadt** federal capital; **das B.-haus, -es** Federal Parliament Building; **die B.-kanzlei** Federal Chancellery; **der B.-kanzler, -s** Federal Chancellor;

das B.-postministerium, -s Federal Ministry of Postal Service; **der B.-präsident, -en** Federal President; **der B.-rat, -s** Upper House of Federal Parliament; **das B.-recht, -s** Federal Law; **die B.-republik** Federal Republic; **der B.-tag, -s** Lower House of Federal Parliament; **das B.-verfassungsgericht, -s** Federal Constitutional Court; **die B.-versammlung** Federal Assembly
das Bündnissystem, -s system of alliances
der Bunker, -s, — bunker, air-raid shelter
bunt colorful
die Burg, -en castle
der Bürger, -s, — citizen
bürgerlich "middle class," moderately expensive
der Bürgersteig, -s, -e sidewalk
das Bürgertum, -s middle class
das Büro, -s, -s office
der Bus, -ses, -se bus; **der Busverkehr, -s** bus traffic
die Butter butter
bzw. (beziehungsweise) respectively, or

das Café, -s, -s café
das Chaos, — chaos
chaotisch chaotic
der Charakter, -s, -e character, person
der Chauffeur, -s, -e chauffeur
die Chemie chemistry
der Chemiekonzern, -s chemical concern
der Chor, -s ⸚e chorus
die Christenheit Christendom
der Christus, Christi Christ
 vor Christi Geburt before the birth of Christ, B.C.
 nach Christi Geburt after the birth of Christ, A.D.
christlich Christian
das Couleurtragen, -s wearing fraternity colors (on cap and sash)

d. h. (das heißt) that is (to say)
die D M (Deutsche Mark) German mark

dabei at the same time, in doing so, in that connection, on that point
das Dach, -es, ⸚er roof
die Dachgeschoßwohnung, -en attic apartment
die Dachkammer, -n attic room
dadurch through that, because of that
dagegen against it, on the other hand
daher therefore, consequently
dahin-rasen (sein) to race along
dahinter behind that
damalig- then, of that time
damals at that time
die Dame, -n lady
damit with that, by that, in order that
danach after that
(das) Dänemark, -s Denmark
dänisch Danish
der Dank, -es thanks
dankbar grateful
danken to thank
dann then
daran at it, of it, on it
darauf on it, thereafter
daraus out of it, from it
darin in it
dar-stellen to represent
darüber about it, about
darunter under it, among them
dauern to last, endure
davon of it, of that
davon-kommen, kam davon, ist davongekommen to escape
dazu to it, to that
dazwischen in between, among them
die Decke, -n ceiling
decken to cover, set (a table)
das Defizit, -s deficit
der Demonstrationszug, -s, ⸚e demonstration march, parade
demonstrieren to demonstrate
die Demontage dismantling
demontieren to dismantle
die Demütigung, -en humiliation
denken, dachte, gedacht to think; **sich denken** to imagine
denn for, because, anyway
derartig such, of this sort
derjenige, diejenige, dasjenige the one, that one

215

derselbe, dieselbe, dasselbe the same
deshalb therefore, for that reason
desorganisieren to disorganize
deswegen on that account
deutlich clear, distinct
(das) Deutsch German (language)
deutsch German; **auf deutsch** in German
der Deutsche, -n, -n German
(das) Deutschland Germany
dezentralisieren to decentralize
dicht dense
der Dichter, -s, — poet, writer
dickgedruckt in heavy print
dienen to serve
der Dienst, -es, — service; **das Dienstauto, -s, -s** company car; **das Dienstjahr, -es, -e** year of service; **die Dienststelle, -n** office, agency
der Diktator, -s, -en dictator
die Diktatur dictatorship
diktieren to dictate
das Ding, -s, -e thing
die Diplomatie diplomacy
die Direktive, -n directive
der Direktor, -s, -en director
doch indeed, surely, oh yes
die Doktorfrage, -n complicated question
der Dom, -es, -e cathedral
die Donau Danube
das Donnerwetter, -s, — thunderstorm; (interjection) Hang it all!
das Doppelhaus, -es, ̈er two-family house, duplex
doppelt double
das Dorf, -es, ̈er village
dort there
dort drüben over there
dorthin there, to that place
das Drama, -s, Dramen drama
der Dramatiker, -s, — dramatist
drängen to press, push, crowd
draußen outside
dreijährig three-year-old
das Dreiklassenwahlrecht, -s three-class suffrage
dreimal three times
dringend urgent

das Drittel, -s, — third
drittens thirdly
drohen to threaten
der Druck, -es pressure
drucken to print
drückend pressing
der Dualismus dualism
dulden to permit
dunkel dark
durchaus completely, thoroughly
das Durcheinander, -s confusion
durch-fallen, fiel durch, ist durchgefallen, fällt durch to fail (an examination)
durch-führen to carry out
durch-machen to go through
die Durchmischung intermingling
die Durchreise trip through
der Durchschnitt, -s cross-section, average
durchschnittlich average, on the average
die Durchschnittsgeschwindigkeit average speed
durch-sehen, sah durch, durchgesehen, sieht durch to look through
sich durch-setzen to succeed
durch-streifen to roam through
durchweg altogether, entirely
dürfen, durfte, gedurft, darf may, can, must, to be permitted
die Dürre, -n drought
das Dutzend, -s, -e dozen
dynastisch dynastic

eben just, just now, precisely
ebenbürtig of equal rank
ebenfalls likewise
ebenso (wie) just as
die Ecke, -n corner
ehe before; **ehemalig** former; **ehemals** formerly
die Ehre, -n honor
ehrgeizig ambitious
ehrlich honest
ehrwürdig venerable
der Eid, -es, -e oath; **einen Eid leisten** to take an oath
eifersüchtig jealous
eigen own, separate

eigentlich real, actual
das Eigentum, -s property
eigentümlich peculiar, unique
eilig hurried; **es eilig haben** to be in a hurry
der Eimer, -s, — pail
einander one another
die Einbahnstraße, -n one-way street
ein-biegen, bog ein, ist eingebogen to turn into
ein-brechen, brach ein, ist eingebrochen, bricht ein to break into (a house)
ein-dringen, drang ein, ist eingedrungen to penetrate
der Eindruck, -s, ⸚e impression
eindrucksvoll impressive
einfach simple
ein-fallen, fiel ein, ist eingefallen, fällt ein to fall in, sink; **mir fällt ein** it occurs to me
der Einfluß, -(ss)es, ⸚(ss)e influence
einflußreich influential
ein-führen to introduce, set up, establish
ein-gehen, ging ein, ist eingegangen (auf) to enter (upon)
eingestellt (auf) adapted to, prepared for
die Eingliederung integration
ein-greifen, griff ein, eingegriffen to intervene
ein-halten, hielt ein, eingehalten, hält ein to follow, keep to
einheimisch native
der Einheimische, -n, -n native
die Einheit, -en unit, unity
einig united, agreed
einige some, several
sich einigen auf to agree upon
einigermaßen to some extent
die Einigung unification
der Einkauf, -s, ⸚e purchase
ein-kaufen to shop; **einkaufen gehen** to go shopping
das Einkommen, -s — income
ein-laden, lud ein, eingeladen, lädt ein to invite
die Einladung, -en invitation
ein-leiten to introduce, initiate

einmal once, at one time, sometime; **erst einmal** first of all; **nicht einmal** not even; **noch einmal** once more
der Einmarsch, -es entry, invasion
sich ein-mischen to interfere, meddle
ein-nehmen, nahm ein, eingenommen, nimmt ein to occupy, take up; **eine Mahlzeit einnehmen** to take a meal
der Einparteienstaat, -es, -en one-party state
ein-richten to furnish
die Einrichtung, -en equipment, institution
ein-schenken to pour
ein-schlafen, schlief ein, ist eingeschlafen, schläft ein to go to sleep
ein-schließen, schloß ein, eingeschlossen to enclose, include
der Einschluß, -(ss)es inclusion
ein-schränken to limit
ein-sehen, sah ein, eingesehen, sieht ein to see, realize
einseitig one-sided
ein-setzen to put in, set up
einst once, at one time
ein-steigen, stieg ein, ist eingestiegen to get in
die Einstellung, -en attitude
einstöckig one-story
ein-tauschen to give in trade, barter
ein-treffen, traf ein, ist eingetroffen, trifft ein to arrive
ein-treten, trat ein, ist eingetreten, tritt ein to enter
der Eintritt, -s entrance, entry
einverstanden in agreement
ein-wandern (sein) to immigrate
der Einwohner, -s, — inhabitant
die Einwohnerzahl number of inhabitants
das Einzelhaus, -es, ⸚er single house, one-family house
die Einzelheit, -en detail
einzeln single, individual; **im einzelnen** in detail
das Einzelzimmer, -s, — single room
ein-ziehen, zog ein, eingezogen to draft, collect

217

ein-ziehen, zog ein, ist eingezogen to move into
einzig single, sole
einzigartig unique
die Eisenbahn, -en railway, train
die Eisenbahnlinie, -n railway line
eisern iron
das Elend, -s misery
das Elendsgebiet, -es, -e depressed area
die Eliminierung elimination
(das) Elsaß Alsace
die Eltern (*pl.*) parents
emigrieren (sein) to emigrate
der Empfänger, -s, — receiver
die Empfangshalle foyer
empfehlen, empfahl, empfohlen, empfiehlt to recommend
sich empor-arbeiten to work one's way up
das Ende, -s, -en end
enden to end
endgültig final
endlich finally
die Energie, -n energy
eng narrow
der Engel, -s, — angel
(das) England England
der Engländer, -s, — Englishman
das Enkelkind, -s, -er grandchild
enorm enormous
entbehren to do without
entfernt distant
die Entfernung, -en distance
entflammen to inflame
entgegen-kommen, kam entgegen, ist entgegengekommen to come toward
enthalten, enthielt, enthalten, enthält to contain
entlang along
entlassen, entließ, entlassen, entläßt to dismiss, discharge
entleihen, entlieh, entliehen to borrow
entmilitarisieren to demilitarize
die Entnazifizierung denazification
das Entnazifizierungsverfahren, -s, — denazification proceeding
der Entrechtete, -n, -n person deprived of rights

das Entrinnen, -s escape
die Entschädigung, -en compensation
entscheiden, entschied, entschieden to decide
die Entscheidung, -en decision
entschuldigen to excuse
entsprechen, entsprach, entsprochen, entspricht to correspond to
entstehen, entstand, ist entstanden to arise, come into being
die Entstehung origin
enttäuschen to disappoint
die Enttäuschung, -en disappointment
entweder . . . oder either . . . or
entwerten to depreciate
(sich) entwickeln to develop
die Entwicklung, -en development
die Epoche, -n epoch
das Erachten, -s opinion; **meines Erachtens** in my opinion
(sich) erarbeiten to work up, master
erbauen to erect, build
der Erbauer, -s, — builder
erben to inherit
erblich hereditary
der Erdboden, -s soil, ground; **dem Erdboden gleich machen** to level
das Ereignis, -ses, -se event
erfahren, erfuhr, erfahren, erfährt to find out, learn, experience
die Erfahrung, -en experience
der Erfolg, -s, -e success
erfolgen (sein) to take place
erfordern to demand, require
sich erfreuen (*gen.*) to enjoy
erfüllen to fulfill
die Erfüllung fulfillment
das Ergebnis, -ses, -se result, outcome
ergreifen, ergriff, ergriffen to seize
erhaben august, exalted
erhalten, erhielt, erhalten, erhält to obtain, receive, preserve
der Erhalter, -s preserver, supporter
sich erheben, erhob, erhoben to rise
erheblich considerable
die Erhebung, -en elevation
sich erholen to recover
erinnern (an) to remind (of)

sich erinnern (an) to remember
die Erinnerung, -en remembrance
erkennen, erkannte, erkannt to recognize
erklären to explain, declare
die Erklärung, -en explanation, declaration
erleben to experience
die Erleichterung alleviation, relief
erleiden, erlitt, erlitten to suffer
erleuchten to illuminate
die Ermäßigung, -en reduction
ermöglichen to make possible
ermorden to murder
ernähren to feed, support
die Ernährungslage food situation
ernennen, ernannte, ernannt to appoint
die Ernennung, -en appointment
der Erneuerer, -s, — renewer, restorer
die Erneuerung regeneration
ernst serious
der Ernst, -es seriousness; **im Ernst** in earnest, seriously
erobern to conquer
die Eroberung, -en conquest
der Eroberungskrieg, -es, -e war of conquest
eroberungslustig desirous of conquest
erregen to excite, arouse
erreichen to reach
errichten to establish
erscheinen, erschien, ist erschienen to appear
erschweren to make more difficult
ersetzen to replace
erst first, only, not until; **erst einmal** first of all
erstens first, in the first place
erstaunen to astonish
erstaunlich astonishing
sich erstrecken to stretch, extend
ertönen to sound
erwachsen adult
der Erwachsene, -n, -n adult
erwähnen to mention
erwarten to await, expect
sich erweisen, erwies, erwiesen to prove

erwidern to reply
erzählen to tell, relate
der Erzieher, -s, — educator, teacher
erzielen to achieve, attain
essen, aß, gegessen, ißt to eat
das Essen, -s food, meal
etwa perhaps, approximately
etwas some, somewhat, something, anything
die Eule, -n owl
(das) Europa Europe
europäisch European
die Evakuation evacuation
evangelisch Evangelical, Protestant
ewig eternal
das Examen, -s, — examination
die Existenz, -en existence, life
existieren to exist
das Experiment, -s, -e experiment
der Export, -s, -e export
exportieren to export
der Exportkaufmann, -s, Exportkaufleute export merchant
das Exportmodell, -s, -e export model

fabelhaft fabulous, marvelous
die Fabrik, -en factory
das Fach, -es, ⸚er subject, course; **der F.-arbeiter, -s, —** skilled worker; **der F.-mann, -s, Fachleute** expert; **die F.-schule, -n** advanced vocational school; **die F.-zeitschrift, -en** scientific or learned journal
fachsimpeln to talk shop
der Fachwerkbau, -s, -ten half-timbered building
die Facon manner, fashion
fähig able, capable
das Fährboot, -s, -e ferry-boat
fahren, fuhr, ist gefahren, fährt to go, travel, drive
der Fahrer, -s, — driver
die Fahrkarte, -n ticket
der Fahrpreis, -es, -e fare
die Fahrt, -en trip
der Faktor, -s, -en factor
der Fall, -es, ⸚e case
fallen, fiel, ist gefallen, fällt to fall
das Faltblatt, -s, ⸚er folder, leaflet

die Falte, -n wrinkle
die Familie, -n family
die Farbe, -n color
färben to color
die Fassade, -n facade
fassen to get hold of, seize
fast almost
fehlen to be lacking
feierlich solemn
feindlich hostile
das Feld, -es, -er field
der Feldherr, -n, -en general
das Fenster, -s, — window
die Fensterscheibe, -n window pane
die Ferien (*pl.*) vacation; der Ferienmonat, -s, -e vacation month, summer month; die Ferienreise, -n vacation trip
das Fernsehen, -s television
die Fernsehgebühr, -en television fee
der Fernsehsender, -s, — television station
die Ferse, -n heel
fertig finished, ready
fertig-bringen, brachte fertig, fertiggebracht to accomplish
fertig-stellen to complete
die Fessel, -n fetter, chain, shackle
fest firm, fixed, permanent
die Festlegung determination
fest-stellen to determine
die Feststellung, -en finding
die Festung, -en fortress
die Fettration, -en fat ration
der Feudalismus feudalism
das Feuer, -s, — fire, light
der Feuerschein, -s glare of fire
das Feuilleton, -s, -s critical and literary part of newspaper
der Film, -s, -e film; die F.-industrie motion picture industry; die F.-produktion film production; das F.-wesen, -s film industry
das Finanzamt, -s, ⸚er tax office
finanziell financial
der Finanzminister, -s, — Secretary of the Treasury
finden, fand, gefunden to find
der Finger, -s, — finger
die Firma, Firmen firm
die Fläche, -n surface, area

die Flasche, -n bottle
das Fleckchen, -s, — little spot
das Fleisch, -es meat; die Fleischration, -en meat ration
fleißig industrious
die Fliege, -n fly
fliegen, flog, ist geflogen to fly
der Fliegergeneral, -s, -e air force general
fliehen, floh, ist geflohen to flee, escape
fließen, floß, ist geflossen to flow
fließend fluent
die Flotte, -n navy
der Flottenpakt, -s, -e naval pact
die Flucht, -en flight, escape
flüchten to flee, escape
der Flüchtling, -s, -e refugee
das Flüchtlingskind, -es, -er refugee child
das Flüchtlingslager, -s, — refugee camp
die Flugkarte, -n airplane ticket
der Flugplatz, -es, ⸚e airport
die Flugroute, -n flight route
die Flugzeit, -en flying time
das Flugzeug, -s, -e airplane
der Fluß, -(ss)es, ⸚(ss)e river
flußaufwärts upstream
das Flußufer, -s, — river bank
flüstern to whisper
die Folge, -n consequence
folgen (sein) to follow, succeed
fordern to demand, ask
die Forderung, -en demand, requirement
die Form, -en form
förmlich formal
forsch active, energetic
fort-fahren, fuhr fort, fortgefahren, fährt fort to continue
der Fortschritt, -s, -e advance, progress
fortschrittlich progressive
fort-setzen to continue
die Fortsetzung, -en continuation
fortwährend continuous, constant
die Frage, -n question
fragen to ask
der Frankenkönig, -s, -e king of the Franks

220

(das) **Frankreich, -s** France
der **Franzose, -n, -n** Frenchman
französisch French
die **Frau, -en** woman, wife
die **Frauenoberschule, -n** (type of) girls' secondary school
frech impudent
frei free
die **Freiheit, -en** freedom
die **Freiheitsbewegung, -en** freedom movement
die **Freiheitsglocke** liberty bell
der **Freiheitskampf, -es, ⸚e** struggle for freedom
freiheitlich freedom-loving, liberal
der **Freiherr, -n, -en** baron
das **Freilichttheater, -s, —** open-air theater
frei-machen to make free
freimütig candid, frank
freiwillig voluntary
fremd strange, foreign
der **Fremde, -n, -n** stranger, foreigner
der **Fremdenführer, -s, —** tourist guide
die **Fremdenlegion** Foreign Legion
die **Fremdsprache, -n** foreign language
fressen, fraß, gefressen, frißt to devour
die **Freude, -n** joy
freuen to please; **sich freuen** to be glad; **sich freuen auf** to look forward to
der **Freund, -es, -e** friend
die **Freundin, -nen** girl friend
der **Friede, -ns** peace
friedebringend peace-bringing
der **Friedensvertrag, -s, ⸚e** peace treaty
die **Friedenszeit, -en** time of peace
friedlich peaceful
froh glad, happy
früh early
früher earlier, formerly
das **Frühjahr, -es** spring
das **Frühstück, -s, -e** breakfast
fühlen to feel
führen to lead, conduct, carry on; **Krieg führen** to wage war

der **Führer, -s, —** leader, guide
die **Führung, -en** guided tour
füllen to fill up
funktionieren to function, operate
furchtbar terrible
fürchten to fear
der **Fürst, -en, -en** prince
das **Fürstentum, -s, ⸚er** principality
der **Fuß, -es, ⸚e** foot
der **Fußball, -s** soccer
das **Fußballspiel, -s, -e** soccer game
die **Fußwanderung, -en** hike

ganz entire, whole, quite, very
gar nicht not at all; **gar nichts** nothing at all
die **Garage, -n** garage
die **Garnison, -en** garrison
der **Garten, -s, ⸚** garden
das **Gas, -es, -e** gas
die **Gasleitung, -en** gas line
die **Gasse, -n** narrow street, alley
der **Gast, -es, ⸚e** guest; das **Gasthaus, -es, ⸚er** restaurant, inn, tavern; der **Gasthof, -s, ⸚e** hotel, inn
die **Gastspielreise, -n** tour (of actors)
das **Gebäude, -s, —** building
geben, gab, gegeben, gibt to give; **es gibt** there is, there are
das **Gebiet, -s, -e** area, region, territory
gebildet educated, cultured
geboren born
der **Gebrauch, -s, ⸚e** custom
gebrauchen to use
die **Gebühr, -en** fee
die **Geburt, -en** birth
das **Geburtshaus, -es, ⸚er** house of birth, birthplace
der **Geburtsort, -s, -e** native town, birthplace
die **Geburtsstadt, ⸚e** native city, birthplace
der **Gedanke, -ns, -n** thought
gedenken, gedachte, gedacht (*gen.*) to think of, remember
die **Gedenktafel, -n** memorial tablet
die **Gefahr, -en** danger
gefährlich dangerous
gefallen, gefiel, gefallen, gefällt to please; **sich gefallen lassen** to put up with

der Gefallen, -s, — favor
die Gefangenschaft captivity, imprisonment
der Gegenangriff, -s, -e counterattack
das Gegengewicht, -s, -e counterweight, balance
der Gegensatz, -es, ⁻e contrast, opposition, antagonism
gegenseitig mutual
der Gegenspieler, -s, — opponent
das Gegenteil, -s opposite; im Gegenteil on the contrary
gegenüber opposite, by comparison to
der Gegenverkehr, -s countertraffic
der Gegner, -s, — opponent, antagonist
das Gehalt, -s, ⁻er salary
die Gehaltsaufbesserung salary increase
geheim secret
der Geheimvertrag, -s, ⁻e secret treaty
gehen, ging, ist gegangen to go, walk; zu Ende gehen to come to an end
gehören (dat.) to belong (to)
der Geist, -es, -er spirit, mind, intellect
geistig spiritual, intellectual
das Geld, -es money; der Geldbetrag, -s, ⁻e amount of money; die Geldentwertung depreciation of money; das Geldverdienen, -s earning money, making money
gelegen situated
die Gelegenheit, -en opportunity
die Gelegenheitsarbeit occasional work
gelegentlich occasional
gelehrt learned, scholarly
gelingen, gelang, ist gelungen to succeed; es gelingt mir I succeed
gelten, galt, gegolten, gilt to be valid, to be considered
gemäßigt moderate
die Gemeinde, -n community
gemeinsam common, joint, mutual
die Gemeinschaftsschule, -n nonsectarian public elementary school

das Gemüse, -s, — vegetable; der Gemüseladen, -s, ⁻ vegetable store
gemütlich congenial, comfortable
die Gemütlichkeit comfort, coziness
genährt nourished, fed
genau exact, strict
der General, -s, -e general
der Generaldirektor, -s, -en general manager
der Generalstab, -s, ⁻e general staff, Joint Chiefs of Staff (U.S.)
genug enough
genügen to suffice
die Geographie geography
das Geplauder, -s chat, small talk
das Gepräge, -s stamp, character
gerade just, straight; geradezu downright
gerecht just, fair
der Gerichtshof, -es, ⁻e law court
gering small, slight; nicht im geringsten not in the least
der Germane, -n, -n Teuton
der Germanist, -en, -en student of Germanic philology or literature
gern gladly; gern haben to like
gesamt whole, entire
gesamtdeutsch all-German
das Geschäft, -s, -e store, business
geschäftlich commercial, on business
der Geschäftsführer, -s, — business manager; das G.-haus, -es, ⁻er business building, firm; die G.-straße, -n business street; das G.-viertel, -s, — business district; das G.-zentrum, -s, -zentren business center
geschehen, geschah, ist geschehen, geschieht to happen
die Geschichte, -n history, story
geschichtlich historical
das Geschichtsbuch, -es, ⁻er history book
der Geschmack, -s taste
das Geschwätz, -es chatter
die Geschwindigkeit, -en speed
die Gesellschaft, -en company
gesellschaftlich social
das Gesetz, -es, -e law
die Gesetzgebung legislation
das Gesicht, -s, -er face

222

gespenstig ghostlike
das Gespräch, -s, -e conversation
die Gestalt, -en figure
gestern yesterday; **gestern abend** last night
gesund healthy
gesunden to recover
die Gesundheit health
das Getränk, -es, -e drink
getreu faithful, accurate
gewähren to grant
die Gewalt, -en force, power
die Gewaltherrschaft despotism
gewaltig powerful, huge, enormous
das Gewand, -es, ⁻er garment, attire
das Gewerbe, -s, — trade, business
die Gewerkschaft, -en trade union
der Gewerkschaftsbund, -es association of trade unions
der Gewinn, -s, -e gain
gewinnen, gewann, gewonnen to gain
gewiß certain
sich gewöhnen an to get used to
gewöhnlich usual
die Gießkanne, -n watering-can
glänzend brilliant, splendid
das Glas, -es, ⁻er glass
die Glatze, -n bald head
glauben to believe
gleich equal, same, immediately
gleichaltrig of the same age
die Gleichberechtigung equality of rights
gleichen to resemble
gleichzeitig at the same time
das Gleis, -es, -e rail track
das Glück, -s luck; **Glück haben** to be lucky
die Gnade grace
gotisch Gothic
der Gott, -es, ⁻er god
Gott sei Dank! Thank God!
der Grammatikunterricht, -s grammar instruction
die Grenze, -n border, boundary
die Grenzveränderung, -en boundary change
griechisch Greek
groß great, large
großartig magnificent

die Großbank, -en large bank
die Größe, -n size
die Großmacht, ⁻e great power
die Großstadt, ⁻e large city
großzügig generous, liberal
der Grund, -es, ⁻e reason
gründen to found, establish
das Grundgesetz, -es Basic Law (provisional German Constitution, 1949)
gründlich thorough
grundsätzlich based on principle
der Grundstein, -s, -e corner stone, foundation
die Grundstoffindustrie, -n raw material industry, basic industry
die Gründung, -en founding, establishment
die Gruppe, -n group
grüßen to greet
gut good, well
das Guthaben, -s, — bank account
das Gymnasium, -s, Gymnasien secondary school (nine-year course)

haben, hatte, gehabt, hat to have
der Habsburger, -s, — member of the Hapsburg dynasty
habsburgisch of the Hapsburg dynasty
der Hafen, -s, ⁻ harbor
die Haftpflichtversicherung liability insurance
halb half
halbhoch low
die Hälfte, -n half
das Hallo, -s din, hullabaloo
Halt machen to stop
halten, hielt, gehalten, hält to hold, stop, keep; **halten für** to consider; **halten von** to think of
die Haltung attitude
die Hand, ⁻e hand; **die Hand geben** to shake hands
der Handel, -s trade, commerce, business
sich handeln um to be a matter of
die Handelsflotte, -n merchant marine
die Handelsorganisation trade organization, HO (Soviet Zone agency)

223

das **Handelszentrum, -zentren** trade center
der **Hang, -es,** ⸚e slope
die **Hansa** Hanseatic League
hart hard, severe
die **Hast** haste, hurry
der **Haß, -(ss)es** hate
häufig frequent
das **Haupt, -es,** ⸚er head, chief; der **H.-eindruck, -s,** ⸚e chief impression; die **H.-etappe, -n** chief stage; das **H.-gebäude, -s,** — main building; die **H.-handelsstraße, -n** main trade route; das **H.-problem, -s, -e** chief problem; die **H.-quelle, -n** chief source; die **H.-sache** main thing; die **H.-stadt,** ⸚e capital; der **H.-verkehrsplatz, -es,** ⸚e site of greatest traffic; das **H.-verwaltungsgebäude, -s,** — main administration building; die **H.-zeitung, -en** main newspaper, large newspaper; das **H.-ziel, -es, -e** chief goal
hauptsächlich chief, main
das **Haus, -es,** ⸚er house
die **Hausfrau, -en** housewife
der **Haushalt, -es, -e** household
das **Haushaltsgeld, -es** housekeeping money
häuslich domestic
der **Hausrat, -es** household furniture, household equipment
die **Hausratshilfe** (government) aid to purchase household equipment
die **Haustür, -en** front door
hauswirtschaftlich of home economics
das **Heer, -es, -e** army
das **Heft, -es, -e** notebook
heikel difficult, ticklish
heilig holy, sacred
die **Heimat** home, native place, native country; die **Heimatstadt,** ⸚e native city; der **Heimatvertriebene, -n, -n** expellee
heim-kehren (sein) to return
heimlich secret
heiraten to marry
heißen, hieß, geheißen to be called, mean, signify; das **heißt** that is to say; **es heißt** it is said, they say

heizen to heat
helfen, half, geholfen, hilft to help
der **Helfer, -s,** — helper
das **Hemd, -es, -en** shirt
der **Hemdsärmel, -s,** — shirt sleeve
der **Henkel, -s,** — handle
her here, this way
heran up to, over to
heran-reichen an to come up to
heraus-kommen, kam heraus, ist herausgekommen to come out, get out of
herbei-führen to bring about
herbei-holen to bring up, pull up
die **Herberge, -n** hostel
die **Herbergsmutter** wife of hostel manager; der **H.-vater, -s** hostel manager; der **H.-verband, -es,** hostel association; das **H.-werk** Youth Hostel movement
der **Herbst, -es, -e** fall, autumn
der **Herr, -n, -en** man, gentleman, master, Mr.
herrlich magnificent, splendid
die **Herrschaft** rule
herrschen to rule, prevail
her-stellen to produce, manufacture
die **Herstellung** production
hervorragend outstanding
das **Herz, -ens, -en** heart
herzlich hearty, cordial
heute today
heute abend tonight
heutig present-day, present
hier here
hierher here, to this place
die **Hilfe, -n** help, aid
die **Hilflosigkeit** helplessness
die **Hilfsaktion, -en** relief
der **Hilfsarbeiter, -s,** — helper, unskilled worker
hin und wieder now and then
hinauf-wandern (sein) to wander up
hinaus-gehen, ging hinaus, ist hinausgegangen to go out
hindern to hinder
hindurch through, throughout, across
hinein into
hinein-wachsen, wuchs hinein, ist hineingewachsen, wächst hinein to grow into, spread out

sich hin-setzen to sit down
die Hinsicht regard, respect
hinsichtlich (*gen.*) regarding
hinten (*adv.*) behind, in back
das Hinterland, -es hinterland
hinunter-gehen, ging hinunter, ist hinuntergegangen to go down
hinzu-kommen, kam hinzu, ist hinzugekommen to be added
der Historiker, -s, — historian
historisch historical
die Hitzewelle, -n heat wave
hoch high
das Hochgebirge, -s, — chain of high mountains
das Hochhaus, -es, ⸚er tall building, sky scraper
der Hochkommissar, -s, -e High Commissioner
die Hochkommission High Commission
der Hochofen, -s, ⸚ blast furnace
hoffen to hope
hoffentlich it is to be hoped
hoffnungslos hopeless
der Hofnarr, -en, -en court jester
die Höhe, -n height, altitude
der Höhepunkt, -es, -e high point
holen to get, fetch
der Holländer, -s, — Dutchman
das Holzbild, -es, -er wood carving, wooden figure
der Holzsarg, -es, ⸚e wooden coffin
hören to hear
der Hörer, -s, — listener
hübsch good looking, pretty
hügelig hilly
der Humor, -s humor
der Hunger, -s hunger
hungern to be hungry, starve
die Hungersnot, ⸚e famine
die Hungerzeit period of starvation
hupen to honk

die Idee, -n idea
die Ideologie, -n ideology
die Illustrierte, -n illustrated magazine
immer always; **immer noch** still; **immer weiter** farther and farther;
immer wieder again and again
immerhin after all
der Imperialismus imperialism
der Impuls, -es, -e impulse
indem while, as
die Industrie, -n industry; **die I.-anlage, -n** industrial plant; **das I.-gebiet, -es, -e** industrial region; **der I.-staat, -es, -en** industrial country; **der I.-wert, -es, -e** industrial assets; **das I.-zentrum, -s, -zentren** industrial center
industriell industrial
die Infanterie infantry
die Inflation inflation
infolgedessen consequently
informieren to inform
der Inhalt, -s contents
der Innenminister, -s, — Secretary of the Interior.
die Innenpolitik domestic policy
die Innenstadt inner city
inner inner
innerhalb within
innerpolitisch of domestic policy
die Insel, -n island
insgesamt altogether
insofern in so far as
der Inspektor, -s, -en inspector
inspirieren to inspire
die Integration integration
der Intellektuelle, -n, -n intellectual
intensiv intensive
interalliiert inter-Allied
interessant interesting
das Interesse, -s, -n interest
interessieren to interest; **sich interessieren für** to take an interest in
die Invalidenversicherung invalid insurance
die Invasion, -en invasion
das Investitionskapital, -s investment capital
irgendein any, some
irgendwelch- of any sort
irgendwie in any way
irgendwo somewhere
irre-führen to mislead
der Irrtum, -s, ⸚er error, mistake
die Isolierung isolation
(das) Italien Italy

225

ja yes, indeed, of course
die Jagd hunt, chase
jagen to hunt, chase
das Jahr, -es, -e year; **seit Jahren** for years; **vor Jahren** years ago
jahrelang for years
das Jahrhundert, -s, -e century
jährlich annual
das Jahrzehnt, -s, -e decade
jammern to wail, lament
je(mals) ever, at any time
je ... desto, je ... umso the (more) ... the (more)
je nach according to, depending on
jedenfalls in any case
jederzeit at any time
jemand someone, anyone
jenseits beyond, on the other side (of)
jetzt now; **von jetzt ab** from now on
jeweils at any given time, in each case
der Journalist, -en, -en journalist
jubeln to rejoice
der Jude, -n, -n Jew
die Judenverfolgung, -en persecution of Jews
jüdisch Jewish
die Jugend youth, young people; **der J.-freund, -es, -e** friend of one's youth; **die J.-herberge, -n** youth hostel; **der J.-herbergsverband, -es** Youth Hostel Association; **das J.-herbergswerk, -es** Youth Hostel Movement; **die J.-organisation, -en** youth organization
der Jugendliche, -n, -n young person, teenager
(das) Jugoslavien, -s Yugoslavia
jung young
der Junge, -n, -n (coll. **Jungs**) boy

der Kaffee, -s coffee
der Kaiser, -s, — emperor; **die K.-krone** imperial crown; **das K.-reich, -es, -e** empire; **die K.-stadt, ⸚e** imperial city; **das K.-tum, -s** emperorship, empire; **die K.-würde** imperial dignity, imperial office
die Kaiserin, -nen empress

die Kalorie, -n calorie
die Kältewelle, -n cold wave
die Kameradschaft fellowship
der Kampf, -es, ⸚e battle, fight
kämpfen to fight
der Kanal, -s, ⸚e canal
die Kanalisation sewage system
der Kandidat, -en, -en candidate
das Kapital, -s capital
die Kapitalanleihe, -n capital loan
der Kapitalist, -en, -en capitalist
die Kapitulation capitulation, surrender
kaputt broken
das Karmeliterkloster, -s, ⸚er Carmelite monastery, convent
karolingisch Carolingian
die Karte, -n map, ticket
die Kartoffel, -n potato
die Kasse, -n ticket office
das Kastell, -s, -e fort
katastrophal catastrophic
die Katastrophe, -n catastrophe
die Kathedrale, -n cathedral
der Katholik, -en, -en Catholic
kaufen to buy
das Kaufhaus, -es, ⸚er department store
die Kaufkraft purchasing power
der Kaufmann, -s, Kaufleute merchant
kaufmännisch commercial
kaum hardly
keineswegs by no means
der Keller, -s, — cellar, basement
kennen, kannte, gekannt to know, be acquainted with
kennen-lernen to learn to know, become acquainted with, meet
das Kilogramm, -s kilogram
das Kilometer, -s, — kilometer
das Kind, -es, -er child
der Kinderbaukasten, -s, ⸚ box of children's building blocks
das Kino, -s, -s movie theater
die Kirche, -n church
die Kirchensteuer, -n church tax
klagen to complain
klangvoll full-sounding, sonorous
klar clear
die Klasse, -n class

der Klassengegensatz, -es, ⸚e class conflict
der Klassiker, -s, — classical author
das Kleid, -es, -er dress, garment
kleiden to dress
der Kleiderschrank, -s, ⸚e wardrobe
die Kleidung clothing
das Kleidungsstück, -s, -e piece of clothing
klein small
die Kleinigkeit, -en small matter, trifle
das Klima, -s climate
klingeln to ring
klingen, klang, geklungen to sound
klug clever, intelligent
der Knabe, -n, -n boy
knapp scanty, scarce
sich knüpfen an to be connected to
die Koalition, -en coalition
die Koalitionsregierung coalition government
kochen to cook
der Koffer, -s, — trunk, suitcase
die Kohle, -n coal
die Kohlegemeinschaft Coal Community
die Kohlenhalde, -n coal dump
der Kohlkopf, -s, ⸚e head of cabbage
der Koks, -es coke
das Kolleg, -s, -s(-ien) course of lectures (university); ein Kolleg lesen to give a course of lectures
der Kommandant, -en, -en commandant
kommen, kam, ist gekommen to come, come about, happen
der Kommissar, -s, -e commissar, commissioner
die Kommode, -n chest of drawers
der Kommunismus Communism
der Kommunist, -en, -en Communist
kompliziert complicated
der Komponist, -en, -en composer
die Konferenz, -en conference
die Konfessionsschule, -n segregated Catholic or Protestant public elementary school

der Konfessionsstreit religious quarrel
der Konflikt, -s, -e conflict
der König, -s, -e king
das Königreich, -es, -e kingdom
die Konjunktur business conditions
die Konkurrenz competition
können, konnte, gekonnt, kann can, be able to, know how (to do a thing)
konsolidieren to consolidate
konstruieren to construct
der Konsul, -s, -n consul
der Kontakt, -s, -e contact
der Kontinent, -s, -e continent
die Kontrolle, -n control
kontrollieren to control
der Kontrollrat, -s control council
die Kontrollstation, -en control station, check point
das Konzentrationslager, -s, — concentration camp
konzentrieren to concentrate
das Konzert, -s, -e concert
die Koordinierung coordination
der Kopf, -es, ⸚e head; pro Kopf per capita
das Kopfblatt, -es, ⸚er "front page" newspaper
die Korrespondenz correspondence
kosmopolitisch cosmopolitan
kosten to cost
die Kosten (pl.) costs; auf seine Kosten kommen to get one's money's worth
kostspielig expensive
die Kraft, ⸚e strength, power, energy; in Kraft treten to come into force
kräftig strong
der Kraftwagen, -s, — automobile
das Kraftwerk, -s, -e power station
das Krankenhaus, -es, ⸚er hospital
der Krankenurlaub, -s sick leave
die Krankenversicherung health insurance
die Krankheit, -en illness
der Kranz, -es, ⸚e wreath, circle
der Kredit, -s, -e credit
der Kreis, -es, -e circle, district
das Kreuz, -es, -e cross
der Krieg, -es, -e war

227

der Kriegsdienst, -es, -e war service;
die K.-flotte, -n navy; der K.-hetzer, -s, — war monger; das K.-opfer, -s, — war victim; der K.-verbrecher,- s, — war criminal; die K.-zerstörung, -en war destruction
die Krise, -n crisis
die Kritik, -en criticism, critique
krönen to crown
die Küche, -n kitchen
die Kücheneinrichtung kitchen furnishings, kitchen equipment
kühn bold
die Kultur culture
die Kulturpolitik cultural policy
der Kummer, -s grief, distress
der Kunde, -n, -n customer
das Kunstdenkmal, -s, ⸚er work of art, monument of artistic value
die Kunsterziehung art education
die Kunstgeschichte history of art
künstlich artificial
der Kurfürst, -en, -en elector
der Kurs, -es, -s course, rate of exchange
kurz short
kurzsichtig shortsighted

lächeln to smile
lachen to laugh
der Laden, -s, ⸚ store, shop
die Lage, -n position, situation, condition
das Lager, -s, — camp
das Land, -es, ⸚er land, country, state; der L.-fleck, -s piece of land; die L.-karte, -n map; die L.-schaft, -en landscape, scenery; die L.-straße, -n highway; der L.-tag, -s, -e land parliament, state legislature or assembly; die L.-tagswahl, -en election for land parliament; die L.-wirtschaft agriculture, farming
landen to land
länderweise by states
das Landesrecht, -s state law
landschaftlich of the landscape, scenic
die Landsleute (pl.) countrymen
landwirtschaftlich agricultural

lang long
lange (adv.) for a long time
die Länge, -n length
langsam slow
längst long since
langweilen to bore; sich langweilen to be bored
langweilig boring, tedious
der Lärm, -s noise
lassen, ließ, gelassen, läßt to let, allow, permit, leave
die Last, -en burden
der Lastkraftwagen, -s, — truck
das Latein, -s Latin
der Lauf, -es, ⸚e course
laufen, lief, ist gelaufen, läuft to run, walk
laut loud
lauten to sound, say, state
leben (von) to live (on)
die Lebensanstellung position for life, tenure
die Lebenshaltungskosten (pl.) living costs
die Lebensmittel (pl.) food
die Lebensmittelkarte, -n food ration card
lebensnotwendig necessary for life, vital
der Lebensstandard, -s standard of living
der Lebenswille, -ns will to live
legen to put, place
die Legion, -en legion
das Lehen, -s, — fief
der Lehrer, -s, — teacher
leicht light, easy
leiden, litt, gelitten to suffer, bear, stand
die Leidenschaft, -en passion
leider unfortunately
leihen to lend
die Leihgebühr, -en rental fee
leisten to do, accomplish; sich leisten to afford
der Leitartikel, -s, — editorial
lernen to learn
lesen, las, gelesen, liest to read
lesenswert worth reading
der Leser, -s, — reader
letzt last

leuchten to glow
die Leute (*pl.*) people
der Liberale, -n, — liberal
das Licht, -es, -er light, electricity
lieb dear
die Liebe love
lieben to love
liebenswürdig kind
lieber (*adv.*) rather
das Lied, -es, -er song
liefern to deliver, furnish
die Lieferung, -en delivery
der Lieferwagen, -s, — delivery truck
liegen, lag, gelegen to lie, be situated
die Limousine, -n limousine
die Linie, -n line; **in erster Linie** first of all
links to the left
die Linkspartei, -en leftist party
liquidieren to liquidate
das Liter, -s, — liter
die Literatur, -en literature
lizensiert licensed
das Loch, -es, ⁻er hole
der Lohn, -es, ⁻e wages
sich lohnen to pay, be worthwhile
die Lohnsteuer, -n tax on wages
lokal local
das Lokal, -s, -e public place, tavern
lokalisieren to localize
die Lokalzeitung, -en local newspaper
das Los, -es lot, fate
los loose
lösen to solve, buy (a ticket); **sich lösen** to come loose
los-gehen, ging los, ist losgegangen to start out, "take off"
los-werden, wurde los, ist losgeworden, wird los to get rid of
los-ziehen, zog los, ist losgezogen to set out, start off
löten to solder
die Lotterie, -n lottery
die Luft air
der Luftangriff, -s, -e air attack
die Luftbrücke "air bridge," air lift
die Luftwaffe, -n air force
der Luftweg, -es air route; **auf dem Luftwege** by air

die Lust pleasure, desire, inclination; **Lust haben** to be inclined, be in the mood
lustig gay
(das) Luxemburg Luxembourg
luxuriös luxurious
das Luxushotel, -s, -s luxury hotel

machen to make, do
die Macht, ⁻e might, power
mächtig mighty, powerful
das Mädchen, -s, — girl
der Magistrat, -es, -e magistrate, municipal council
die Mahlzeit, -en meal
mal (coll. for **einmal**) once, just; **sagen Sie mal** tell me
malerisch picturesque
man (*indef. pron.*) one, they, people
mancherlei various
manchmal sometimes
der Mann, -es, ⁻er man, husband
die Mannigfaltigkeit variety, diversity
die Margarine margarine
der Markt, -es, ⁻e market
der Markttag, -es, -e market day
die Marktwirtschaft (free) market economy, supply and demand economy
marschieren to march
die Maschine, -n machine
die Maschinenfabrik, -en machine factory
die Masse, -n mass
der Massenbesuch, -es visitors en masse; **die M.-demonstration, -en** mass demonstration; **die M.-kundgebung, -en** mass rally, demonstration; **der M.-transport, -s, -e** mass transport
der Maßkrug, -es, ⁻e stein, liter-mug
maßvoll moderate
das Material, -s, -ien material
materiell material
die Mathematik mathematics
die Mauer, -n wall
das Medikament, -es, -e medicine
das Meer, -es, -e sea
mehr more; **nicht mehr** no more, no longer

mehrere several
das Mehrfamilienhaus, -es, ⸗er apartment house
die Mehrheit, -en majority
die Mehrheitswahl election by the majority
mehrwöchig of several weeks' duration
die Mehrzahl majority
die Meile, -n mile
meinen to mean, think, say
die Meinung, -en opinion
die Meinungsbildung shaping of public opinion
die Meinungsverschiedenheit, -en difference of opinion
meist most; **am meisten**; **meistens** mostly, for the most part, usually
der Meister, -s, — master
sich melden to report, volunteer (in class)
der Mensch, -en, -en human being, person, (*pl.*) people
die Menschenmenge, -n crowd of people
die Menschenrechte (*pl.*) human rights, natural rights of man
merken to notice
merkwürdig remarkable, strange
das Meter, -s, — meter
die Miete, -n rent
der Mieter, -s, — tenant
das Militärbündnis, -ses, -se military alliance
der Militarismus, — militarism
die Militärregierung, -en military government
der Militärzug, -es, ⸗e military train
die Milliarde, -n billion
die Million, -en million
mindestens at least
der Mindestlebensstandard, -s minimum standard of living
die Minimalernährung minimum calorie requirement
der Minister, -s, — minister
die Minute, -n minute
das Mißtrauensvotum, -s, voten vote of no confidence
mißverstehen, mißverstand, mißverstanden to misunderstand

mit-arbeiten to cooperate
mit-bringen, brachte mit, mitgebracht to bring along
miteinander with one another
mit-erleben to experience at first hand
das Mitglied, -s, -er member
der Mitgliedsausweis, -es, -e membership certificate
die Mitgliedschaft membership
mit-kommen, kam mit, ist mitgekommen to come along
mit-machen to take part, join in
mit-nehmen, nahm mit, mitgenommen, nimmt mit to take along
der Mittag, -s noon
das Mittagessen, -s, — lunch
die Mitte, -n middle
mit-teilen to report, inform
das Mittel, -s, — means; **das M.-alter, -s** middle ages; (**das**) **M.-europa** Central Europe; **das M.-gebirge, -s, —** mountains of moderate height; **der M.-punkt, -es, -e** center; **die M.-schule, -n** secondary school (six-year course); **der M.-schüler, -s, —** student at a "Mittelschule"; **die M.-stufe, -n** intermediate stage
mittelalterlich medieval
mitten durch through the middle, right through
die Mitternacht, ⸗e midnight
mittler- medium, average, intermediate
die Möbel (*pl.*) furniture
das Möbelstück, -s, -e piece of furniture
möbliert furnished
mögen, mochte, gemocht, mag to like, may
möglich possible
die Möglichkeit, -en possibility
die Mohrrübe, -n carrot
die Monarchie, -n monarchy
der Monat, -s, -e month
monatlich monthly
der Monatsbeitrag, -s, ⸗e monthly dues
das Monatsgehalt, -es, ⸗er monthly salary

die Monatszeitschrift, -en monthly journal
das Monokel, -s, — monocle
morgen tomorrow
der Morgen, -s, — morning
die Morgenausgabe, -n morning edition
morgens in the morning
das Motorrad, -s, ⸚er motorcycle
die Mühe trouble, pains; sich Mühe machen to take the trouble
der Mund, -es mouth
das Münster, -s, — cathedral
das Museum, -s, Museen museum
die Musik music
der Musiker, -s, — musician
müssen, mußte, gemußt, muß must, have to
das Musterbeispiel, -s, -e classic example
der Mut, -es courage
die Muttersprache, -n mother tongue, native language
die Mütze, -n cap

na, also well then
nach to, toward, after, according to
der Nachbar, -s or -n, -n neighbor
das Nachbarland, -es, ⸚er neighboring country
nachdem after
nach-denken, dachte nach, nachgedacht to reflect, ponder
der Nachfolger, -s, — successor
nach-geben, gab nach, nachgegeben, gibt nach to give in, yield
die Nachkriegsjahre (pl.) postwar years
nach-lassen, ließ nach, nachgelassen läßt nach to let up
der Nachmittag, -s, -e afternoon
nachmittags in the afternoon
die Nachricht, -en report, news
der Nachrichtendienst, -es, -e news service
nächst next, nearest
die Nacht, ⸚e night
der Nachteil, -s, -e disadvantage
die Nachtluft night air
nagelneu brand-new
sich nähern to approach, draw near

nahezu nearly
nähren to feed, support
der Name, -ns, -n name; dem Namen nach by name, in name only
nämlich namely, of course
die Nation, -en nation
das Nationalitätszeichen, -s, — nationality sign, identity plate (automobile)
der Nationalsozialist, -en, -en national socialist
die Nationalversammlung national assembly
die Naturkatastrophe, -n catastrophe caused by forces of nature
natürlich natural
naturwissenschaftlich of the natural and physical sciences
der Nazi, -s, -s Nazi
die Nazi-Größen (pl.) Nazi bigwigs
der Nazismus, —; das Nazitum, -s Nazism
neben next to, beside, in addition to
nebenan next door
die Nebenausgabe, -n branch edition
nebeneinander side by side
der Nebenfluß, -(ss)es, ⸚(ss)e tributary river
der Neffe, -n, -n nephew
der Neger, -s, — negro
nehmen, nahm, genommen, nimmt to take
der Neid, -es envy
neidisch (auf) envious (of)
neigen to incline
nein no
nennen, nannte, genannt to name, call
nervös nervous
das Netz, -es, -e net, network
neu new; etwas Neues something new
der Neubau, -es, -ten new building
die Neubausiedlung, -en new housing settlement
die Neueinrichtung, -en setting up, establishment
die Neugierde curiosity
die Neugründung, -en establishment, reestablishment

231

neulich recently
die Neuordnung new order, reorganization
neusprachlich (pertaining to or emphasizing the) modern languages
die Neutralität neutrality
die Neutralitätspolitik policy of neutrality
nicht not; **nicht nur** not only
der Nichtangriffspakt, -es, -e non-aggression pact
das Nichtparteimitglied, -s, -er nonparty member
nichts nothing
nieder down
die Niederlage, -n defeat
die Niedrighaltung keeping to a low level
niemals never
niemand nobody
das Niemandsland, -es no man's land
das Niveau, -s level, standard
noch still, yet; **noch ein** one more; **noch einmal** once more; **noch nicht** not yet
norddeutsch North German
der Norden, -s North
nördlich northern
die Nordsee North Sea
norwegisch Norwegian
die Not, ⸚e need
nötig necessary
notwendig necessary
die Notwendigkeit, -en necessity
die Nummer, -n number, issue
das Nummernschild, -es, -er license plate
nun now
nur only
nutzen to use, utilize

ob if, whether; **als ob** as if; **und ob** I should say so
oben above, upstairs
der Ober(kellner), -s, — waiter
der Oberbefehlshaber, -s, — commander-in-chief
oberhalb above
das Oberhaupt, -es, ⸚er head, chief
oberst topmost, supreme
obig above, foregoing

das Obst, -es fruit
obwohl although
der Ochs(e), -en, -en ox
offen open
offenbar evident, obvious
öffentlich public
die Öffentlichkeit public
offiziell official
oft often
das Ohr, -es, -en ear
die Oper, -n opera
die Operette, -n operetta
das Opernhaus, -es, ⸚er opera house
die Opposition opposition
die Oppositionspartei, -en opposition party
das Orchester, -s, — orchestra
ordentlich orderly, neat, respectable
die Ordnung order
die Organisation, -en organization
der Organisator, -s, -en organizer
organisieren to organize
der Ort, -es, -e or ⸚**er** place, locality
ostdeutsch East German
der Osten, -s East
die Ostern (*pl.*) Easter
(das) Österreich, -s Austria
österreichisch Austrian
östlich eastern, east
(das) Ostpreußen, -s East Prussia
das Ostreich, -es Eastern Kingdom
die Ostsee Baltic Sea
der Ostsektor, -s Eastern Sector
das Ozeanschiff, -es, -e ocean liner

das Paar, -es, -e pair, couple
ein paar a few, a couple of; **ein paarmal** a few times
der Pack, -s pack, bundle
das Paket, -s, -e package
der Panzer, -s, — tank
das Papier, -s, -e paper
der Papst, -es, ⸚e pope
das Papsttum, -s papacy
paralysieren to paralyze
parken to park
der Parkplatz, -es, ⸚e parking lot
das Parlament, -s, -e parliament
parlamentarisch parliamentary
der Parlamentarismus, — Parlamentarianism

das Parlamentsgebäude, -s, — parliamentary building
die Partei, -en party, faction
das Parteimitglied, -es, -er party member
die Parteiorganisation, -en party organisation
das Parterre, -s ground floor
passen to suit, fit
der Paß, -(ss)es, ⸚(ss)e passport
paternalistisch paternalistic
der Patrizier, -s, — patrician
die Pause, -n pause, stop, rest
die Pension, -en pension
die Person, -en person
der Personalausweis, -es, -e identity card
persönlich personal
die Pfalz the Palatinate
die Pfeife, -n pipe
der Pfennig, -s, -e penny
die Pflicht, -en duty
das Pflichtfach, -es, ⸚er required subject
phänomenal phenomenal
die Phantasie, -en imagination, fancy
der Philosoph, -en, -en philosopher
die Physik physics
die Pilgerfahrt, -en pilgrimage
der Pionier, -s, -e pioneer, member of Soviet Zone youth organization
das Plakat, -s, -e poster
der Plan, -es, ⸚e plan
planen to plan
der Platz, -es, ⸚e place, seat, square; Platz nehmen to sit down
plaudern to chat
der Plenarsaal, -es assembly chamber
plötzlich sudden
plündern to plunder
(das) Polen, -s Poland
die Politik politics, policy
die Polizeimacht police power
polnisch Polish
die Post postoffice, mail
praktisch practical, in practice
der Präsident, -en, -en president
der Preis, -es, -e price
die Preislage price range

die Pressefreiheit freedom of the press
das Pressezentrum, -s, -zentren press center
das Prestige, -s prestige
(das) Preußen, -s Prussia
preußisch Prussian
das Privatauto, -s, -s private car
die Privatperson, -en private person
das Problem, -s, -e problem
die Produktion, -en production
das Produktionsfieber, -s production fever
produzieren to produce
der Professor, -s, -en professor
profitieren to profit
die Prognose, -n prognosis
das Programm, -s, -e program
promenieren to promenade
die Propaganda propaganda
das Propagandaministerium, -s ministry of propaganda
der Protestant, -en, -en Protestant
protestantisch Protestant
die Provinz, -en province
die Provinzhauptstadt, ⸚e provincial capital
provisorisch provisional
der Prozentsatz, -es, ⸚e percentage
der Prozeß, -(ss)es, -(ss)e trial
prüfen to examine
pünktlich punctual

der Radfahrer, -s, — bicyclist
der Radikalismus, — radicalism
der Radioapparat, -s, -e radio set
der Rand, -es, ⸚er edge, brink
der Rat, -es advice, counsel; board, council; Rat geben to give advice
die Rate, -n payment, instalment
das Rathaus, -es, ⸚er city hall
die Ration, -en ration
rationieren to ration
das Rätsel, -s, — puzzle, riddle
der Rauch, -es smoke
rauchen to smoke
der Raum, -es, ⸚e space, room
räumen to evacuate
'raus (heraus)! get out!
die Reaktion, -en reaction
reaktionär reactionary
rechnen to count

233

recht right, real, very, quite; **(einem) recht geben** to agree (with someone); **recht haben** to be right
das Recht, -es, -e right, privilege
rechts to the right
die Rechtspartei, -en rightist party
rechtsradikal right-wing radical
die Rede, -n talk, speech, address; **eine Rede halten** to make a speech
die Redefreiheit freedom of speech
reden to speak
die Reform, -en reform
die Reformation Reformation
die Regel, -n rule, norm
regelmäßig regular
die Regelung, -en adjustment, settlement
regieren to rule, reign, govern
die Regierung, -en government
die Regierungsbank bench of members of government (in Federal German Parliament); **der R.-chef, -s** head of government; **das R.-gebäude, -s,** — government building, government offices; **die R.-gewalt** governing power; **die R.-krise, -n** government crisis, cabinet crisis; **die R.-partei, -en** party in power; **das R.-system, -s, -e** system of government; **der R.-wechsel, -s,** — change in government; **die R.-zeit, -en** reign
das Regime, -s, -s regime
der Regisseur, -s, -e (stage) director
regulär regular
reich rich
das Reich, -es, -e empire, realm, state; official name of Germany until 1945
die Reichskanzlei Chancellery; **der R.-kanzler, -s,** — Chancellor, "prime minister"; **das R.-luftfahrtministerium** Air Ministry; **die R.-mark** German mark (until 1948); **der R.-parteitag, -es, -e** Nazi party congress; **der R.-präsident, -en, -en** president of Germany; **die R.-stadt, ⁻e** (free) imperial city; **der R. -tag, -s, -e** German Diet, Parliament; **die R.-tagswahl, -en** national election

reichen to reach, extend, suffice, hand; **sich die Hand reichen** to shake hands
reichlich ample
der Reichtum, -s, ⁻er riches, wealth
die Reife maturity
die Reifeprüfung final comprehensive examination (secondary school)
die Reihe, -n row, series, number
das Reihenhaus, -es, ⁻er row house
rein clean, pure
die Reinmachefrau, -en cleaning woman
das Reisebüro, -s, -s travel bureau; **der Reisebus, -ses, -se** bus for long distance travel; **das Reisejournal, -s, -e** travel magazine
reisen to travel
der Reisende, -n, -n traveler, passenger
reizen to excite, attract
die Reklame, -n advertising, advertisement; **das Reklameschild, -es, -er** billboard; **die Reklamesendung, -en** advertising broadcast
die Religion, -en religion
die Renaissance Renaissance
die Rente, -n pension, annuity
die Reparation, -en reparation
die Reparatur, -en repair
die Reparaturarbeit, -en repair work
die Repatriierung repatriation
das Repetitorium, -s review
repräsentativ representative
die Republik, -en republic
der Rest, -es, -e rest, remainder
das Restaurant, -s, -s restaurant
das Resultat, -s, -e result
retten to save
die Revision, -en revision
die Revolution, -en revolution
revolutionär revolutionary
der Revolutionär, -s, -e revolutionary
der Rhein, -s Rhine; **die Rheinbrücke, -n** Rhine bridge; **das Rheinland, -s** Rhineland; **das Rheintal, -s** Rhine valley
rheinisch-westfälisch Rhenish-Westphalian

richtig right, real
die Richtung, -en direction
das Riesenfaß, -(ss)es giant barrel
riesig gigantic
der Rinnstein, -s, -e (street) gutter
riskieren to risk
der Ritter, -s, — knight
der Rohstoff, -es, -e raw material
die Rolle, -n role, part
rollen to roll
romanisch Romanesque
romantisch romantic
der Römer, -s, — Roman
römisch Roman
rot red
röten to redden, flush
die Rücksicht, -en regard, consideration
rücksichtslos ruthless
der Rücksitz, -es back seat
rufen, rief, gerufen to call, exclaim
die Ruhe rest, peace, quiet
das Ruhrgebiet, -s Ruhr area
die Ruine, -n ruin
(das) Rumänien, -s Romania
rund round, around, approximately
die Rundfahrt, -en sightseeing tour
der Rundfunk, -s radio
der Rundfunkapparat, -s, -e radio set; **die R.-gebühr, -en** radio fee (monthly tax); **die R.-gesellschaft, -en** radio company; **der R.-hörer, -s, —** radio listener; **das R.-orchester, -s, —** radio orchestra; **der R.-sender, -s, —** radio station
runzeln to wrinkle
der Russe, -n, -n Russian
russisch Russian
(das) Rußland, -s Russia
der Rußlandfeldzug, -s Russian campaign

das Saargebiet, -s Saar Territory
der Säbel, -s, — saber, sword
die Sache, -n thing
sachte! gently, slowly
die Säge, -n saw
sagen to say
die Saison season
die Sammlung, -en collection
die Sandkiste, -n sand box
der Sattel, -s, ⸚ saddle
der Satellitenstaat, -es, -en satellite state
der Säugling, -s, -e infant
das Schach, -es chess; **in Schach halten** to keep in check
der Schaden, -s, ⸚ damage, harm
schädigen to damage
schaffen to make, accomplish, manage
scharf sharp
die Schattenseite, -n shady side, drawback
schätzen to value, estimate, esteem
schätzungsweise by way of estimate
schauen to look
das Schaufenster, -s, — show window
der Schauspieler, -s, — actor
der Scheck, -s, -e or **-s** check
die Scheckabteilung check department (bank)
die Scheidewand, ⸚e barrier
scheinen, schien, geschienen to seem, appear
der Scherz, -es, -e joke
die Scheune, -n barn
schicken to send
das Schicksal, -s, -e fate
schießen, schoß, geschossen to shoot
das Schiff, -es, -e ship
das Schild, -es, -er sign
schildern to describe, depict
schimpfen to scold
die Schirmmütze, -n visored cap
die Schlacht, -en battle
schlafen, schlief, geschlafen, schläft to sleep
der Schlafsack, -s, ⸚e sleeping bag
die Schlafstelle, -n place to sleep
das Schlafzimmer, -s, — bedroom
der Schlag, -es, ⸚e blow, stroke
schlagen, schlug, geschlagen, schlägt to hit, strike, defeat
der Schlager, -s, — song hit
die Schlagzeile, -n headline
schlank slender, thin
schlecht bad, poor
die Schleife, -n loop, circle
(das) Schlesien, -s Silesia
der Schlesier, -s, — Silesian

schließen, schloß, geschlossen to close, conclude; schließen (aus) to conclude (from), infer (from)
schließlich final
schlimm bad
der Schlosser, -s, — locksmith, metal worker
das Schloß, -(ss)es, ⁻(ss)er castle, palace
die Schloßruine, -n castle ruin
die Schlucht, -en ravine
der Schluß, -(ss)es, ⁻(ss)e end, conclusion
der Schmelztiegel, -s, — melting pot
schminken to use cosmetics
schmunzeln to smirk
schnell quick
schon already
schön nice, fine, beautiful
der Schornstein, -s, -e chimney
schräg slanting
schrecklich terrible
schreiben, schrieb, geschrieben to write
der Schreibtisch, -es, -e desk
der Schriftsteller, -s, — writer
der Schritt, -es, -e step; Schritt fahren to drive at a snail's pace; auf Schritt und Tritt at every turn
der Schrotthaufen, -s, — scrap heap
der Schuh, -es, -e shoe
der Schuhkarton, -s, -s shoe carton
das Schulbuch, -es, ⁻er schoolbook
die Schuld, -en guilt, debt
die Schuldenlast, -en burden of debts
schuldig indebted, guilty; schuldig sein to owe
die Schule, -n school
der Schüler, -s — pupil, student
die Schülerin, -nen girl student
schulfrei haben to have no school
das Schulgeld, -es tuition; die S.-freiheit freedom from tuition, "free schools"
das Schuljahr, -es, -e school year; die S.-pflicht compulsory education; der S.-tag, -es, -e school day; der S.-typ, -s, -en type of school; das S.-wesen, -s school system
die Schulter, -n shoulder

schütteln to shake
die Schutthalde, -n heap of debris
schützen to protect
schwach weak
die Schwäche, -n weakness
schwanken to fluctuate
schwarz black
(das) Schweden, -s Sweden
schwedisch Swedish
(die) Schweiz Switzerland
der Schweizer, -s, — Swiss
schweizerisch Swiss
schwer heavy, hard, difficult, severe
schwer-fallen, fiel schwer, ist schwergefallen, fällt schwer to be difficult
die Schwester, -n sister
der Schwiegersohn, -es, ⁻e son-in-law
schwierig difficult
die Schwierigkeit, -en difficulty
schwimmen, schwamm, ist geschwommen to swim
der See, -s, -n lake
das Seengebiet, -es, -e lake region
sehen, sah, gesehen, sieht to see
sehenswert worth seeing
die Sehenswürdigkeit, -en sight, place of interest
sehr very, very much
sein, war, ist gewesen, ist to be
seit since
seitdem since then; seither since that time
die Seite, -n side, page
der Sekretär, -s, -e secretary
der Sektor, -s, -en sector
die Sektorengrenze, -n sector boundary
selber self
selbst self, even
der Selbstmord, -es, -e suicide
selbstverständlich of course
selig blessed, blissful; selig werden to go to Heaven
selten seldom
seltsam strange
der Senat, -es, -e senate
das Sendeprogramm, -s, -e broadcasting program; die Sendezeit, -en broadcasting period

der Sender, -s, — radio station
die Sendung, -en broadcast
sensationell sensational
die Sensationsnachricht, -en sensational news
seriös serious
der Sessel, -s, — armchair
setzen to set, put
sich setzen to sit down
die Seuche, -n epidemic
sicher sure, certain
die Sicherheit safety
sichern to safeguard, protect
die Sicht sight
der Sieg, -es, -e victory
siegen to be victorious, win
die Siegermacht, ⁻e victorious power
siegreich victorious
silbern silver
das Sinfoniekonzert, -s, -e symphony concert
singen, sang, gesungen to sing
sinken, sank, ist gesunken to sink, fall
die Sitte, -n custom; (*pl.*) manners, morals
der Sitz, -es, -e seat
sitzen, saß, gesessen to sit
die Sitzung, -en session, meeting
die Skandalgeschichte, -n piece of scandal
so so, thus, then
die Socke, -n sock
sofort immediately
sogar even
sogenannt so-called
sogleich immediately
der Sohn, -es, ⁻e son
solange as long as
der Soldat, -en, -en soldier
der Söldner, -s, — mercenary
sollen, sollte, gesollt, soll to be to, be supposed to
somit accordingly
die Sommerferien (*pl.*) summer vacation
sondern but, on the contrary
die Sonderstellung special status
die Sonne, -n sun
sonst otherwise; sonst noch jemand anyone else

sonstig other
die Sorge, -n worry
souverän sovereign
soviel so far as
so ... wie as ... as
sowjetisch Soviet; sowjetrussisch Soviet Russian
der Sowjetsektor, -s Soviet sector; die S.-union Soviet Union; die S.-zone Soviet Zone; das S.-zonenparlament Soviet Zone Parliament
sowohl ... wie auch as well ... as also
der Sozialdemokrat, -en, -en Social Democrat
das Sozialistengesetz, -es law suppressing Socialist party
die Sozialpolitik social legislation
die Sozialunterstützung relief, welfare, and social-security payments
sozusagen so to speak, as it were
spalten to split
die Spaltung split, cleavage, schism
(das) Spanien, -s Spain
spannen to stretch, make tense; spannend exciting, thrilling; gespannt anxious, curious
sparen to save
die Sparkasse, -n savings bank
der Spaß, -es, ⁻e joke; das macht Spaß! that's fun!
spät late
der Spätnachmittag, -s, -e late afternoon
der Spaziergang, -s, ⁻e walk
der Speck, -s bacon
die Speditionsfirma, -firmen shipping firm
sperren to block, close
die Sperrzone, -n barricade zone
das Spezialgebiet, -es, -e special field, specialty
der Spiegel, -s, — mirror
das Spiel, -s, -e play, game
spielen to play
die Spielsaison (playing) season
das Spitzenblatt, -es, ⁻er top-level newspaper
der Spitzenlohn, -es, ⁻e peak wages
der Spitzname, -ns, -n nickname
spontan spontaneous

237

der Sport, -s sport, athletics; die S.-anlage, -n sports grounds, playing field; der S.-platz, -es, ⁻e playing field; der S.-wagen, -s, — sports car
die Sprache, -n language
das Sprachgebiet, -es, -e language area
der Sprechchor, -es, ⁻e chorus to shout slogans (political)
sprechen, sprach, gesprochen, spricht to speak
das Spruchband, -es, ⁻er banner with slogan
der Sprung, -es, ⁻e jump, leap; keine großen Sprünge machen können to be unable to afford much
der Staat, -es, -en state, nation
der Staatenbund, -es, ⁻e federation of states
staatlich governmental, of the state
der Staatsbürger, -s, — citizen; die Staatsform, -en form of government; der Staatsmann, -es, ⁻er statesman
staatsfeindlich hostile to the state
stabil stable
die Stabilität stability
das Stadion, -s, Stadien stadium
die Stadt, ⁻e city, town; die S.-mauer, -n city wall; das S.-parlament, -es, -e city parliament, city council; das S.-theater, -s, — municipal theater; die S.-verwaltung, -en municipal government; das S.-viertel, -s, — city district
der Städtebund, -es, ⁻e league of cities
städtisch municipal
der Stamm, -es, ⁻e tribe
stammen (aus) to come (from)
der Stand, -es, level, point
das Standardmodell, -s, -e standard model
ständig constant, permanent, established
stark strong heavy
die Station, -en station
stationieren to station

statt-finden, fand statt, stattgefunden to take place
der Staub, -es dust
staunen to be astonished
stehen, stand, gestanden to stand
stehen-bleiben, blieb stehen, ist stehengeblieben to stop
stehlen, stahl, gestohlen, stiehlt to steal
steif stiff
steigen, stieg, ist gestiegen to climb, rise
die Stelle, -n place, position, passage (text)
stellen to place, put
die Stellung, -en position
die Steppe, -n steppe
sterben, starb, ist gestorben, stirbt to die
die Sterblichkeitsziffer, -n mortality rate
das Steuer, -s steering wheel
die Steuer, -n tax; die Steuerermäßigung, -en tax reduction
stiften to donate
die Stiftung, -en donation
der Stil, -es, -e style
still still, quiet
der Stillstand, -es standstill
still-stehen, stand still, stillgestanden to stand still
die Stimme, -n voice, vote
stimmen to be correct; vote
das Stimmrecht, -s right to vote
die Stimmung, -en mood
die Stirn, -en forehead
der Stock, -es, Stockwerke floor
der Stoff, -es, -e material, subject matter
stolz proud
stören to disturb, disrupt
die Straße, -n street
die Straßenbahn, -en streetcar; die Straßenbreite width of the street; der Straßenkampf, -es, ⁻e street fighting
die Strecke, -n stretch, distance
strecken to stretch
der Streifen, -s, — strip
der Streit, -es, -e quarrel, dispute
die Streitfrage, -n controversy

die Streitigkeit, -en dispute, controversy
strenggläubig orthodox, devout
der Strom, -es, ⁻e stream, current
die Stromleitung, -en electric line
strömen to stream
die Struktur, -en structure
das Stück, -es, -e piece, play
der Student, -en, -en student
der Studentenausweis, -es, -e student identity card; die S.-bühne, -n student theater; die S.-kneipe, -n students' tavern; die S.-verbindung, -en student fraternity
die Studentin, -nen woman student
die Studiengruppe, -n study group
der Studienrat, -es, ⁻e secondary-school teacher (rank after several years' service)
studieren to study
der Stuhl, -es, ⁻e chair
das Stündchen, -s about an hour
die Stunde, -n hour
das Stundenkilometer, -s, — kilometer per hour
der Sturm, -es, ⁻e storm
suchen to seek, look for
(das) Süddeutschland, -s South Germany
der Süden, -s South
sudetendeutsch Sudeten German
(das) Südfrankreich, -s Southern France
südlich southern
das Südtirol, -s South Tyrol
summen to hum
die Suppe, -n soup
das Symbol, -s, -e symbol
die Sympathie, -n sympathy
synchronisieren to synchronize

der Tabak, -s tobacco
der Tag, -es, -e day
tagen to meet, hold a meeting
die Tagesration, -en daily ration
die Tageszeitung, -en daily newspaper
täglich daily
tagsüber during the day
taktlos tactless
das Tal, -es, ⁻er valley

talaufwärts up the valley
die Tasse, -n cup
die Tatsache, -n fact
der Tatsachenbericht, -e factual report, first-hand account
tatsächlich actual
taub deaf
tauschen to exchange, barter
der Tauschhandel, -s barter
das Taxi, -s, -s taxi
die Technik technology, industry
technisch technical
der Teil, -es, -e part
teilen to divide
teil-nehmen, nahm teil, teilgenommen, nimmt teil to take part, participate
die Teilnehmergebühr, -en fee paid by subscriber (telephone, radio etc.)
die Teilung, -en division, partition
teilweise partly
telegrafieren to telegraph
das Telegramm, -s, -e telegram
der Teller, -s, — plate
das Tempo, -s, tempo, pace
der Terror, -s terror
teuer expensive
der Teufel, -s, — devil
teuflisch devilish
der Text, -es, -e text
die Textilfirma, -firmen textile firm; der Textilvertreter, -s, — representative for textile firm
das Theater, -s, — theater; das Theaterpublikum, -s theater-going public
das Thema, -s, Themen theme, subject
tief deep
die Tiefe, -n depth
das Tiefland, -s lowland
der Tisch, -es, -e table
der Titel, -s, — title
die Titelseite, -n title page
die Tochter, ⁻ daughter
der Tod, -es death
die Toilette lavatory, bathroom
toll mad, absurd
die Tonne, -n ton
das Tor, -es, -e gate
totalitär totalitarian

der Tote, -n, -n dead person
der Tourist, -en, -en tourist
tragen, trug, getragen, trägt to carry, wear, bear
tragisch tragic
transportieren to transport
traurig sad
(sich) treffen, traf, getroffen, trifft to meet
treiben, trieb, getrieben to drive, push
das Treiben, -s activity, doings
trennen to separate
die Trennung, -en separation
die Trennungslinie, -n dividing line, line of demarcation
der Treppenabsatz, -es, ⸚e stair landing; das Treppenhaus stairwell
treten, trat, ist getreten, tritt to step, enter
die Tribüne, -n stand, grandstand
trinken, trank, getrunken to drink
das Trinkgeld, -es, -er tip
das Trinkhorn, -s, ⸚er drinking-horn
der Tritt, -es, -e step, pace
trotz in spite of; trotzdem in spite of that, nevertheless
die Trümmer (pl.) ruins
der Trümmerhaufen, -s, — heap of ruins
die Truppen (pl). troops
(die) Tschechoslowakei Czechoslovakia
tschechoslowakisch Czechoslovakian
tüchtig able, capable
tun, tat, getan to do
die Tür, -en door
der Türke, -n, -n Turk
die Turnerbewegung gymnastic movement, athletic society
der Typ, -s, -en type

u.a. (unter anderm) among other things
übel bad
das Übel, -s, — evil
übel-nehmen, nahm übel, übelgenommen, nimmt übel to take amiss, take offense
üben to practice

überall everywhere
überfüllt overcrowded
der Übergang, -es, ⸚e cross-over point, transition
übergeben, übergab, übergeben, übergibt to turn over (to)
übergehen, überging, übergangen to pass over, pass by
überhaupt in general, at all, anyway
überholen to overtake, pass
überleben to survive
(sich) überlegen to consider
übernachten to stay overnight
die Übernachtung, -en overnight stay
übernehmen, übernahm, übernommen, übernimmt to take over
überqueren to cross over
überraschen to surprise
die Überraschung, -en surprise
überreichen to hand over, present
überschreiten, überschritt, überschritten to cross, pass, exceed
die Überschrift, -en heading, title
der Überschuß, -(ss)es, ⸚(ss)e surplus
überschwemmen to flood
übersehen, übersah, übersehen, übersieht to overlook
übersetzen to translate
über-setzen (sein) to ferry across
übersichtlich clear, informative
überstehen, überstand, überstanden to live through, survive
übersteigen, überstieg, überstiegen to exceed
überstimmen to out-vote, overrule
übertreiben, übertrieb, übertrieben to exaggerate
übervölkert overpopulated
überwiegen, überwog, überwogen to predominate
überwinden, überwand, überwunden to overcome, conquer
überzeugen to convince
übrig left over, remaining, other; im übrigen for the rest; übrigens moreover, by the way
übrig-bleiben, blieb übrig, ist übriggeblieben to remain
u. dgl. (und dergleichen) and the like
das Ufer, -s, — shore

die Uhr, -en watch, clock; **um . . . Uhr** at . . . o'clock
um . . . zu in order to
um-bauen to remodel
(sich) um-drehen to turn around
die Umerziehung reeducation
umfassen to comprise
umgeben, umgab, umgeben, umgibt to enclose, surround
die Umgebung surroundings, environs
umgekehrt (*adv.*) on the other hand, conversely, vice versa
umher-irren (sein) to wander about
um-kommen, kam um, ist umgekommen to die, perish
die Umleitung, -en detour
umringen to crowd about, surround
die Umschmelzung, -en remelting, transformation
sich um-sehen, sah um, umgesehen, sieht um to look around
um-setzen to turn over (money), to sell
umsonst in vain, for nothing
umspannen to encompass
die Umwälzung, -en upheaval
um-wandeln to change, transform
um-wechseln to exchange
der Umweg, -es, -e roundabout way, detour
unabhängig independent
unabkömmlich indispensable; **unabkömmlich stellen** to classify as indispensable (military)
unangenehm unpleasant, disagreeable
unbedingt absolute
unbegreiflich incomprehensible
unbekannt unknown
unbeliebt unpopular
unbestimmt undetermined, uncertain
unbewohnbar uninhabitable
unbrauchbar useless
unerreichbar unattainable
unerträglich unbearable
die Unfallversicherung accident insurance
(das) Ungarn Hungary
ungefähr approximate
ungeheuer enormous
ungehindert unhindered
ungeschickt awkward, inept
ungewiß uncertain
ungewöhnlich unusual
ungleich unequal
unglücklich unfortunate, unhappy
die Uniform, -en uniform
uniformiert in uniform
die Universität, -en university
das Universitätsgebäude, -s, — university building
unmittelbar immediate, direct
unmöglich impossible
unreif immature
die Unruhe unrest; **-n** (*pl.*) disturbances, riots
unruhig restless
unsicher unsure, insecure
der Unsinn, -s nonsense
unten below
der Unterbau, -es understructure, foundation
unterbrechen, unterbrach, unterbrochen, unterbricht to interrupt
unter-bringen, brachte unter, untergebracht to house
unterdrücken to suppress
die Unterdrückung, -en suppression
der Untergang, -es, ⸚e ruin
unter-gehen, ging unter, ist untergegangen to perish, set (sun)
unterhalten, unterhielt, unterhalten, unterhält to support, maintain; **sich unterhalten** to converse
der Unterhaltszuschuß, -(ss)es, ⸚(ss)e maintenance subsidy
die Unterlage, -n basis, source
unternehmen, unternahm, unternommen, unternimmt to undertake
das Unternehmen, -s, — undertaking, enterprise
der Unteroffizier, -s, -e non-commissioned officer
der Unterricht, -s instruction
unterscheiden, unterschied, unterschieden to distinguish
unterstützen to aid, support
die Unterstützung, -en support, assistance
unterwegs on the way
unterzeichnen to sign, ratify

unzählig innumerable
unzufrieden dissatisfied, unhappy
unzuverlässig unreliable
die Ursache, -n cause
urteilen to judge, give an opinion
der Urwald, -es, ⸗er virgin forest, tropical forest
usw. (und so weiter) and so forth

der Vasall, -en, -en vassal
der Vasallenstaat, -es, -en vassal state, "satellite" state
der Vater, -s, ⸗ father
vegetieren to vegetate
sich verabschieden to say goodbye
verachten to despise
sich verändern to change
die Veränderung, -en change
verantwortlich responsible
die Verantwortung, -en responsibility
das Verantwortungsbewußtsein, -s sense of responsibility
verarmen (sein) to be reduced to poverty
der Verband, -es, ⸗e association, federation
verbieten, verbot, verboten to forbid
verbinden, verband, verbunden to combine, connect, associate
die Verbindung, -en club, fraternity
das Verbot, -es, -e prohibition
verbrauchen to use (up), consume
das Verbrechen, -s, — crime
verbrennen, verbrannte, verbrannt to burn
verbringen, verbrachte, verbracht to spend, pass (time)
die Verbrüderung fraternization
verdanken to owe
das Verderben, -s ruin
verdienen to earn
sich verdoppeln to double
vereinigen to combine
die Vereinigten Staaten (*pl.*) United States
die Vereinigung, -en union, unification
das Verfahren, -s, — procedure, proceedings

der Verfasser, -s, — author
die Verfassung, -en constitution
die Verfassungsfrage, -n constitutional question; **das Verfassungsgericht, -es** constitutional court, "Supreme Court"
verfassungswidrig unconstitutional
verflixt! confound it!
verfolgen to pursue, persecute
die Verfolgung, -en persecution
die Verfügung, -en disposition; **zur Verfügung stehen** to be (at someone's) disposal
die Vergangenheit past
vergehen, verging, ist vergangen to pass, go by
vergessen, vergaß, vergessen, vergißt to forget
der Vergleich, -es, -e comparison
vergleichbar comparable
vergleichen, verglich, verglichen to compare
das Vergnügen, -s, — pleasure
die Verhaftung, -en arrest
das Verhalten, -s conduct, behavior
das Verhältnis, -ses, -se relation, relationship, ratio; (*pl.*) conditions
verhältnismäßig relatively
die Verhältniswahl election by proportional representation
die Verhandlung, -en negotiation
verhängnisvoll fatal, disastrous
verheiratet married
verhindern to prevent
verhüten to prevent, avert
die Verhütung prevention
verkaufen to sell
der Verkaufsstand, -es, ⸗e sales booth, stand
der Verkehr, -s traffic, communication
verkehren to run (public transportation)
der Verkehrsverein, -s, -e travel association, travel bureau
verkünden to announce
verlangen to demand
verlassen, verließ, verlassen, verläßt to leave; **sich verlassen auf** to depend on, rely on
der Verlauf, -es course

242

der Verleger, -s, — publisher
verlieren, verlor, verloren to lose
verlockend enticing
der Verlust, -es, -e loss
vermeiden, vermied, vermieden to avoid
das Vermögen, -s, — property, wealth
vernichten to destroy, annihilate
die Vernichtung, -en destruction
veröffentlichen to publish
verpflanzen to transplant
verpflichten to oblige, obligate
verrosten to rust
die Versammlung, -en meeting, assembly
versäumen to fail, neglect
verschärfen to sharpen, intensify
verschieben, verschob, verschoben to move about
verschieden different
die Verschiedenheit, -en difference
verschleppen to carry off
verschleppt displaced
verschonen to spare
verschwenden to waste
verschwinden, verschwand, ist verschwunden to disappear
versehen, versah, versehen, versieht (mit) to provide (with)
versessen auf mad about
versichern to insure, assure, assert
die Versicherung, -en insurance
die Versicherungsgesellschaft, -en insurance company
versorgen (mit) to supply (with)
die Versorgung provisioning
versprechen, versprach, versprochen, verspricht to promise
das Versprechen, -s, — promise
sich verständigen to make oneself understood
die Verständigungspolitik policy of international agreement, *rapprochement*
verstehen, verstand, verstanden to understand, know how to
verstreuen to scatter
versuchen to try
die Verteidigung defense
verteilen to distribute, divide up

die Verteilung, -en distribution
der Vertrag, -es, ⁻e treaty
das Vertrauen, -s confidence, reliance
vertreiben, vertrieb, vertrieben to drive away, expel
vertreten, vertrat, vertreten, vertritt to represent
der Vertreter, -s, — representative
der Vertriebene, -n, -n expellee
verwalten to administer
die Verwaltung, -en administration
der Verwaltungsbezirk, -s, -e administrative district; das V.-gebäude, -s, — administration building; das V.-zentrum, -s, -zentren administrative center; der V.-zweck, -es, -e, administrative purpose
verwandeln to change, transform
verwickeln to involve, entangle
verwirklichen to realize
die Verwüstung, -en devastation
verzweifeln to despair
die Verzweiflung, -en despair
das Veto, -s, -s veto
das Vetorecht, -es veto right, veto power
viel much; viele many
vielleicht perhaps
die Vierteljahreszeitschrift, -en quarterly journal
vierteljährlich quarterly
die Villa, Villen villa
die Vision, -en vision
das Volk, -es, ⁻er populace, people, nation
der Völkerbund, -es League of Nations
die Völkerwanderung Migration of Tribes
die Volksabstimmung, -en plebiscite; der V.-deutsche, -n, -n ethnic German; die V.-kammer "People's Chamber" (Soviet Zone); das V.-lied, -es, -er folk song; die V.-schule, -n elementary school; der V.-schullehrer, -s, — elementary-school teacher
volkstümlich popular
voll full, full of

vollbeladen fully loaded
vollenden to complete, finish
völlig full, complete
voneinander from one another
vor in front of, before, ago; **vor allem** above all
die Vorausbezahlung payment in advance
vorbei past
vorbei-fahren, fuhr vorbei, ist vorbeigefahren, fährt vorbei to go by, drive past
vor-bereiten to prepare
das Vorbild, -es, -er model, example
der Vordergrund, -es foreground
vor-gehen, ging vor, ist vorgegangen to proceed, act, supersede
vor-haben, hatte vor, vorgehabt, hat vor to have in mind, plan
der Vorhang, -es, ⁻e curtain
die Vorherrschaft predominance
vor-herrschen to predominate, prevail
vorhin before, a little while ago
vor-kommen, kam vor, ist vorgekommen to seem to, occur
die Vorkriegswohnung, -en pre-war housing unit; **die Vorkriegszeit** time before the war
vorläufig for the time being
vor-lesen, las vor, vorgelesen, liest vor to read aloud
die Vorlesung, -en (university) lecture; **Vorlesungen hören** to attend lectures
die Vorliebe preference, predilection
vormittags in the forenoon
vorne in front; **von vorne** anew, all over
der Vorort, -es, -e suburb
vor-schieben, schob vor, vorgeschoben to shove forward
der Vorschlag, -es, ⁻e suggestion
vor-schlagen, schlug vor, vorgeschlagen, schlägt vor to suggest
die Vorsicht caution, care
vorsichtig careful
der Vorsitzende, -n, -n chairman
vor-stellen to introduce; **sich (etwas) vorstellen** to imagine (something)
die Vorstellung, -en performance, conception, idea

der Vorteil, -s, -e advantage
der Vortrag, -es, ⁻e lecture; **einen Vortrag halten** to give a lecture
der Vortritt, -s precedence; **den Vortritt lassen** to give precedence to
vorüber-fahren, fuhr vorüber, ist vorübergefahren, fährt vorüber to drive past
der Vorwurf, -es, ⁻e reproach
vor-zeigen to show

wach-halten, hielt wach, wachgehalten, hält wach to keep awake, keep alive
wachsen, wuchs, ist gewachsen, wächst to grow
der Waffenstillstand, -es, ⁻e armistice
wagen to dare
der Wagen, -s, — car
die Wahl, -en election; **die W.-beteiligung** participation in election, voters' turnout; **das W.-fach, -es, ⁻er** elective subject; **das W.-system, -s, -e** election system; **der W.-tag, -es, -e** election day
wählen to choose, elect
während (prep.) during; (conj.) while
wahrhaftig true, real
wahrscheinlich probable
die Währung, -en currency
die Währungsreform currency reform
der Wald, -es, ⁻er forest
die Wand, ⁻e wall
wandern to hike
die Wanderung, -en hike, excursion, migration
die Wange, -n cheek
wann when
das Wappen, -s coat of arms
die Ware, -n ware, merchandise
das Warenhaus, ⁻er department store
warten to wait
der Wartesaal, -es, -säle waiting room; **die Wartezeit, -en** waiting period
warum why
das Waschbecken, -s, — wash basin
die Wasserleitung, -en water pipe, water line

244

der Wechsel, -s, — change; **der Wechselkurs, -es** rate of exchange; **die Wechselstube, -n** money exchange office
wechseln to change
weder... noch neither... nor
der Weg, -es, -e way, road
weg-nehmen, nahm weg, weggenommen, nimmt weg to take away
sich wehren to defend oneself, resist
die Wehrmacht German armed forces (Nazi period)
die Wehrmauer, -n fortified wall; **die Wehrpflicht** liability for military service
der Weihnachtstag, -es, -e Christmas day
weil because
die Weile while, time
der Wein, -s, -e wine; **die Weingegend, -en** wine-growing region
weit far, wide, large
weiter-gehen, ging weiter, ist weitergegangen to go on, continue on one's way
weiter-laufen, lief weiter, ist weitergelaufen, läuft weiter to go on, continue
die Welt, -en world; **der W.-friede, -ns** world peace; **die W.-geschichte** world history; **der W.-krieg, -s, -e** world war; **der W.-markt, -es, ⸚e** world market; **die W.-revolution** world revolution; **der W.-ruf, -es** world reputation; **die W.-wirtschaftskrise, -n** worldwide economic crisis
weltanschaulich based on a philosophy of life, ideological; **weltbekannt** known throughout the world
wenden, wandte, gewandt to turn
wenig little; **wenige** few; **wenigstens** at least
wenn if, when, whenever; **wenn auch** even if
wer who, whoever
werden, wurde, ist geworden, wird to become, be; **werden zu** to change into, turn into

werfen, warf, geworfen, wirft to throw
das Werk, -es, -e work
wert worth
der Wert, -es, -e worth, value
wertlos worthless
wesentlich essential, substantial; **das Wesentliche** the essential part, essentials
weshalb why, for what reason
westdeutsch west German
der Westdeutsche, -n, -n West German
(das) Westdeutschland, -s Western Germany
der Westen, -s West
die Westgrenze, -n western border
das Westreich, -es Western Kingdom
weströmisch west Roman
das Wetter, -s weather
der Wettkampf, -es, ⸚e contest, match
wichtig important
der Widerstand, -es, ⸚e opposition, resistance
widmen to dedicate, devote
wie how, as
wieder again; **immer wieder** again and again
der Wiederaufbau, -s reconstruction
wieder-auf-bauen to rebuild, reconstruct
die Wiederaufrüstung rearmament
wieder-geben, gab wieder, wiedergegeben, gibt wieder to give back, reproduce
wieder-her-stellen to restore, repair
wiederholen to repeat, review
wieder-sehen, sah wieder, wiedergesehen, sieht wieder to see again
das Wiedersehen, -s reunion, seeing one another again
die Wiedervereinigung reunification
wieviel how much, how many; **wieviel Uhr** what time
der Wille, -ns will
willkommen welcome
wimmeln (von) to teem with
die Windel, -n diaper
der Winkel, -s, — angle, corner, nook
der Winter, -s, — winter

245

wirken to work, be effective
wirklich real
die Wirklichkeit, -en reality
die Wirtschaft, -en economy
wirtschaftlich economic
die Wirtschaftshilfe economic aid; **das W.-leben, -s** economic life; **die W.-politik** economic policy; **das W.-wunder, -s** economic miracle
wissen, wußte, gewußt, weiß to know
wissenschaftlich scientific
wissenswert worth knowing
die Woche, -n week
das Wochenblatt, -es, ⸚er weekly newspaper; **das W.-ende, -s, -n** weekend; **der W.-spielplan, -s, ⸚e** program for the week (theater); **die W.-zeitung, -en** weekly newspaper
wodurch through what, by what
wofür for what
die Woge, -n wave
wohin where, whither, wherever
wohl well, probably, I suppose
das Wohl, -s health, well-being; **auf Ihr Wohl!** to your health!
die Wohlfahrtsorganisation, -en welfare organization
wohlhabend wealthy
der Wohlstand, -es wealth
der Wohnblock, -s, -s large housing unit
wohnen to live, reside
die Wohngegend, -en residential area
das Wohnhaus, -es, ⸚er house, apartment house
der Wohnraum, -es housing space; **die Wohnraumhilfe** (government) aid to secure housing space; **der Wohnraummangel, -s** shortage of housing space
die Wohnung, -en apartment
das Wohnungsamt, -es, ⸚er housing office; **der W.-bau, -s** construction of housing unit; **die W.-not** housing shortage; **die W.-verhältnisse** (*pl.*) housing conditions
das Wohnzimmer, -s, — living-room
der Wolkenkratzer, -s, — skyscraper

wollen, wollte, gewollt, will to want, wish, intend to
worin wherein, in what
das Wort, -es, -e or **⸚er** word
wovon of what, on what
das Wunder, -s, — wonder, miracle
sich wundern (über) to be surprised (at)
wünschen to wish
die Wüste, -n desert

die Zahl, -en number
zahlen to pay
zahllos countless
zahlreich numerous
die Zahlung, -en payment
die Zahnbürste, -n toothbrush
zaristisch czaristic
zauberhaft magical, enchanting
z. B. (zum Beispiel) for example
zeigen to show, point out
die Zeit, -en time
der Zeitgenosse, -n, -n contemporary
zeitlich temporal, temporary
zeitlich begrenzt for a limited time, temporary
der Zeitraum, -es, ⸚e space of time, period
die Zeitschrift, -en magazine, journal
die Zeitung, -en newspaper
der Zeitungsartikel, -s, — newspaper article; **der Z.-ausschnitt, -es, -e** newspaper clipping; **die Z.-seite, -n** newspaper page; **der Z.-stand, -s, ⸚e** newspaper (sales) stand; **der Z.-ständer, -s, —** magazine rack
das Zentrum, -s, Zentren center
zerbomben to destroy by bombing
zerbrechen, zerbrach, (ist) zerbrochen, zerbricht to break
zerfallen, zerfiel, ist zerfallen, zerfällt to disintegrate
zerreißen, zerriß, zerrissen to tear apart, dismember
die Zersplitterung, -en fragmentation
zerstören to destroy
die Zerstörung, -en destruction

246

zerstreuen to scatter
ziehen, zog, gezogen to pull, draw, describe; **(ist gezogen)** to move
das Ziel, -es, -e goal, aim
ziellos aimless
ziemlich rather, fairly
die Zigarette, -n cigarette
die Zigarre, -n cigar
das Zimmer, -s, — room
die Zinsen (*pl.*) interest
der Zivilbedarf, -s civilian needs
die Zivilbevölkerung, -en civilian population
der Zivilist, -en, -en civilian
zögern to hesitate
die Zone, -n zone
die Zonengrenze, -n zone border, zone boundary
z. T. (**zum Teil**) in part, partly
zueinander to one another
zuerst first of all
der Zufall, -s, ⁻e chance, accident
zufällig by chance,
zu-fließen, floß zu, ist zugeflossen to flow to, go to
zufrieden satisfied, happy
die Zufuhr, -en supply
der Zug, -es, ⁻e train
zu-geben, gab zu, zugegeben, gibt zu to admit, concede
zugleich at the same time
die Zukunft future
die Zukunftsmusik dreams about the future
zu-lassen, ließ zu, zugelassen, läßt zu to admit
zuletzt last, at last, finally
zumute: mir ist zumute I feel
zunächst first, at first, first of all
die Zunge, -n tongue
zu-nicken to nod to
(sich) zurecht-finden, fand zurecht, zurechtgefunden to find one's way about
zurück back
zurück-bleiben, blieb zurück, ist zurückgeblieben to remain behind, lag behind
zurück-fahren, fuhr zurück, ist zurückgefahren, fährt zurück to ride (drive) back, return

zurück-führen (auf) to trace back (to)
zurück-gehen, ging zurück, ist zurück-gegangen to go back, recede, decline
zurück-halten, hielt zurück, zurück-gehalten, hält zurück to hold back
zurück-kehren (sein) to return
zurück-kommen, kam zurück, ist zurückgekommen to come back, return
sich zurück-lehnen to lean back
zurück-reichen to reach back, extend back, go back (to)
zurück-schlagen, schlug zurück, zurückgeschlagen, schlägt zurück to beat back
zurückstehen müssen to have to stand back, be passed over
zurück-treten, trat zurück, ist zurückgetreten, tritt zurück to step back, resign
zurück-zahlen to pay back
(sich) zurück-ziehen, zog zurück, zurückgezogen to withdraw
zusammen together
die Zusammenarbeit, -en co-operation
zusammen-brechen, brach zusammen, ist zusammengebrochen, bricht zusammen to collapse
der Zusammenbruch, -s, ⁻e collapse
zusammen-fassen to summarize
der Zusammenhang, -es, ⁻e connection, context
die Zusammenkunft, ⁻e gathering, meeting
zusammen-rücken to move together
sich zusammen-schließen, schloß zusammen, zusammengeschlossen to join
zusammen-setzen to put together
das Zusammensetzspiel, -s, -e jigsaw puzzle
zusammen-stoßen, stieß zusammen, ist zusammengestoßen, stößt zusammen to come into conflict, clash
der Zusammenstoß, -es, ⁻e collision, clash

247

zusammen-treffen, traf zusammen, ist zusammengetroffen, trifft zusammen to meet, join
zusammen-treten, trat zusammen, ist zusammengetreten, tritt zusammen to convene, meet
der Zuschauer, -s, — spectator
der Zuschuß, -(ss)es, ⸚(ss)e contribution, subsidy
zu-schütten to fill up
der Zustand, -es, ⸚e situation, condition
die Zustimmung, -en consent, concurrence
der Zustrom, -s influx
zu-treffen, traf zu, ist zugetroffen, trifft zu to hold true
zuviel too much
der Zwangsarbeiter, -s, — forced laborer
die Zwangsentwurzelung uprooting by force
zwar to be sure
der Zweck, -es, -e purpose
zweifellos doubtless, no doubt
die Zweigstelle, -n branch office
der Zwerg, -es, -e dwarf
zwingen, zwang, gezwungen to force
der Zwischenfall, -s, ⸚e incident

DÄNEMARK
Odense
SCHWE
NORDFRIESISCHE
INSELN
NORDSEE
HELGOLAND
Flensburg
SCHLESWIG-
Kiel
Neumünster
HOLSTEIN
Lübeck
Stralsund
Rostock
OSTFRIESISCHE
INSELN
Wilhelmshaven
Stade
Bremerhaven
Hamburg
MECKLENBURG
Schwerin
Groningen
Oldenburg
Bremen
Delmenhorst
Lüneburg
Elbe
Wittenberge
NIEDERLANDE
NIEDERSACHSEN
BRANDENBURG
Ems
Weser
Celle
Berlin
Enschede
Arnheim
Osnabrück
Hannover
SACHSEN-
Potsdam
Braunschweig
Brandenburg
Hildesheim
Münster
Bielefeld
Salzgitter
Magdeburg
Rhein
NORDRHEIN-
BUNDES REPUBLIK
SOWJETISCHE BESATZUNG ZONE
Recklinghausen
ANHALT
Dessau
Oberhausen
Duisburg
Mülheim
Essen
Bochum
Dortmund
Hagen
Göttingen
Halle
Düsseldorf
Wuppertal
Kassel
Solingen
Remscheid
Mühlhausen
Leipzig
WESTFALEN
Köln
Leverkusen
Eisenach
Erfurt
Jena
Dresden
Aachen
Bonn
Marburg
Gotha
Weimar
Gera
Chemnitz
Bad Godesberg
Giessen
Fulda
THÜRINGEN
Zwickau
BELGIEN
Koblenz
Limburg
HESSEN
Aue
SACHSEN
Plauen
Frankfurt
Wiesbaden
Hanau
Offenbach
Schweinfurt
Hof
RHEINLAND-
Bingen
Main
Mainz
Aschaffenburg
Bayreuth
LUXEMBURG
Trier
Darmstadt
Würzburg
PFALZ
Kaisers-lautern
Bamberg
Worms
Weiden
SAARLAND
Saarbrücken
Mannheim
Rothenburg
Ludwigshafen
Heidelberg
Fürth
Nürnberg
LOTHRINGEN
Speyer
Heilbronn
Karlsruhe
Dinkelsbühl
BAYERN
BADEN-
Pforzheim
Nördlingen
Regensburg
Nancy
Baden-Baden
Esslingen
Strassburg
Donau
Stuttgart
Reutlingen
Passau
FRANK-REICH
Ulm
Landshut
WÜRTTEMBERG
Augsburg
Freiburg
München
ELSASS
Friedrichshafen
Garmisch Partenkirchen
Basel
Bodensee
Zürich
Berchtesga
SCHWEIZ
STEIERM

OSTSEE
Tilsit
Unter sowjetischer
Königsberg
Verwaltung
Gdingen
Danzig
Elbing
OSTPREUSSEN
Unter polnischer
Verwaltung
Lyck
Allenstein
Marienwerder
inemünde
POMMERN
Neustettin
Stettin
Schneidemühl
Bromberg
Unter
Weichsel
Warschau
Frankfurt
Posen
POLEN
Warthe
poln.
Lodz
ttbus
Verwaltung
Neisse
Oder
Liegnitz
Breslau
Görlitz
SCHLESIEN
Waldenburg
Oppeln
Reichenberg
sig
Beuthen
Hindenburg
Gleiwitz
Kattowitz
Krakau
Ratibor
Prag
Mähr. Ostrau
0
100
200 Km
ECHOSLOWAKEI
Brünn
Donau
Wien
Pressburg
RREICH
UNGARN
DEUTSCHLAND
Grenze Deutschlands 1937
Zonengrenze
Oder-Neisse-Linie
Demarkationslinie in Ostpreussen
Ländergrenzen
Autobahnen
Eisenbahnen
Pitcher

Ex Libris

Jeffrey Forrest Huntsman

Beverly Ann Slattery Huntsman

Date: January 1963   Number: 21.0